afgeschreven

Kaapstad

Willemijn Jumelet

Kaapstad

DOMINICUS
•STEDENGIDSEN•

Eerste druk 2007

© XXVI Uitgeverij J.H. Gottmer/H.J.W. Becht BV
Postbus 317, 2000 AH Haarlem
E-mail: travel@gottmer.nl
Internet: www.dominicus.info
Uitgeverij J.H. Gottmer/H.J.W. Becht BV is onderdeel van de Gottmer Uitgevers Groep BV

ISBN-10 90 257 4143 6
ISBN-13 978 90 257 4143 3
NUR 516

Tekst: Willemijn Jumelet / Communicatie Werkt! & Reallife Concepts, Kaapstad
Cartografie: Y.T. Bouma, Leusden
Omslagfoto's: Jordi de Looff en Willemijn Jumelet; Neil Botha; Marcel Bouwman; Cape Grace; Iain Harris; Tom van der Leij; SA Tourism
Foto's: Jordi de Looff en Willemijn Jumelet; Allegria Guesthouse (p. 168); Neil Botha, neil@trafficonline.co.za (pp. 78, 84, 121, 122, 146, 179); Marcel Bouwman (pp. 54, 67, 95, 170); Cape Grace (pp. 44, 109, 132, 161, 163); Marieke Groosjohan (pp. 37, 181); Iain Harris, info@coffeebeans.co.za (pp. 66, 72, 101, 102); Harpert Holsboer (pp. 31, 65, 153, 184, 187); Wim en Marijke Jumelet (pp. 24, 83, 201); Tom van der Leij, info@fototom.nl (pp. 12, 13, 32, 36, 43, 51, 52, 59, 60, 61, 63, 71, 74, 76, 81, 92, 100, 106, 110, 111, 114, 116, 118, 120, 134, 135, 144, 148, 158, 167, 177, 180, 185); Henk en Mattie de Looff (pp. 47, 48, 78, 91, 130, 194); Maurits Matthijssen (pp. 25, 77, 80); Mooi Bly Landgoed (pp. 145, 174); Arthur Neumeier (pp. 46, 85); SA Tourism (pp. 16, 18, 20, 159, 193); Dirk Schluter (pp. 154, 191, 197)
Redactionele begeleiding: Hans van de Veen / Bureau M&O, Amsterdam
Zetwerk: Jos Bruystens, Maastricht
Lithografie: Studio Divendal, Haarlem

Alle Gottmer-reisgidsen worden voortdurend geactualiseerd door een team van gespecialiseerde redacteuren en adviseurs. Natuurlijk kan het ondanks deze zorg voorkomen dat je op reis merkt dat er veranderingen hebben plaatsgevonden die onze redactie niet tijdig bereikt hebben. We zouden het op prijs stellen indien je ons informatie over gewijzigde omstandigheden wilt toesturen: daarmee help je ons de volgende drukken actueel te houden.

Inhoud

Kaarten, plattegronden en kaders

Woord vooraf

Welkom in Kaapstad, de indrukwekkende stad die haar bezoekers betovert met een mix van extreme natuur en trendy stadsleven, gelegen aan de punt van Afrika. Kaapstad is de toegangspoort naar de rest van Zuid-Afrika, misschien wel de meest veelzijdige vakantiebestemming ter wereld, en staat als reisbestemming aan de top van de wereldsteden. Omdat er zoveel te doen en te zien valt, zul je je in Kaapstad en omgeving niet snel vervelen. De thematische indeling van deze stedengids zal daaraan bijdragen. De gids leidt je langs alle mooie en bijzondere plekken in Kaapstad, de wijnlanden en een aantal plaatsen buiten de stad (zoals Kaap de Goede Hoop, Hermanus en Swellendam) die met de auto gemakkelijk te bereiken zijn. Veelzijdig als de stad zelf, is er in deze Stedengids aandacht voor natuur, shoppen, eten, slapen, muziek en cultuur, de beste stranden, uitgaansleven, geschiedenis en de mooiste autoroutes door dit deel van Zuid-Afrika. Hier is altijd muziek, plezier en schoonheid waar je samen met de Capetonians (de inwoners van de stad) van kunt genieten.

Zelf ben ik, na drie jaar Kaapstad, nog steeds niet uitgekeken. Datzelfde gevoel hebben veel bezoekers, die daarom terug blijven komen. Toen ik hier in 1997 voor het eerst kwam, was de stad heel erg in ontwikkeling. Nu is de dynamiek er nog steeds, maar de aanblik is meer gepolijst. Dat maakt haar des te toegankelijker voor toeristen. De stad is overweldigend: trendy, kosmopolitisch en bruisend door een mix van mensen, muziek en Afrikaanse spirit. Kaapstad heeft mijn hart gestolen en we wonen hier met veel plezier. De overlandreis die mijn vriend en ik maakten met onze oude Landcruiser, van Middelburg via het Midden-Oosten dwars door Afrika naar Kaapstad, bracht de stad voor mij in een ander perspectief: dat van de voorbeeldfunctie die de Mother City heeft in Afrika. Het zorgt dat dit boek een grondige blik geeft achter de façades van het moderne stadsleven; veel invalshoeken zijn daardoor geïnspireerd.

Mensen die in de bergen wonen, praten graag over 'hun' berg. Hoe ze 'm in de gaten houden, hem elke dag even begroeten. De Capetonian ziet de Tafelberg als een soort familielid, die over je schouder meekijkt en er altijd is. Degenen aan wie deze filosofische inslag niet is besteed, kijken toch regelmatig naar de Tafelberg om te zien of ze uit de wolken ('het tafelkleed') een weersvoorspelling kunnen halen. Toen ik deze gids samenstelde, was iedere blik van mijn laptop vandaan er een tegen de Tafelberg op. Inspirerend. En verleidelijk. En ja, dan toch maar weer verder schrijven. Niet alleen de Tafelberg was mijn inspiratie, minstens zoveel krediet verdient Jordi de Looff, die mij aanspoorde mijn sluimerende idee waar te maken en vast te houden aan mijn visie. Daarnaast bedank ik Marianne Offereins en Ina Tanahatoe, die met scherpe pen meelazen. Tot slot bedank ik de fotografen, in het bijzonder Tom van der Leij.

Willemijn C.Ch. Jumelet
Kaapse zomer, december 2006

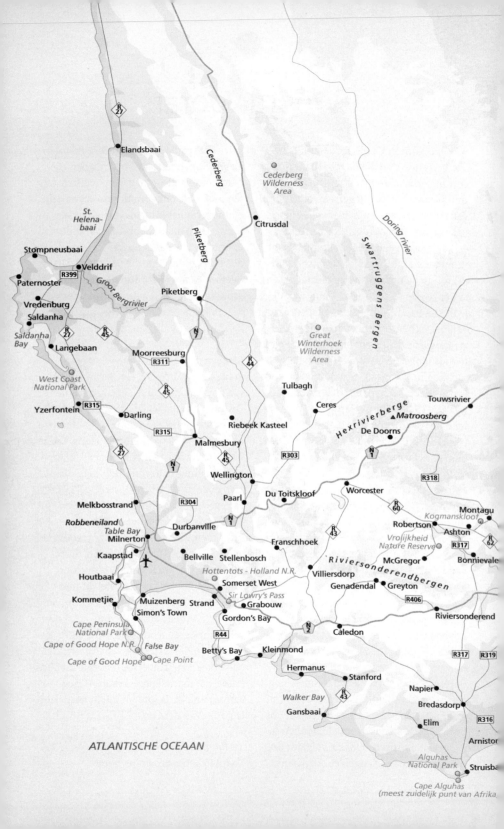

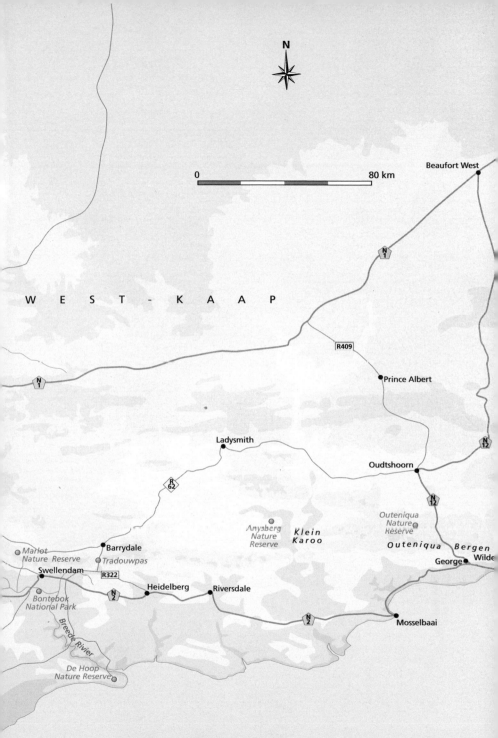

Een bewogen verleden

Zuid-Afrika is een land van contrasten. Er zijn weinig landen met zoveel variatie in de landschappen; de verschillen tussen de bevolkingsgroepen zijn (nog altijd) groot en hetzelfde geldt voor de verdeling van de welvaart. Ook in de geschiedenis van dit land zien we die grote contrasten, het meest recent de tegenstelling tussen de weerzinwekkende periode van de apartheid en de enorme politieke en sociale omwenteling die zich sinds de afschaffing ervan voltrok. Terwijl velen eindelijk kunnen hopen op een betere toekomst, trekt een nieuwe schaduw over het land: nergens ter wereld zijn zoveel inwoners geïnfecteerd met het hiv-virus (13 procent van de bevolking).

Na 1990 konden in Zuid-Afrika de geschiedenisboeken herschreven worden. Tot dat jaar verdraaiden historici en politici (met auteurs van schoolboeken in hun kielzog) de geschiedenis van het land, in een poging de bevolking en de buitenwereld te hersenspoelen. Hun geschiedenisboek begon niet met de vestiging van volken als de San en de Khoikhoi op het grondgebied van Zuid-Afrika, duizenden jaren voor het begin van onze jaartelling, maar met de komst van de Europeanen in de 17de eeuw. De apartheidsideologie ontleende legitimiteit aan de ontkenning van eerder (zwart) leven in de Kaap. De talloze gevonden beenderen en andere resten van het leven van de oorspronkelijke bewoners van Zuid-Afrika beschouwden de apartheidshistorici als 'niet van mensen afkomstig'. Deze gids richt zich op Kaapstad; dit hoofdstuk biedt daarom geen compleet overzicht van de geschiedenis van Zuid-Afrika. Maar vanwege de centrale positie

◀ *Kasteel de Goede Hoop* ▲ *Kaapstad bij nacht*

BEKNOPT HISTORISCH OVERZICHT

Ca. 35.000 v.Chr.	San en Khoikhoi leven in de Kaap
1498	Bartholomeu Diaz zeilt langs de Kaap, gaat aan land in Mosselbaai
1652	VOC'er Jan van Riebeeck sticht bevoorradingsstation
1667	Maleiers arriveren als slaven (meegebracht door VOC uit Indië)
1668–1700	Hugenoten vluchten naar de Kaap
1795	Britten annexeren de Kaap
1803	Kaapkolonie weer onder Nederlands bestuur
1806	Groot-Brittannië herovert de Kaap definitief
1814	Formele overdracht van de Kaap door Nederland aan Groot-Brittannië
1825	Britse kolonisten stichten Port Natal (Durban) in het koninkrijk van Zoeloe-koning Shaka
1836–1854	Grote Trek: 16.000 Boeren stichten Oranje Vrijstaat (1854) en Transvaal (1880)
1838	Slag bij Bloedrivier; Boeren vergelden de moord op Piet Retief door Zoeloes
1860	Contractarbeiders uit India komen voor werk op suikerplantages naar Natal
1867	Diamanten gevonden in Kimberley
1880–1881	Eerste Boerenoorlog
1883	Boerenleider Paul Kruger eerste president van Transvaal
1886	Goud gevonden in Witwatersrand; stichting Johannesburg
1899–1902	Tweede Boerenoorlog; Boeren tegen Britten, nederlaag Boeren
1910–1913	Unie van Zuid-Afrika onafhankelijke staat binnen Britse Gemenebest; het latere ANC wordt opgericht; de Native Land Act beperkt grondbezit door zwarten
1925	Afrikaans vervangt Nederlands als officiële tweede taal, na het Engels
1948	Nationale Party onder leiding van D.F. Malan wint verkiezingen; apartheid versterkt door wetgeving

van Kaapstad in het verleden en heden van dit land, geeft het hier volgende beknopte historische overzicht toch een goed beeld van de grote lijnen en belangrijkste momenten in de geschiedenis van Zuid-Afrika.

DE EERSTE BEWONERS

San

Onderzoekers zijn het niet eens over wie de eerste bewoners van de Kaap waren. Onder meer in de Noord-Kaap zijn beenderen gevonden van de Stone Age Hunters, die hier een miljoen jaar geleden leefden. De jagers uit het stenen tijdperk stierven uit of trokken weg, om er soms na eeuwen weer terug te keren. Veel later vestigen zich vanuit het noorden de San (wat verzamelaars betekent) in zuidelijk Afrika.

Sommige onderzoekers denken dat dit zo'n 40.000 jaar geleden gebeurde, andere houden het op 25.000 jaar. Kenmerkend voor hen zijn de rotstekeningen die ze achterlieten in de grotten waar ze woonden en schuilden. Deze zijn goed bewaard gebleven en nu nog te zien in de Drakensbergen (Kwazulu-Natal).

De rotstekeningen zijn feitelijk het enige tastbare dat de San achterlieten; zij leefden in extreme harmonie met de natuur en hadden bijna geen bezittingen. Wat ze hadden aan eigendom en voedsel deelden ze. Jagers (mannen) en verzamelaars (vrouwen) leefden in groepen van 20-30 personen als families bij elkaar. De groepen veranderden regelmatig van samenstelling – de banden waren losjes. Dit verklaart ook de latere vermenging met de Khoikhoi (wat herders betekent). De San

1950–1953	Meer apartheid door uitbreiding wetten, onder meer Group Areas Act
1952	ANC start Defiance Campaign
1960	Sharpeville Massacre; ANC wordt verboden
1961	Zuid-Afrika wordt republiek na referendum voor alleen blanken; ANC begint gewapend verzet, Albert Luthuli krijgt Nobelprijs voor de Vrede
1962	Nelson Mandela wordt gearresteerd; eerste VN-sancties
1964	Rivonia Trial: Nelson Mandela krijgt levenslang wegens landverraad en sabotage
1966	De vormgever van de apartheid, premier Hendrik Verwoerd wordt vermoord door een bode in het parlement; Lesotho onafhankelijk
1967	Professor Christiaan Barnard voert de eerste harttransplantatie ter wereld uit in het Groote Schuur ziekenhuis in Kaapstad
1968	Swaziland onafhankelijk
1976	Opstanden in Soweto vanwege wet die Afrikaans als voertaal instelt op scholen
1977	Steve Biko vermoord
1989	Beroerte premier Botha, F.W. de Klerk volgt hem op
1990	Mandela komt vrij
1993	De Klerk en Mandela krijgen samen de Nobelprijs voor de Vrede
1994	Eerste vrije verkiezingen; het ANC wint en Mandela wordt president
1997	Thabo Mbeki volgt Mandela op als president
1999	Tweede vrije verkiezingen; het ANC blijft de grootste
2004	Het ANC wint bij de verkiezingen voor het eerst een tweederdemeerderheid

zijn bekend geworden onder de Engelse benaming Bushmen (de voc'ers hadden het over Bosjesmannen). Naar schatting wonen er nu nog 30.000 afstammelingen van de San in Botswana, Namibië en Zuid-Afrika. Dit maakt de San tot een van de oudste nog bestaande culturen ter wereld.

Khoikhoi

De Nederlandse kolonisten noemden de Khoikhoi 'Hottentotten'. De oudste vondsten die betrekking hebben op dit volk zijn zo'n 3000 jaar oud. De Khoikhoi voelden zich superieur aan de San en ontwikkelden een sociale hiërarchie, gebaseerd op individueel bezit van vee. Wie beter was in het verzamelen en verzorgen van zijn ossen en koeien, vergaarde meer rijkdom en was machtiger. De Khoikhoi kenden ook al een politieke ordening, groepen werden aangevoerd door *chiefs* met veel macht.

De San en de Khoikhoi leefden van hetzelfde grasland, maar ze gingen er ieder op hun eigen manier mee om. De Khoikhoi lieten hun koeien en schapen grazen op het gras, dat werd kaalgevreten en daardoor niet meer aantrekkelijk was voor het grote wild. Maar de San jaagden juist op die grote wilde dieren voor hun levensonderhoud. De twee volkeren liepen elkaar letterlijk in de weg en ze voerden gedurende meerdere eeuwen vrijwel constant oorlog.

De San delfden het onderspit en trokken steeds verder weg. In de Kalahari vonden ze uiteindelijk rust: in de woestijn hadden de Khoikhoi met hun vee niets te zoeken. Andere San-groepen hadden geen keus: zij sloten zich aan bij de Khoikhoi en gingen

Kanonnen bij Hout Bay

voor hen werken, meestal als bediende of als herder. Na een paar eeuwen ontstond er meer onderlinge acceptatie en vonden er zelfs huwelijken plaats tussen Khoikhoi en San. Zo vormden de twee vroegere vijanden uiteindelijk een nieuw volk: de Khoisan.

In de tweede eeuw van onze jaartelling voegden zich weer nieuwe groepen bij de oorspronkelijke bewoners. Zij waren afkomstig uit het Grote Merengebied in Centraal-Afrika. Weer een hele tijd later – maar nog ver voor de komst van de Europese kolonisten – zakten de Nguni, de voorouders van zwarte volken als de Xhosa's en de Zoeloes, af naar het zuiden.

AAN LAND! EUROPEANEN IN DE KAAP

Portugezen

De Portugees Bartolomeu Diaz ging in 1487 als eerste Europeaan aan land in Mosselbaai (ongeveer 500 km voorbij Kaapstad). Toen hij de beruchte kaap veilig had gerond, gaf hij deze de nieuwe naam Cabo Boa Esperanca (Kaap de Goede Hoop). Cabo Tormentosa (Cape of Storms) was weliswaar een meer terechte naam, maar Diaz besloot tot de naamsverandering vanwege de vele schietgebedjes van schippers als ze deze kaap naderden. Het hielp de ontdekkingsreiziger niet: Diaz stierf in het jaar 1500 toen zijn schip verging tijdens een storm voor Kaap de Goede Hoop.

In 1503 ging een andere Portugees, Antonio de Saldanha, voor het eerst aan land in de Table Bay. Op zoek naar vers water volgden hij en zijn mannen een stroompje en daarbij beklommen ze de Tafelberg. De baai kreeg van hen de naam Saldanha Bay. Nu vinden we het plaatsje Saldanha ten noorden van Kaapstad, het is een belangrijke vissershaven aan de westkust. Omdat de Portugezen de eerste Europeanen waren die de lokale volkeren ontmoetten, stuitte dit logischerwijs op tegenstand. De Khoikhoi waren bang en verdedigden zich tegen de indrukwekkende schepen en de mensen met hun vreemde uiterlijk en hun wapens. De eerste pogingen tot ruilhandel liepen uit op slachtpartijen, met aan beide kanten veel slachtoffers. Dit speelde zich af tussen 1505 en 1510. De Portugese kapiteins besloten nadien de

Blazoenen van de Nederlandse VOC-steden op de poort van het Kasteel

Kaap te mijden. Het onvoorspelbare weer en de rotsachtige kustlijn in combinatie met de vijandige Khoikhoi maakten het niet tot een aantrekkelijk rustpunt. Portugal had inmiddels fortificaties en handelsposten opgezet in wat nu Angola en Mozambique zijn, en de Portugese schepen konden daar aanmeren voor proviand. Vanuit deze landen werden nieuwe routes naar de Oost ontdekt.

Nederlanders

In de 16de eeuw kregen de Portugezen op de belangrijke handelsroutes concurrentie van Engeland en Nederland. In 1647 liep het VOC-schip Haerlem aan de grond in de Table Bay. Een groep van ongeveer zestig man moest redden wat er te redden viel en wachtte tot ze werden opgepikt door een ander schip. Leendert Jansz reisde mee als koopman; hij nam de leiding en besloot al snel dat ze zich moesten beschermen tegen de Khoikhoi. Het primitieve fort dat ze bouwden bestond uit zand en wrakhout en stond ter hoogte van Bloubergstrand. De mannen hielden zich in leven door te jagen en wat handel te drijven met de Khoikhoi. Na een jaar werden de schipbreukelingen opgepikt; eenmaal terug in

Nederland raadde Jansz de VOC aan een permanente handelspost te stichten aan de Kaap.

In december 1651 kreeg Jan van Riebeeck de opdracht aan de Kaap een handelspost annex bevoorradingsstation te stichten. Dit was overigens bedoeld als straf: omdat hij betrapt was op fraude werd hij in de Kaap te werk gesteld. Met de schepen Drommedaris, Reijger en De Goede Hoop arriveerde hij op 6 april 1652 in de Table Bay. Van Riebeeck's groep bestond toen uit 90 mannen en acht vrouwen. Al snel bouwden ze een fort, met hout dat was meegebracht uit Holland. Eveneens meegebrachte kanonnen werden strategisch opgesteld bij het fort dat stond op de plaats waar nu de Grand Parade is, in het centrum van de stad. De huidige groene long, de Company's Gardens, was de plek waar Van Riebeeck's mensen moestuinen aanlegden. Groenten, fruit, tarwe: alles wat geoogst werd diende om passerende schepen te bevoorraden. Er was ook een wijngaard: aangezien alcohol hielp bij scheurbuik, kwam (brande)wijn goed van pas.

Het bevoorradingsstation groeide en langzaam maar zeker werden de Khoikhoi ver-

Hugenotenmonument in Franschhoek

der teruggedrongen in het achterland. Dat kwam mede door de heg van wilde amandelstruiken die Van Riebeeck in 1660 liet planten om een scheidslijn te creëren tussen de Khoikhoi en de groep van inmiddels 150 VOC'ers. De heg liep langs de westelijke voet van de Tafelberg; een stukje ervan staat nog in Kirstenbosch, de botanische tuin. Het was de eerste feitelijke scheiding tussen blank en zwart in dit land.

De VOC had Van Riebeeck verboden lokale slaven in te zetten. Dit zorgde voor een tekort aan arbeidskrachten. Men besloot dat die uit het Verre Oosten moesten komen, waar Nederland een koloniale oorlog voerde in de Maleisische archipel. Het leidde tot de handel in slaven uit deze regio, die door VOC-schepen naar de Kaap werden getransporteerd. Velen overleefden de tocht

niet. De slaven die wel aankwamen vormden de basis van de huidige Cape Malay-gemeenschap: de *coloured* gemeenschap is een mix van Europeanen, slaven en Khoikhoi.

Om aan de groeiende vraag naar arbeidskrachten te voldoen, vestigde een aantal VOC'ers zich na afloop van hun contract als zelfstandige boeren ('vrije burgers'). Zij verkochten hun producten aan de VOC. De uiterst vruchtbare grond van de Kaap bracht grote en gevarieerde oogsten voort. Omdat de handel zo floreerde, kwamen er steeds meer zelfstandige boeren. Uiteindelijk groeide de Kaap daardoor uit van een eenvoudige bevoorradingspost tot een echte kolonie.

Kasteel De Goede Hoop

In 1666 begonnen de kolonisten aan de

Kaap een nieuw, groot en sterk fort te bouwen. Dit vonden ze noodzakelijk omdat de rivaliteit tussen Engeland en Nederland steeds verder toenam: men verwachtte dat deze vijandigheid zich zou gaan uitstrekken tot aan de kusten van de kolonie. Kasteel de Goede Hoop is nu het oudste gebouw van Zuid-Afrika. De kenmerkende gele kleur werd gekozen vanwege de zonfilterende eigenschappen; de vijf hoeken (bastions), die samen een ster vormen, staan voor de vijf titels van de prins van Oranje.

Fransen

Door een groep van 200 hugenoten die in Frankrijk vervolgd werden toe te laten tot de Kaap, toonden de calvinistische (gereformeerde) Nederlanders hun naastenliefde. Gouverneur Simon van der Stel – die veel sporen naliet omdat hij zorgde voor groei van Kaapstad en Stellenbosch – was blij met de Fransen: zij konden zich toeleggen op de wijnproductie. Zelf was hij daarmee al jaren aan het experimenteren op zijn landgoed Constantia. Van der Stel wees de Fransen in 1688 het beste grondgebied toe dat hij kende: beschut en met voldoende water. Dit mooie dal, aan drie kanten omgeven door bergen, werd Franschhoek.

Britten

De Britten maakten aan het einde van de 17de eeuw gebruik van de afnemende macht van de Nederlandse handelaren. De voc ging failliet en werd in 1795 opgeheven. Na de Franse Revolutie namen de Britten de macht over in de Kaap, om te voorkomen dat de kolonie in Franse handen zou vallen. *Liberté, egalité* en *fraternité* waren principes die niet echt pasten bij de gang van zaken in de kolonie. Prins Willem de Vijfde van Oranje nodigde de Britten uit de macht over te nemen aan de Kaap toen hij in ballingschap leefde in En-

geland. Met de Slag om Muizenberg was de eerste Britse bezetting een feit. In 1802 gaven ze de macht terug aan de Nederlanders. Vier jaar later, in 1806, bezetten de Britten de Kaap voor de tweede keer en nu definitief, na de Slag om Blaauwberg. Nederland was toen ingelijfd door Frankrijk. De Britten kregen een slecht renderende kolonie in handen, een erfenis van het wanbestuur van de Nederlanders. Om de handel snel te laten groeien verlaagden ze een aantal prijzen, onder andere van wijn. Daarmee gaven ze het startsein voor vrije handel, wat de economie een grote stimulans gaf. Wijn was het grootste exportproduct en de verlaagde prijs zorgde in het jaar 1822 in Groot-Brittannië voor een marktaandeel van 10 procent.

Het strakke Hollandse regime werd ook aangepakt: de Britten zagen dat ze sommige zaken beter op een wat vrijere manier konden regelen. De streng gereformeerde kolonisten lieten geen andere godsdiensten toe in hun 'bevoorradingsstation'. Dit kwam mede doordat ze de Bijbel als enige leidraad gebruikten; vanuit hun calvinistisch geloof dachten zij uitverkoren te zijn om Zuid Afrika te leiden en het vrij van andere invloeden te houden. Dit geloof werd later ook een rechtvaardiging voor de apartheid. De Engelsen voerden de vrijheid van godsdienst in. Ook schaften ze een pasjeswet af die de Hollanders hadden ingesteld voor de Khoisan. In 1829 stichtten ze de Universiteit van Kaapstad; de Universiteit van Stellenbosch kwam er in 1918.

VAN GROTE TREK TOT BOERENOORLOG

Einde aan de slavernij

De slavernij werd in 1834 afgeschaft. Voordat deze wet erdoor kwam, legde de voc nog een straf op aan Willem Adriaan van der Stel (de zoon van Simon), die de mees-

Ossenwagens van de Voortrekkers

te slaven bezat op de Kaap. Op zijn land-goed Vergelegen bij Somerset West (nu een *wijnestate* waar veel historische informatie wordt gegeven) werden de slaven zo uitgebuit, dat het zelfs de VOC te ver ging. Het afschaffen van de slavernij deden de Britten overigens niet uit menslievendheid, maar uit economische overwegingen. De slaven bleven meestal gewoon werken bij hun baas, maar nu als werknemer (en dat was goedkoper). De werkomstandigheden veranderden nauwelijks. Het grootste verschil was dat de werknemers die dat wilden zich na een paar jaar konden losmaken en zelfstandig worden. De oorspronkelijke kolonisten was deze gang van zaken een doorn in het oog. Ze waren bijna allemaal boer geworden, aangezien de VOC niet meer bestond. Uit onvrede met het Britse bestuur trokken ze steeds vaker weg uit de Kaap.

De Grote Trek
De Grote Trek, waarbij zo'n 16.000 mensen met al hun bezittingen op een ossen-wagen gepakt naar het noordoosten trokken, vond plaats tussen 1830 en 1840. In die tien jaar doorkruisten en ontdekten de Voortrekkers het land, een hele prestatie. Het leven van de Voortrekkers begon verdacht veel te lijken op dat van de Khoikhoi, die ze zo minachtten. Onderweg, terwijl niemand wist waarheen ze gingen, waren de ontberingen talrijk. Ze kregen te kampen met ziektes, honger en enorme bergpassen die overgestoken moesten worden. De Zoeloes vermoordden in 1838 een groep Voortrekkers. Vergelding voor de moord op hun leider Piet Retief leidde tot de Slag bij Bloedrivier, waar 468 Boeren met hun moderne wapentuig een leger van 12.500 Zoeloes versloegen. Het bloed-bad dat ontstond leverde de rivier de Ncombe (in de Kwazulu Natal Midlands) de naam Bloedrivier op.

Hun nomadische, keiharde en eenzame levensstijl – slechts draaglijk vanwege het rotsvaste Bijbelse geloof in hun missie – heeft tot vandaag de dag zijn weerslag op het karakter van de Afrikaner Boer. Veel

Afrikaners vereren de Voortrekkers, hun voorouders, als helden; de Slag bij Bloedrivier wordt jaarlijks herdacht. Nog steeds heeft ieder dorp een Voortrekkerstraat. In kleine dorpen zal de bezoeker zich afvragen waarom de hoofdstraat vier banen breed is, terwijl er amper verkeer is. Dat heeft te maken met de enorme draaicirkel van de ossenwagens – hierop werden de straten bemeten.

De dorpen maakten letterlijk en figuurlijk ruimte voor de Voortrekkers: zij brachten handel. Een goed voorbeeld van een plaats die floreerde onder de Grote Trek was Paarl. De Voortrekkers stonden daar aan de voet van de Helderbergen, die ze op de een of andere manier moesten oversteken. Hun ossenwagens werden in Paarl in orde gemaakt en proviand werd ingeslagen. De Voortrekkers stichtten eerst de republiek Natalia met als hoofdstad Pietermaritzburg, en later de Oranje Vrijstaat (nu de Free State) en Transvaal (nu Northern Province, Gauteng en Mpumalanga).

De Kaapse economie groeit

Kaapstad had vanwege het onvoorspelbare weer en de zware stormen een slechte reputatie bij de scheepslui. Het was een enorme vooruitgang toen in 1860 het Alfred Basin werd aangelegd: eindelijk een beschutte haven. Later kwam hier de Victoria & Alfred Waterfront. Toen in 1869 het Suezkanaal opende werd het een stuk rustiger in de haven van Kaapstad. Maar juist in deze jaren werden in het noorden van het land goud en diamanten gevonden; de handel die daarvan het gevolg was zorgde ervoor dat Kaapstad de belangrijkste haven bleef. Het inwoneraantal groeide tot meer dan honderdduizend aan het begin van de 20ste eeuw.

Diamanten en goud

Bij de Oranjerivier vonden spelende kinderen in 1867 een mooie glimmende steen.

CURRY EN GANDHI

Op de suikerplantages in Natal werkten contractarbeiders (koelies) uit India. In 1860 werden zij in grote aantallen overgebracht naar de tropische gebieden rond Durban. Na afloop van hun contracten bleven de meeste Indiase mensen hier wonen en ze begonnen kleine ondernemingen. Nog steeds is multicultureel Durban het centrum van de Indiase gemeenschap in Zuid-Afrika.

De koelies waren ook de aanleiding voor Mahatma Gandhi om in 1893 op 24-jarige leeftijd naar Zuid-Afrika te komen. Gandhi was advocaat en betrokken bij een rechtszaak tussen twee Indiase bedrijven. Hij arriveerde per schip in Durban en nam de trein naar Pretoria. Zich onbewust van de apartheidswetten in Zuid-Afrika, kocht hij een kaartje voor de eerste klas. Maar in de trein maakte een blanke bezwaar tegen zijn aanwezigheid in de trein en Gandhi moest in de derde klas plaatsnemen. Omdat hij weigerde, werd hij op het station van Pietermaritzburg uit de trein gezet. Deze gebeurtenis legde de basis voor Mahatma Gandhi's politieke loopbaan. Hij bleef 21 jaar in Zuid-Afrika om te strijden voor gelijke burgerrechten voor de Indiase gemeenschap. Zijn wereldberoemde filosofie *satyagraha* – met als grondgedachte het hooghouden van de waarheid – kwam hier tot ontwikkeling.

Het bleek een 21-karaats diamant te zijn; deze vondst zette alles op zijn kop. De Noord-Kaap is een droog gebied en er was niet veel te halen, maar dat veranderde. Kimberley, een dorp van niks, groeide uit tot een enorm kamp van diamantgravers. Hier werd de grondslag gelegd voor de industrialisatie van Zuid-Afrika. Alle partijen wilden hun graantje meepikken van de diamant*boom*. Dit resulteerde in een enorme machtsstrijd, die de Britten wonnen. Mijnmagnaat Cecil John Rhodes was eigenaar van De Beers, de toonaangevende onderneming in diamanten. De macht van

Tuynhuys, presidentsverblijf in Company's Garden

dit bedrijf was ongekend groot tijdens de hoogtijdagen aan het einde van de 19de eeuw; ook nu nog is De Beers de grootste ter wereld in de diamantenhandel.

Het bleef niet bij diamanten: in 1886 werden grote goudaders blootgelegd op de Witwatersrand. De goudzoekers vestigden er de plaats Johannesburg. Een paar jaar eerder was ook al goud gevonden in Transvaal, maar in Witwatersrand leken de goudreserves onuitputtelijk. Witwatersrand zorgde voor de bijnaam van Johannesburg: Egoli, city of gold. Om de goudwinning van de grond te krijgen, leverden ondernemers uit Kimberley hun expertise, machines en mijnwerkers uit de diamantmijnen. Zo bleven de goudhandel en de diamanthandel onder controle van dezelfde, kleine groep. De arbeiders schoten er niets mee op en deelden niet in de rijkdom: zij moesten op een levensgevaarlijke wijze hard werken in de mijnen en leefden in kampen, ver weg van hun familie en onder extreem slechte omstandigheden.

Boerenoorlog

De Britten waren vastbesloten de macht over de goud- en diamantmijnen volledig naar zich toe te trekken en dwongen de Afrikaanse koninkrijken (Lesotho en Swaziland) en de twee Boerenrepublieken deel te nemen aan een Britse confederatie. De Boeren waren dat niet van plan en zo brak de Boerenoorlog uit (1899–1902). Vanwege het gebrek aan structuur in hun legers en de grote overmacht van de Britten verloren de Boeren de oorlog; de Britten kregen volgens plan de exploitatie van de mijnen in handen. De oorlog speelde zich overigens ver buiten Kaapstad af en de stad speelde slechts een rol als aanvoerhaven.

EEN BIZAR SYSTEEM

Na de oorlog

Oorlogswinnaar Groot-Brittannië moest te vriend gehouden worden, beseften de Boeren. In hun ogen waren er drie groepen in Zuid-Afrika; zijzelf, de Britten en de zwarte

Afrikanen. Als ze echt moesten kiezen, dan wilden de Boeren liever een partij vormen met de Britten dan over één kam geschoren worden met de zwarten. De belangrijkste troef van de Britten om de Boeren aan hun zijde te krijgen was het onthouden van stemrecht aan de zwarten. En dat terwijl de zwarte Zuid-Afrikanen hadden gehoopt dat de Britten hun, na het winnen van de oorlog, dezelfde politieke rechten zouden geven als de blanken. De rivaliteit tussen de Boeren en de Britten bleef, maar de twee blanke gemeenschappen hadden dezelfde mening over de zwarte Afrikanen: zij beschouwden hen als inferieure wezens, slechts geschikt om uit te buiten als arbeidskrachten zonder rechten.

Unie van Zuid-Afrika

In 1910 werd de Unie van Zuid-Afrika opgericht, met Louis Botha als premier. Er waren twee partijen; de South African National Party steunde de Britten en was voor eenheid tussen Britten en Boeren. Radicalere Boeren splitsten zich af en vormden de Nasionale Party (NP). Zij wilden onafhankelijk zijn van Groot-Brittannië en zetten Afrikaner belangen voorop. Deze partij zou later de apartheid invoeren. Ondanks dat de bevolking voor 75 procent uit zwarten bestond, hadden zij geen politieke plaats in de Unie. Blanke liberalen vroegen de Engelse regering voortdurend geen wetten uit te vaardigen die het eigendoms- en stemrecht van zwarte Zuid-Afrikanen zouden aantasten. Alle verzoeken werden afgewezen. Racisme vonden de Britten geen issue.

Hoogopgeleide zwarten zoals leraren, journalisten en religieuze leiders besloten daarop een eigen partij op te richten. In 1912 startten ze onder de naam South African Native National Congress, in 1923 werd de naam African National Congress (ANC). In 1913 kreeg het ANC direct meer dan voldoende te doen: de Lands Act was aangenomen en had enorme gevolgen voor de zwarte Zuid-Afrikanen. Deze bizarre wet bepaalde dat 8 procent van de grond in Zuid-Afrika bewoond mocht worden door zwarten. Blanken (20 pro-

Gevangenen op de binnenplaats van Robbeneiland Prison

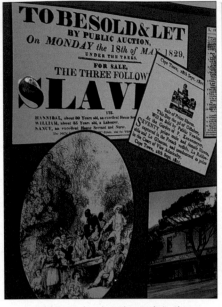

'Slaven te koop', een krantenknipsel

cent van de bevolking) hadden recht op 90 procent van het land. De zwarten verloren het recht om buiten de zogenaamde *thuislanden* (gebieden waar de zwarten wonen den op het platteland) of *townships* (zwarte woonoorden in stedelijk gebied) te wonen of grond te bezitten. Dit alles betekende een enorme beperking van de bewegingsvrijheid; men mocht in het vervolg niet meer verhuizen, ook al wilden veel bewoners van de thuislanden graag naar de stad omdat daar meer werk was.

Apartheid, nu officieel

Apartheid in Zuid-Afrika bestond vanaf het moment waarop Jan van Riebeeck zijn wilde amandelstruiken plantte om de handel met de Khoikhoi tegen te gaan. Sinds die tijd dachten de blanke bezoekers die inwoners werden dat de zwarte bewoners van een minder soort waren. Het woord 'apartheid' werd pas later voor het eerst gebruikt, waardoor het lijkt alsof het verschijnsel ook pas toen van de grond kwam.

De apartheid werd in 1948 officieel beleid door toedoen van de Nasionale Party, aangevoerd door D.F. Malan. De verkiezingscampagne van deze partij was gebaseerd op een complete scheiding van de rassen. De arme, ondergewaardeerde Boeren met hun enorme vaderlandsliefde volgden hun leider blind. De gang van zaken was vergelijkbaar met de wijze waarop Adolf Hitler het Duitse volk inpalmde in de jaren dertig. Daarnaast was de NP ook de partij voor een nieuw soort ondernemer, op zoek naar economische macht. De NP won de verkiezingen van 1948 met een kleine, maar cruciale, meerderheid. Deze meerderheid behield de partij tot 1994.

Het systeem van apartheid werd ondersteund door wetgeving; op een 20 m hoge muur in het Apartheidsmuseum in Johannesburg staan alle 150 wetten beschreven. De eerste wet werd aangenomen in 1949: om het ras zuiver te houden werden seksuele relaties en huwelijken tussen blank en zwart verboden. Alle inwoners van Zuid-Afrika werden onderverdeeld in een van de drie klassen: zwart/black (uit Afrika), gekleurd/coloured (uit Azië of India) of blank/white (uit Europa). Deze benamingen worden nog steeds gebruikt in het dagelijks leven en behoren tot het politiek correcte taalgebruik. Met behulp van de rassenindeling werd de pasjeswet aangescherpt. Zwarte en gekleurde mensen moesten hun pasje altijd bij zich dragen, op straffe van arrestatie. De Group Areas Act regelde waar de verschillende groepen woonden: de zwarten in de townships, de blanken in de betere wijken van de stad, gekleurden aan de rand van de stad, grenzend aan de townships. Een zwarte die zich zonder pasje in een witte wijk bevond werd opgepakt; zelfs al kwam hij daar om te werken bij een blanke. De pasjeswet werd in 1986 afgeschaft.

De praktijk is daarmee nog niet veranderd; zwarte en gekleurde mensen die je in een

ANC-kantoor op het platteland

rijke wijk ziet zijn meestal poetsvrouw of tuinman, in dienst van blanken. Het is een van de vreemde fenomenen in Zuid-Afrika, een erfenis van de apartheid: er zijn genoeg arme blanken die dit laaggewaardeerde werk zouden kunnen doen, maar dat wordt niet geaccepteerd. Met als gevolg dat er onder blanken ook volop armoede is, hoewel meer verborgen. Het feit dat dit soort werk niet voor hen beschikbaar is, is voor de arme blanken een extra reden om de zwarten te haten. Bedrijven zijn tegenwoordig door de Black Economic Empowerment regels verplicht een evenredig deel zwarte of gekleurde werknemers in dienst te hebben (de BEE-wet). Deze wet wordt op alle niveaus toegepast: van managementfuncties tot het schoonmaakwerk.

Slegs vir blankes

De bordjes 'Slegs vir blankes' werden overal geplaatst. Alle publieke plaatsen waren verdeeld in twee delen: blanken gebruikten de voordeur van een bank of winkel, zwarten moesten langs de zijkant. Een bankje in het park was alleen voor blanken. Cafés en restaurants mochten de toegang weigeren aan zwarten. Er waren aparte zwembaden en zitplaatsen in de bus. Zo intimiderend en schofferend als deze regelingen waren, zo ernstig waren de gevolgen voor de zwarte scholen en ziekenhuizen. Kwaliteit en veiligheid waren wel het laatste waar naar gekeken werd. De leiders van de Nederlands Gereformeerde Kerk rechtvaardigden de apartheid op religieuze gronden, zij geloofden dat de rassenscheiding van hogerhand was bepaald.

Sharpeville

In 1959 voerde het ANC actie tegen de gehate pasjeswetten. De leden demonstreerden bij het politiebureau van Sharpeville, een township bij de plaats Vereeniging in het noorden. Minstens 67 zwarte actievoerders werden vermoord door de politie, het merendeel werd in de rug geschoten. Er waren ongeveer 200 gewonden. In de ziekenhuizen bleek hoe grof de politie te werk was gegaan. In het wilde weg was er geschoten met grof kaliber. De .45 kogels met koperen neuzen hadden botten verbrijzeld en zoveel schade aangericht dat vele ledematen geamputeerd moesten worden. De politie eiste de verwijderde kogels op van de chirurgen. De patiënten, ook al waren ze niet gearresteerd, werden constant bewaakt. Familie mocht pas na vier dagen in het ziekenhuis komen. Ondanks deze pogingen de ernst van de zaak te verdoezelen, werd het de rest van de wereld nu ook duidelijk wat voor beleid de Nasionale Party voorstond. De Sharpeville Massacre was overal in de wereld voorpaginanieuws.

In de nasleep van de slachtpartij probeerde de zwarte bevolking zoveel mogelijk onrust en ontwrichting te ontketenen. President Verwoerd riep in paniek de noodtoestand uit; mensen konden worden opgepakt en veroordeeld zonder proces. In de periode die volgde werden 18.000 mensen aangehouden, onder wie veel leden van het ANC en het PAC (een radicale afsplitsing van het ANC). Beide organisaties werden verboden; ze gingen prompt ondergronds verder. De verbanning van Zuid-Afrika uit de internationale gemeenschap begon zich af te tekenen.

Leiders ANC en Mandela aangehouden

Samen met zeventien leden van het ondergrondse ANC stond Nelson Mandela in juli 1963 voor de rechter: de Rivonia Trial. Mandela was jurist en verdedigde zichzelf. Een jaar later, in juli 1964, was de uitspraak: Mandela en zeven anderen kregen levenslang. Onder hen Walter Sisulu, Robert Sobukwe en Govan Mbeki, vader van de huidige president Thabo Mbeki. In die periode vluchtte Oliver Tambo, een van de niet gearresteerde ANC-leiders, het land uit. Op afstand bleef hij zo het ANC besturen. Met Oliver Tambo had Nelson Mandela

het eerste zwarte advocatenkantoor opgericht. Walter Sisulu was Mandela's mentor en goede vriend.

'I have fought against White domination and I have fought against Black domination', zei Nelson Mandela op 20 april 1964 aan het eind van zijn verdediging in de Rivonia Trial. *'I have cherished the ideal of a democratic and free society in which all persons live together in harmony and with equal opportunities. It is an ideal which I hope to live for and to achieve. But if it needs be, it is an ideal for which I am prepared to die.'*

Verwoerd was een Nederlander

Hendrik Verwoerd, president van 1958 tot 1966, staat bekend als de architect van de apartheid. Hij bedacht de meest extreme wetten. Verwoerd was in Nederland geboren. Tijdens zijn regeerperiode bereikte de apartheid haar hoogtepunt. In 1966 werd hij vermoord door een bode in het parlement. De bode was een zwarte man, Dimitri Tsafendas. Hij werd krankzinnig verklaard door de rechter, maar de bevolking dacht daar in meerderheid heel anders over. Ook veel blanken waren naar verhouding een stuk liberaler dan hun president; niet veel mensen treurden om zijn dood.

Schoolkinderen en Steve Biko

Soweto, de grootste township bij Johannesburg, ontplofte op de ochtend van 16 juni 1976 toen schoolkinderen demonstreerden tegen de wet die het Afrikaans tot de verplichte voertaal op scholen maakte. De wet zou ook gelden op scholen waar de leerlingen geen woord Afrikaans kenden. Ruimte voor enige redelijkheid bestond niet meer. Leerlingen van acht tot zestien jaar protesteerden bij hun school in Soweto. Bij de Orlando-West school hadden zich 12.000 kinderen verzameld, ze gooiden stenen naar de politie en ze le-

Aankomst van bevrijde politieke gevangenen van Robbeneiland

ken onverschrokken. In reactie doodde en martelde de politie. De wereld was geschokt. De foto van de dertienjarige Hector Pieterson, die door zijn vriend werd weggedragen en het eerste dodelijke slachtoffer was van de oproerpolitie, stond in alle kranten. Nu is 16 juni een nationale feestdag die in het teken staat van kinderen en hun recht op een onbezorgde jeugd, Youth Day.

In de daaropvolgende dagen braken in townships in het hele land opstanden uit. Het was de hel op aarde. Steve Biko, een jonge, intelligente leider van de nadrukkelijk geweldloze studentenorganisatie Black Consciousness Movement, had heldere ideeën over de wijze waarop de rust kon terugkeren in de townships. Maar de regering luisterde niet naar deze voorstellen. Biko werd gearresteerd in augustus 1977, een jaar na de opstanden in Soweto. Op 16 september werd hij begraven, doodgemarteld door de politie.

EINDE VAN DE APARTHEID

Een onhoudbare situatie

De blanke regering merkte dat haar achterban wegdreef. Het percentage blanken op de totale bevolking daalde gestaag, van 20 tot 16 procent. Botha, toen president, voerde een aantal veranderingen in om zijn liberale achterban gunstig te stemmen: het afschaffen van de pasjeswet was een zichtbare concessie, maar in de praktijk bleef de apartheid gewoon bestaan. Naar schatting zaten aan het eind van de jaren tachtig minimaal 30.000 mensen zonder proces vast; vele duizenden waren gemarteld. Toen liberale blanken en de wereld in de gaten kregen dat Botha's concessies puur waren gericht op het handhaven van de status-quo, had men er genoeg van. De protesten en de algemene weerstand tegen het apartheidsbewind, of juist tegen de vermeende concessies van de regering, leidden tot twee nieuwe bewegingen.

Eugene Terreblanche voerde de Afrikaner

Weerstandsbeweging (AWB) aan, een neo-nazistische paramilitaire beweging. Lijnrecht tegenover hem stond aartsbisschop Desmond Tutu met zijn United Democratic Front (UDF). Het UDF werd gevormd door 15.000 antiapartheidsactivisten uit de Cape Flats, de townships bij Kaapstad. Tutu was verbonden aan St. Georges Cathedral in Kaapstad. De overheid verscherpte deze ontwikkelingen haar beleid nog verder. Lokale media kregen te maken met forse censuur. Zuid-Afrikanen kregen brieven van hun familie in Europa gecensureerd thuis bezorgd. De internationale druk om veranderingen door te voeren groeide. Ondertussen zakte de economie in en devalueerde de rand steeds verder.

Laatste stappen naar de vrijheid

Het lot hielp Zuid-Afrika een handje. Botha kreeg een beroerte en moest het leiderschap van de Nasionale Party in februari 1989 opgeven. Intern moest er heel wat geregeld worden, maar in augustus van dat jaar werd Frederik Willem de Klerk president. Vanaf het begin was duidelijk dat hij zou gaan onderhandelen met het ANC. In oktober liet hij onder anderen Walter Sisulu vrij. Het was menens. De Klerk zei dat het tijd was voor Zuid-Afrikanen om met elkaar te praten over de weg naar welvaart en gerechtigheid voor iedereen. Op 13 december 1989 ontmoette hij Nelson Mandela in de gevangenis in Paarl. Op 2 februari 1990 maakte De Klerk een eind aan de censuur in de media en aan het verbod op de organisaties ANC en PAC. Op die dag kondigde hij ook aan dat Nelson Mandela na 27 jaar gevangenschap per direct en onvoorwaardelijk zou worden vrijgelaten. Op zondag 11 februari 1990 om kwart over drie 's middags liep Mandela (toen 71) samen met zijn vrouw Winnie de vrijheid tegemoet. De wereld keek toe en was getuige van een bijzondere triomf. Mandela hield zijn eerste toespraak een uur later

vanaf het bordes van het stadhuis van Kaapstad, waar een gigantische menigte hem vanaf de Grand Parade toejuichte.

Verkiezingen

In de maanden die volgden maakten Mandela en De Klerk afspraken over de toekomst van het land. Ondertussen barstte het geweld opnieuw los. Chris Hani, de populaire leider van de communistische partij, werd doodgeschoten bij zijn huis in Johannesburg. Veel partijgenoten van De Klerk stonden niet achter de plannen en deelden, nu ze nog aan de macht waren, hun laatste slagen uit. Maar het was onvermijdelijk: de apartheid ging verdwijnen. Het duurde nog vier jaar, maar toen vonden voor de eerste keer werkelijk vrije verkiezingen plaats in Zuid-Afrika. Op 26 april 1994 was het verkiezingsdag. Het Afrikaner volkslied werd een laatste keer gezongen en tegelijkertijd werd de oude vlag halfstok gehangen. Daarna werd de Rainbow-vlag gehesen. Het was Desmond Tutu die zei: '*Together we are beautiful people with all the colours of a rainbow nation.*' Het prachtige *Nkosi Sikelele Afrika, God Bless Africa*, werd het nieuwe volkslied. Op deze dag zei Nelson Mandela: '*This is the time to heal old wounds and build a new South Africa.*'

De wereld was getuige van indrukwekkende beelden: duizenden mensen stonden op deze dag in lange rijen in de brandende zon, vastbesloten hun bijdrage te leveren aan een nieuw Zuid-Afrika. Mensen deden er alles voor om het stemhokje te bereiken en velen wisten van vreugde niet of ze moesten lachen of huilen. Blanke vrouwen stonden met hun zwarte dienstmeisjes in de rij. Ziekenhuisbedden werden compleet met patiënt naar het stemlokaal gebracht: alles om de stem uit te kunnen brengen. De verkiezingen verliepen rustig en het ANC won met 62,7 procent van de stemmen.

Nobel Square (Waterfront). Zuid-Afrikaanse Nobelprijs voor Vrede-winnaars Luthuli, Tutu, De Klerk en Mandela.

Op 10 mei 1994 werd Nelson Mandela beëdigd als eerste zwarte president van Zuid-Afrika, met De Klerk als vice-president. Samen toonden zij de Nobelprijs voor de Vrede, die ze een jaar eerder ontvingen, waard te zijn.

Nieuwe ronde, nieuwe kansen

De nieuwe ANC-regering stond voor een extreme uitdaging. Het erfde een samenleving die van tegenstellingen aan elkaar hing. Een rijk ontwikkelingsland, met een straatarme zwarte massa en een topzware bovenlaag van bemiddelde blanken. Na meer dan 40 jaar apartheid en isolatie en vijftien jaar economische achteruitgang moest Zuid-Afrika gaan meedraaien in de wereldeconomie. De wereld keek welwillend toe, maar wachtte af. Voor veel Zuid-Afrikanen ging letterlijk een wereld open: ineens waren artikelen die ze alleen maar van de televisie kenden te koop in hun winkels. De kloof tussen arm en rijk werd er nog eens extra door benadrukt.

Truth & Reconciliation Commission

De Waarheid- en Verzoeningscommissie richtte zich vooral op de periode van 1 maart 1960 tot 5 december 1993. Deze commissie was opgezet om de apartheid, voor zover mogelijk, te verwerken door slachtoffers hun verhaal te laten vertellen; op die manier zou hun herinnering een plaats krijgen, waarna ze verder zouden kunnen gaan met hun leven. Daar bleef het echter niet bij: daders kregen dankzij de commissie de kans hun misdaden te bekennen in ruil voor amnestie en 'vergeving'. Aartsbisschop Desmond Tutu stond aan het hoofd van de commissie en zijn visie was even logisch als moeilijk te bereiken: *'Without forgiveness there is no future, but without confession there can be no forgiveness.'*

De scheidslijn tussen slachtoffer en dader is dun in Zuid-Afrika. Denk aan (zwarte) mensen die gemarteld werden en zo gedwongen een vriend te verraden. De Waarheid- en Verzoeningscommissie bood echter hoop: de dader die bekende kon vergiffenis krijgen en zijn blik op de toekomst richten. Zij die weigerden te verschijnen voor de commissie maar waarvan de schuld wel kon worden bewezen, werden vervolgd en gestraft voor hun misdaden. Toch wilde Tutu vanuit zijn christelijke vergevingsgezindheid vooral dat Zuid-Afrikanen met hun verleden in het reine zouden komen; hij was niet zozeer gericht op het straffen volgens de wet. Begrijpelijk dat sommige (families van) slachtoffers dat anders zagen. De commissie heeft ook aanbevelingen gedaan voor schadevergoedingen aan de slachtoffers.

De Zuid-Afrikaanse Waarheid- en Verzoeningscommissie functioneerde gedurende vijf jaar (1994–1999). Dagelijks waren er nieuwe gruwelijke getuigenissen en bekentenissen, vaak liepen de emoties hoog op. Maar er waren ook veel mooie momenten, van hoop, vergeving of opluchting. Rondom het gebouw in Wale Street in Kaapstad waar het allemaal gebeurde hing een speciale sfeer; passanten hadden uit respect de neiging te gaan fluisteren of langzamer te rijden. Meer dan 8000 mensen legden vrijwillig een bekentenis af. Zoals men in Afrika gewend is geraakt, ontsprongen de aanstichters van de misdaden de dans. Leden van de regering, hoge politiebazen, president P.W. Botha: ze weigerden mee te werken; gebrek aan bewijs zorgde ervoor dat ze ook niet gedwongen konden worden voor de commissie te verschijnen.

Winst voor het ANC

Bij de verkiezingen op 26 april 1994 behaalde het ANC bijna twee derde van alle stemmen. Dat was net niet genoeg om de grondwet te kunnen herschrijven. De West-Kaap en Kwazulu-Natal waren de enige provincies waar het ANC geen meerderheid vormde. De Nasionale Party won in de West-Kaap dankzij de steun van blanke en gekleurde stemmers en de In-katha Freedom Party won in haar traditionele thuisbasis, Kwazulu-Natal. De grote verrassing was het stemgedrag van de gekleurde bevolking in de West-Kaap: zij stemden liever op de NP (die hen eerder het stemrecht had afgenomen) dan dat ze kozen voor een nieuwe situatie met een zwart meerderheidsbewind en een onduidelijke rol voor henzelf.

Bij de volgende verkiezingen, in 1999, verkreeg het ANC wel een tweederdemeerderheid. Zoals afgesproken, trad Mandela al eerder (in 1997) af als president. Zijn opvolger werd Thabo Mbeki, zoon van Mandela's medegevangene op Robbeneiland, Govan Mbeki. Thabo Mbeki is een echte diplomaat; zijn contacten met bijvoorbeeld de presidenten Bush en Blair zijn prima. Invloed op zijn alsmaar verder afglijdende Zimbabwaanse buurman Mugabe heeft hij echter nauwelijks. Terwijl Zuid-Afrika macht zou kunnen uitoefenen, kiest Mbeki voor de diplomatieke weg. Dat levert hem (internationale) kritiek op. Veel Zuid-Afrikanen vinden sowieso dat Mbeki zich meer op het buitenland richt dan op zijn eigen land.

Een binnenlands onderwerp waar Mbeki wel veel aandacht aan besteedt is de technologische vooruitgang. Hij ziet het belang van internet als medium om kennis te verkrijgen en te delen. Maar Mbeki zal ook herinnerd worden als de man die veel te lang de gigantische hiv/aidsproblematiek in zijn land bagatelliseerde. Mbeki betoogde dat hiv/aids voornamelijk een armoedeziekte is, en aangezien de economie in zijn land groeiende was zou het aantal dragers van het virus binnenkort wel weer afnemen.

AIDS BEDREIGT ALLE VOORUITGANG

Mbeki's visie is illustratief voor de situatie in Zuid-Afrika: gebrek aan kennis zorgt voor foute denkbeelden over hiv/aids. Toen vice-president Jacob Zuma voor de rechter moest verschijnen vanwege een vermeende verkrachting, verklaarde hij na onbeschermde seks een douche te nemen om zo de kans op hiv te verkleinen. Als de vice-president al moeite heeft met de feiten, wie kan het volk dan wat kwalijk nemen? Toch heeft president Mbeki wel

Hiv/aidsvoorlichting in Langa

voor een deel gelijk: armoede maakt mensen kwetsbaar; ondervoeding en eenzijdig eten verzwakken een immuunsysteem en maken het minder weerbaar tegen het hiv-virus. Maar de president en zijn vice-president zouden hun volk heel wat beter van dienst zijn door het gevaar en de ernst van de situatie te erkennen. Het was oud-president Mandela die in 2005 opnieuw een voorbeeld stelde: hij verklaarde in het openbaar dat zijn zoon was gestorven aan aids en niet aan tuberculose, wat heel vaak wordt genoemd als doodsoorzaak. Met zijn actie probeerde Mandela het taboe te doorbreken.

Zuid-Afrika heeft het grootste aantal hiv-dragers ter wereld. Ongeveer 13 procent van de bevolking is besmet, zo'n 5,6 miljoen van de in totaal 45 miljoen inwoners. Gelukkig is volgens onderzoekers wel een stabilisatiepunt bereikt. Dit is te danken aan de brede voorlichtings- en medische campagnes die worden ingezet om alle doelgroepen te bereiken. De drempel om een hiv-test te doen is tegenwoordig laag en veel mensen maken er gebruik van. Het gebruik van een condoom is voor velen gewoon geworden. Bij de kassa in de supermarkt liggen verpakkingen van zes stuks

om (gratis!) mee te nemen. Ze liggen in allerlei openbare gelegenheden, niet alleen in bars maar ook bij de balie van een overheidskantoor. In de stad gaat het de goede kant op, volgens de onderzoekers van UNAIDS (de VN-organisatie die zich bezighoudt met de bestrijding van aids).

Vooral op het platteland zijn echter nog veel mannen die blijven geloven in gruwelijke fabeltjes, zoals dat seks met een zo jong en puur mogelijk meisje hen kan genezen van aids. Het is ongelofelijk, maar vanuit die gedachte worden zelfs baby's verkracht.

Maar je hoort nu ook verhalen van vrouwen die hun verkrachter smeekten een condoom te gebruiken, wat ze dan vaak nog deden ook. Verkrachting is aan de orde van de dag in Zuid-Afrika: iedere zeven minuten wordt een vrouw verkracht. In meer dan twee derde van de gevallen gebeurt dit door iemand die de vrouw in kwestie kent. Velen houden er in dit land een volledig scheve seksuele moraal op na: vrouwen zijn totaal ondergeschikt, seksueel geweld komt zo vaak voor dat veel mannen en jongens denken dat het normaal is.

Cultuur van invloed op verspreiding hiv-virus

Jonge vrouwen en baby's

Jonge vrouwen van 15-24 jaar lopen vier keer zoveel gevaar het virus te krijgen als jonge mannen in dezelfde leeftijdsgroep. Hun seksuele partners zijn gemiddeld vijf jaar ouder, waarmee de kans dat de man het virus draagt groter is. Een grote meerderheid van de meisjes in Zuid-Afrika krijgt een eerste kind voordat ze achttien jaar zijn. Zwangere vrouwen geven het virus door aan de baby. In toenemende mate zijn nu virusremmers beschikbaar voor de baby's, die ze dan wel de rest van hun leven moeten gebruiken. Kinderen die zonder het virus geboren worden, lopen ook risico. Armoede dwingt veel moeders om extreem lang borstvoeding te blijven geven. In de tussentijd kan zij het virus oplopen en het alsnog doorgeven. De overheid is bezig met een regeling om hiv-positieve moeders gratis melkpoeder te verstrekken, waardoor ze geen borstvoeding meer hoeven te geven.

Kinderen

Van de kinderen in de leeftijd van twee tot veertien jaar is 6 procent besmet met het virus (kinderen jonger dan twee jaar zijn niet onderzocht). Besmetting bij de groep van twee tot vijf jaar kan verklaard worden door overdracht van moeder op kind, tijdens de zwangerschap of later door de verlengde borstvoeding. Kinderen ouder dan zes jaar die hiv hebben, zijn vaak het slachtoffer van seksueel misbruik (of zijn in het ziekenhuis besmet geraakt). Kinderen in Afrika lopen heel wat risico's: ze zijn al jong zelfstandig, worden veel alleen gelaten en alleen op pad gestuurd. Dit is ook een gevolg van armoede. De overheid heeft nu maatregelen genomen om kinderen te beschermen, onder meer door een vorm van buitenschoolse opvang in te stellen.

In 2004 waren er een miljoen aidswezen: kinderen die beide ouders aan de ziekte hebben verloren. Er zijn regio's in het land (de noordelijke provincies Limpopo en Northern Province met name) waar de generatie tussen 30 en 50 jaar bijna is uitgestorven: je ziet er voornamelijk kinderen en twintigers, naast oudere mensen.

POLITIEK IN KAAPSTAD

Tot voor kort had Kaapstad een zwarte, vrouwelijke ANC-burgemeester. Nomaindia Mfeketo was uniek: het feit dat ze zwart, vrouw en ANC-lid was, gaf haar vleugels vanaf haar installatie in oktober 2002. Ze beloofde de immense armoede aan te pakken: een derde van de huishoudens in Kaapstad heeft moeite rond te komen. In de townships gaat het om 70 procent van de gezinnen. Grote delen van het overheidsbudget voor Kaapstad werden besteed aan betere verlichting, sanitaire voorzieningen en water in de townships. Dat is aardig gelukt. Te hoog gegrepen was het voornemen iedereen van elektriciteit te voorzien. Belangrijk voor Kaapstad was een nationaal besluit om langs de N2 (van het vliegveld naar de stad) een groot woningproject op te zetten.

In maart 2006 werden weer gemeentelijke verkiezingen gehouden en het ANC verloor haar burgemeester. De Democratic Alliance won; Helen Zille werd de nieuwe *leading lady*. Een van haar stokpaardjes is dat het beschikbare geld goed moet worden gebruikt. In de verkiezingstijd, midden in de zomer, woedde de grootste brand sinds tijden op de flanken van de Tafelberg. In het kerstweekend van 2005 was de stad ook in de ban van een enorme brand. De brandweer moest daarnaast heel vaak uitrukken voor kleinere branden – allemaal in de natuur. Gebrek aan geld verhinderde steeds een effectieve rampenbestrijding. Zille kondigde aan hier direct iets aan te doen. De nieuwe burgemeester is ook gespitst op een correcte besteding van het geld dat beschikbaar is voor het WK voetbal, waar Zuid-Afrika in 2010 gastheer voor is. In Kaapstad moeten nieuwe stadions gebouwd worden. Over het nut hiervan zijn de meningen verdeeld. Iedereen is het wel eens over de noodzaak van een efficiënt openbaarvervoersysteem. Het WK is een mooie aanleiding om dat snel van de grond te krijgen. Capetonians (en toeristen) houden er, als het goed gaat, een voorziening van blijvende waarde aan over.

Nelson Mandela

De oude wijze man die Nelson Mandela nu is (in 2006 werd hij 88 jaar), kan terugkijken op een roerig leven. Waarschijnlijk is hij de meest charismatische leider ter wereld. Zijn achtergrond draagt bij aan dat charisma. Hij werd geboren op 18 juli 1918 in Mvezo, een dorp dat bestond uit een groepje ronde lemen hutten met rieten dak. De Transkei, met zijn groene heuvels en zonder enige stadse infrastructuur, was (en is) een traditioneel ingestelde regio. Nelsons vader was het hoofd van de Mvezo-clan. Toen hij nog een kleuter was, werden de privileges van zijn vader ingetrokken wegens een conflict met een blanke machthebber in het gebied. De familie was nooit arm, maar toen ze hun vee en land kwijtraakten werd het leven een stuk harder. Mandela zegt dat hij terugkijkt op een warme jeugd, met altijd familie om zich heen. Zijn moeder was de derde vrouw van zijn vader. Nelson Mandela heeft zich altijd tegen polygamie gekeerd, omdat hij het neerbuigend vindt tegenover de betrokken vrouwen en omdat hij vindt dat mannen hun verantwoordelijkheid moeten (kunnen) nemen, wat beter haalbaar is als ze één levenspartner kiezen.

Privé

Zelf trouwde Mandela drie keer. Zijn tweede vrouw was Winnie Madikizela-Mandela, ze trouwden toen hij advocaat was in Johannesburg. Als koppel kregen ze wereldfaam maar uiteindelijk bleek het huwelijk niet bestand tegen de druk van de strijd tegen de apartheid en Mandela's langdurige gevangenschap. Toen hij in 1961 ondergronds ging met het ANC, wist Mandela dat dit pad hem van zijn vrouw en kinderen kon wegleiden. De eenzaamheid in de cel vervreemdde hem uiteindelijk meer van zijn gezin dan hij op dat moment in de gaten had.

In de eerste jaren voerde Winnie de strijd in zijn naam, en zag de wereld haar als de loyale echtgenote. Ze was onvermoeibaar in haar strijd en was voor niemand bang. Doordat ze zo moedig was, won ze veel respect. Haar steun was van enorm belang voor Nelson Mandela, haar liefde en vechtlust gaven hem iedere keer weer kracht. Op Robbeneiland keken Mandela's medegevangenen uit naar haar bezoeken: zij bracht haar man op de hoogte van het politieke nieuws. Dat deed ze in codes en ze speelde zo een belangrijke rol in het hooghouden van de moraal van de politieke gevangenen.

Maar ze bleef niet loyaal. Winnie maakte misbruik van haar macht binnen het ANC. Betrokkenen denken dat zij haar rol als vechter niet kon volhouden en zich liet leiden door haar roem. Haar moraal brokkelde af, naarmate ze meer ging drinken. In 1985 hield ze een toespraak waarin ze opriep tot geweld, gekleed in een legeruniform. Een jaar later was ze met haar gewelddadige lijfwachten, die eigenlijk een knokploeg waren (de Mandela United Football Club), betrokken bij de moord op de veertienjarige Stompie Seipei. Ze moest hiervoor later verantwoording afleggen bij de Truth and Reconciliation Commission. Waar ze eerst werd gezien als een heilige, was Winnie nu de duivel geworden. Het ANC was bang voor een burgeroorlog, terwijl Mandela op

Nelson Mandela en Walter Sisulu op Robbeneiland

afstand moeite had de situatie te begrijpen. Hoewel Nelson en Winnie samen de vrijheid tegemoet liepen na zijn vrijlating uit de gevangenis, volgde de scheiding twee jaar later. Op zijn 80ste verjaardag trouwde Mandela met Graca Machel, de weduwe van de voormalige Mozambikaanse president. Zuid-Afrikanen en vele wereldbewoners waren ontroerd dat Mandela op zijn oude dag opnieuw het geluk vond in zijn privéleven.

Diplomaat

Als president stond Mandela voor een zware taak. Velen verwachtten dat het land na de omwenteling zou wegzakken in chaos en burgeroorlog; dat dit niet gebeurde is voor een groot deel Mandela's verdienste. Hij slaagde erin de vrede te bewaren tussen de verschillende bevolkingsgroepen en de aanzet te geven tot sociale programma's die de achterstelling van de zwarte bevolking moeten aanpakken. Die programma's hebben tot nu toe weliswaar niet volledig beantwoord aan de verwachtingen van de bevolking, maar de kloven die gedicht moeten worden zijn dan ook bijzonder groot.

Zijn huidige leven

Na één ambtstermijn trad Mandela in juni 1999 af en werd Thabo Mbeki zijn opvolger als president van Zuid-Afrika. Mandela is officieel met pensioen maar hij verschijnt nog regelmatig in het openbaar. Bijna dagelijks is hij in Zuid-Afrika in het nieuws, als hij zich inzet voor projecten die het welzijn van kinderen bevorderen of de bewustwording rondom hiv/aids vergroten. De wereld ziet hem als een leider; als Mandela spreekt, luistert iedereen. Ondertussen wordt in zijn geboortestreek aan een betere infrastructuur gewerkt, zodat het kleine dorp in de Transkei klaar is om een bedevaartsoord te worden als Nelson Mandela overlijdt. Mandela's gezondheid is op het moment van schrijven nog goed, maar zijn zware leven heeft wel sporen nagelaten.

2

Het beste van Kaapstad

Kaapstad betovert, meer en anders dan andere wereldsteden doen. Niet alleen bezoekers raken in een gelukzalige roes in de Mother City, ook Zuid-Afrikanen dragen deze stad in hun hart. Dat komt door de heerlijke wijn, de warme zon en natuurlijk het vakantiegevoel. Maar Kaapstad heeft veel meer magische pluspunten. De oceaan die diepblauw of bulderend om aandacht schreeuwt, de Tafelberg waar je iedere ochtend even naar moet kijken, het bruisende stadsleven met een regenboog aan mensen: daarmee betovert Kaapstad haar bezoekers. Dit hoofdstuk behandelt de hoogtepunten van Kaapstad en omgeving (Kaap de Goede Hoop, de wijnlanden), en laat zien hoe je als bezoeker al in een paar dagen een fantastische indruk kunt krijgen van de meest kosmopolitische stad van Afrika.

DE TAFELBERG

Het hoogtepunt van Kaapstad is de Tafelberg. Letterlijk en figuurlijk – een berg die zomaar midden in de stad staat, je kunt niet anders dan daar tegenop kijken. Waar je ook bent in de stad, de berg is een baken en een oriëntatiepunt. Capetonians kijken 's ochtends naar de berg om te zien hoe de wind staat – hangen er bewegende wolken overheen die als druppels naar beneden glijden (het beroemde 'tafelkleed') of is de scherpe aftekening van de grijze berg tegen de blauwe lucht het startsein van een zonnige dag? Op een wolkeloze dag is er maar één wijs advies te geven: wijzig de plannen

▲ *Uitzicht vanaf Tafelberg over Lion's Head en Robbeneiland*

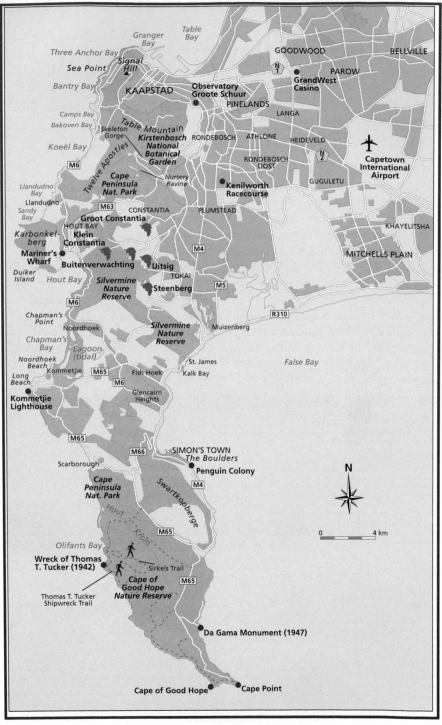

Kaaps Schiereiland

en ga vandaag de Tafelberg op! Niet uitstellen tot morgen, want in Kaapstad weet je het maar nooit met het weer: de bergtop kan zomaar een paar dagen bewolkt zijn, waardoor je geen uitzicht hebt vanaf boven. Om bij het Lower Cableway Station te komen, is een rikki (open busje) of taxi aan te raden. De route loopt via Kloofnek Road.

Boven!

De rit per kabelbaan is spectaculair. De lift vertrekt vanaf 302 m (Lower Cableway Station) en komt aan op een hoogte van 1067 m. Je ziet de stad onder je, de oceaan en de rotsen. De ronde cabine, met overal ramen, roteert volledig – dus alle hoeken van het uitzicht komen aan je voorbij. Eenmaal boven lijkt het wel of je uit een skilift stapt, compleet met waarschuwing om bij het horen van de sirene direct terug te keren naar het station – dan is er slecht weer op komst. De gedachte aan besneeuwde bergen is snel vergeten als je eenmaal buiten bent: het uitzicht is verbluffend. Op een heldere dag liggen de stad, de stranden, de oceaan en Robbeneiland aan je voeten. Met een verrekijker kun je je hotel spotten. Dit is een plek om fantastische foto's te maken en om een hele tijd op een rots te zitten en van het uitzicht te genieten. Neem een picknick mee of kom tegen het einde van de dag, als de zon ondergaat in de richting van Camps Bay.

De top van de berg is zo plat als een dubbeltje: een aparte gewaarwording op deze hoogte. Het hoogste punt is Maclears Beacon, op 1085 m. Er zijn wandelroutes uitgezet van 15, 30 en 45 minuten die dankzij de aangelegde paden voor iedereen heel gemakkelijk te lopen zijn. Mensen die slecht ter been zijn kunnen zich het beste beperken tot de route van 15 minuten. De paden van deze route en de kabelbaan zijn ook toegankelijk voor rolstoelen. Dagelijks zijn er gratis begeleide wandelingen die starten om 10 en 12 uur bij het *meetingpoint*, Upper Cableway Station.

Lopen en klimmen

Naar de top van de 1086 m hoge Tafelberg kun je ook lopen. Er zijn allerlei wandelroutes, variërend in zwaarte. Hoofdstuk 4, Het beste van de natuur, gaat verder in op wandelen en de routes. Een van de lichtere routes gaat vanuit de botanische tuinen van Kirstenbosch naar Devils Peak en duurt ongeveer 2,5 uur. De terugweg kan per kabelbaan. Zwaardere routes nemen steilere stukken en daarin zitten soms ook stukjes echt klimwerk, waar touwen en een gespecialiseerde uitrusting voor nodig zijn. Voor geoefende klimmers is de Tafelberg een fantastische plek.

'Gewone' wandelaars kunnen ook veel plezier beleven aan een gids. Die kent de berg als zijn broekzak en vertelt onderweg met veel kennis over Kaaps fynbos (meer dan 1400 soorten bloemen en planten), de dieren (zoals dassies en baboons) en de stad. Goede gidsen zijn bijvoorbeeld Danny (Abseil Africa) en Robin (Kabbo African Adventures). Zij zijn officiële en ervaren berggidsen, met wie je een wandeling of een klimtocht kunt maken. Slapen boven op de berg, in een hut van de Mountaineer Club, is ook mogelijk. Vergeet bij dit alles nooit dat de Tafelberg, ook al ligt hij midden in de stad, een echte berg is en dat het weer plotseling kan omslaan.

ℹ TABLE MOUNTAIN CABLE WAY. Geopend: dec.–jan. 8–21, feb. 8.30–19, mrt. 8.30–18.30, apr. 8.30–17.30, mei–15 sept. 8.30–17, 16 sept.–okt. 8.30–18, nov. 8.30–19 uur. Bij harde wind of slecht zicht kan de kabelbaan gesloten zijn. Bel de Weatherline voor informatie: tel. 021 4248181. www.tablemountain.net
ABSEIL AFRICA. Tel. 021 4244760. www.abseilafrica.co.za
KABBO AFRICAN ADVENTURES. Tel. 072 0246537 (Robin). www.kabboadventures.com

WOLKEN LEZEN BOVEN DE TAFELBERG

Een spierwit tafelkleed

De Tafelberg is volgens veel Capetonians op zijn mooist met *table cloth*. De benaming is goed gevonden: als een wit tafelkleed met de randen over de tafel heen hangend – maar we hebben het hier over wolken. De wolk is helemaal plat, erboven is de lucht helder, de wolk 'druppelt' soms langzaam over de rand van de berg heen maar lijkt om de een of andere reden niet van zins weer te vertrekken. Fascinerend om te zien, maar blijf vooral vanaf beneden kijken: juist nu heeft het geen zin de kabelbaan te nemen. Het 'tafelkleed' ontstaat door de beroemde wind uit het zuidoosten, die hier het weerbeeld bepaalt. Beroemd, maar ook berucht: de zuidooster komt rechtstreeks vanaf de oceaan en Antarctica en is echt koud. Op een warme zomerdag werkt het verkoelend en zijn de mensen blij als deze wind bij het weerbericht wordt aangekondigd. (De bezoeker zal in Kaapstad merken dat Nederlanders niet het enige volk zijn dat geobsedeerd is door het weer!) Maar als het buiten al niet zo warm is, dan is de *southeaster* geen pretje. Vooral in het voorjaar is de storm soms zo heftig dat niemand zich vrijwillig naar buiten waagt.

Behalve afkoeling brengen in de zomer doet deze wind nog iets prettigs voor de Capetonians: alle vervuiling en smog wordt weggeblazen uit de City Bowl en wat over blijft is een schone, frisse stad. Daarom heet de southeaster ook wel de 'Cape Doctor'. Trouwens: als de Cape Doctor waait, hoef je niet van het strand weg te blijven. Omdat de Tafelberg de wind 'optilt', valt het met de wind op de stranden bij Clifton nog wel mee.

ROBBENEILAND

Een bezoek aan Robbeneiland is niet het vrolijkste onderdeel van de Kaapstad-trip. Het is een ervaring die inzicht geeft, die dwingt tot nadenken en tot stilstaan bij wat hier is gebeurd. De bezoeker komt veel te weten over het leven en de gebeurtenissen in de gevangenis, aangezien je wordt rondgeleid door voormalige gevangenen én door bewaarders. Hoe je het ook ervaart, alles wat je op Robbeneiland ziet en hoort is een verrijking. Robbeneiland hoort net zo bij Kaapstad en Zuid-Afrika als de Tafelberg; een bezoek is daarom een onmisbaar onderdeel van iedere reis naar Kaapstad.

Geschiedenis

Robbeneiland is een rotsachtig eiland, 13 km voor de kust van Kaapstad in de Tafelbaai gelegen. Sinds de tijd van de VOC is het al een gevangenis. Toen werden er opstandige slaven en politieke en religieuze leiders vastgehouden, tegenstanders van het Nederlandse kolonialisme in Oost-Azië. Later zaten er Afrikaanse leiders opgesloten die protesteerden tegen de uitbreiding van de Britse macht in Zuid-Afrika. En nog weer later kwamen daar lepralijders en andere lichamelijk of geestelijk zieke en gehandicapte mensen bij: zij waren het sociale uitschot.

In de 20ste eeuw kwamen politieke tegenstanders van de apartheid in Zuid-Afrika en Namibië in deze gevangenis terecht. Nelson Mandela zat in totaal 27 jaar vast, waarvan achttien jaar op Robbeneiland en negen jaar in de Pollsmoor gevangenis op het vasteland. Opmerkelijk genoeg verliet hij de Victor Verster gevangenis in Paarl in februari 1990 niet als een bittere, oude man. Integendeel, hij stond klaar om de rol van leider van een nieuw democratisch Zuid-Afrika op zich te nemen. Ook andere voormalige gevangenen droegen, eenmaal vrij, vooral een boodschap van tolerantie en hoop voor de toekomst uit.

Van gevangenis tot museum

1991 Vrijlating van de laatste politieke ge-
      vangenen na de afschaffing van
      apartheid.
1996 Robbeneiland wordt verklaard tot
      nationaal monument en nationaal
      museum.
1997 Voor het eerst worden bezoekers toe-
      gelaten tot Robbeneiland.
1999 Robbeneiland krijgt de World Heri-
      tage Site-status van Unesco.

De tour

Een bezoek aan Robbeneiland begint, te-
genstrijdig genoeg, in de Waterfront. In de
Clocktower is daar het Nelson Mandela
Gateway Center ingericht, waar de boot
naar het eiland vertrekt. Voor vertrek is het
interessant de tijd te nemen voor de digita-
le interactieve expositie, die is ingericht
om de historische context van Robbeneiland te verduidelijken. Dit bezoekerscentrum is de 'voordeur' van het Robbeneiland
Museum. De boottocht naar het eiland
duurt normaal gesproken een half uur. De
tour bestaat uit een bezoek aan het cellencomplex en een rondrit over het eiland.

Maximum Security Prison

De Maximum Security Prison is het cellencomplex. In de B-sectie was cel nummer

Mandela's cel, nr. 46664

46664 die van Mandela. Aan deze cel is niets veranderd sinds zijn vertrek. Hier door de tralies kijken maakt je wel even stil. De andere cellen zijn leeggemaakt en op slot. De rondleiding wordt gegeven door mannen en een paar vrouwen die hier zelf ook vastzaten of bewaarder wa-ren. Je kunt alles aan hen vragen en ze ge-ven eerlijk antwoord, al eindigt het altijd positief of hoopvol. Dat maakt wel een wat gepolijste, toeristenvriendelijke indruk, maar eigenlijk is het ook wel te begrijpen. Deze mensen hebben hier de hel meege-maakt; nu ze vrij zijn komen ze dagelijks terug om toeristen rond te leiden. Het zegt veel over hun karakter en hun visie, die 100 procent toekomstgericht was en is. Ex-gevangenen en bewaarders werken nu dus samen. Ook dat zet je aan het denken. Gedeeltelijk werden deze wederzijdse to-lerantie en acceptatie al ingezet tijdens de gevangenisjaren. In de loop van de tijd wa-ren er steeds meer bewaarders die zich, al dan niet in stilte, afzetten tegen het apart-heidsregime en solidair waren met de ge-vangenen. Deze ontwikkeling leidde ertoe

Poort van Robbeneiland

gene mocht één brief per half jaar ontvangen. De gevangenen moesten hard werken en sliepen op de grond. In 1973 werden de politieke gevangenen gescheiden van de 'gewone' gevangenen, omdat men iedere vorm van inmenging wilde voorkomen. Ondanks, of misschien wel dankzij, dit harde leven bleven de politieke gevangenen gedreven en geïnspireerd; in de B-sectie van het cellencomplex ontstond het nieuwe, democratische Zuid-Afrika.

Exposities

In de A-sectie, een ander cellencomplex, is de expositie Cell Stories ingericht. Voormalige gevangenen hebben hun weinige persoonlijke bezittingen uit de cel uitgeleend om hiermee hun vroegere gevangenisleven te illustreren. De indrukwekkende collectie is verspreid over 40 isoleercellen en bestaat uit foto's van zonen en dochters, brieven van geliefden, aantekeningen over wat men meemaakte en zelfs een zelfgemaakte, functionerende, saxofoon, gemaakt van aangespoelde en gevonden voorwerpen. In de D-sectie is de Smuggled Camera-expositie te zien. Eind jaren tachtig werd een camera de gevangenis binnengesmokkeld waarmee de gevangenen foto's maakten van elkaar. Deze zijn levensgroot afgebeeld op de muren. Deze foto's stralen hoop en ook onderlinge vriendschap uit. Het schijnt dat de gevangenen in deze periode al beseften dat het einde van de apartheid in zicht was. Beide exposities zijn erg de moeite waard, maar ze horen niet bij de gewone rondleiding. Na de rondleiding is er tijd om vrij rond te lopen, dan kunnen ook de exposities worden bezocht.

dat sommige bewaarders hielpen met het binnensmokkelen van boeken, radio's en voedsel. In de steengroeve waar de gevangenen als slaven moesten werken, knepen de bewaarders een oogje toe: zo ontstond de 'Robbeneiland Universiteit', een benaming met een verdrietige knipoog. Veel gevangenen waren slim en hoog opgeleid. Hun kennis droegen ze over aan de minder geletterde broeders. Zelfs bewaarders namen deel aan deze lessen.

Indrukken uit de gevangenis

De apartheid werd in de gevangenis nog sterker uitvergroot dan in het normale leven. Zwarte gevangenen droegen zomer en winter slechts een korte broek en een dun shirtje; ze kregen minder te eten dan de gekleurde gevangenen, die een lange broek droegen. Blanke gevangenen waren er niet. Contact met de buitenwereld was erg zeldzaam: verzoeken om toegelaten te worden werden meestal niet gehonoreerd. De bezoeker die wel toestemming kreeg mocht een half uur blijven. Iedere gevan-

De boot naar Robbeneiland

Het eiland

Een rondleiding over het eiland met de bus is het eerste deel van de excursie. De bus stopt onder andere bij het huis waar Robert Sobukwe gevangen zat. Sobukwe was leider van het Pan Africanist Congress (een radicale afsplitsing van het ANC) en werd zo gevaarlijk geacht dat hij negen jaar lang geen contact met andere gevangenen mocht hebben. Hij mocht dan wel niet met ze praten, maar als ze langsliepen liet hij zijn solidariteit blijken door zand tussen zijn vingers te laten lopen. Hiermee gaf hij aan: we zijn allen kinderen van dezelfde Afrikaanse grond. De steengroeve waar de gevangenen de meeste dagen moesten werken, is een andere belangrijke plek op Robbeneiland. Veel voormalige gevangenen, waaronder Mandela, zijn bijna blind of hebben serieuze problemen met hun ogen doordat ze in de felle zon met de verblindend witte limestone moesten werken. De bus passeert ook de kerk waarin de leprapatiënten werden vastgehouden: deze leprakolonie heeft ook een begraafplaats. Van een heel andere orde zijn de dieren die je onderweg kunt tegenkomen: omdat Robbeneiland een gevangenis was, mocht er niet gejaagd of gevist worden en konden dieren en planten zich ongestoord ontwikkelen. Er zijn onder andere struisvogels, pinguïns, ibissen, springbokken en bontebokken.

Reserveer een tour naar Robbeneiland minimaal een dag van tevoren, de tours zijn namelijk meestal vol op het moment van vertrek. In december en januari is drie dagen van tevoren boeken een goede richtlijn. Trek zo'n 3,5 uur uit voor het hele bezoek, inclusief de boottocht.

ℹ️ ROBBENEILAND. Tel. 021 4134200 (reserveren), Nelson Mandela Gateway, Clocktower, Waterfront. E-mail: bookings@robben-island.org.za. Telefonisch reserveren kan alleen met creditcard. Gereserveerde kaarten moeten een half uur voor vertrek afgehaald worden bij de Nelson Mandela Gateway, open vanaf 7.30 uur. De catamaran vertrekt dagelijks ieder uur van 9–15. In de zomer wordt dit schema soms uitgebreid. Op 1 mei, Dag van de Arbeid, wordt er niet gevaren. www.robben-island.org.za

De haven van Waterfront

V&A WATERFRONT

De Waterfront is voor veel toeristen een belangrijk ijkpunt in de stad. Het complex is een combinatie van een groot luxe winkelcentrum en een haven die volop in bedrijf is. Vanaf een van de terrassen zie je de vissersboten in- en uitvaren, de zeeleeuwen spelen in het water en de muzikanten en straatentertainers vechten om je aandacht. Er is enorm veel te zien en te doen. Ga in ieder geval naar het Cape Town Tourism Visitors Information Centre. Deze organisatie biedt informatie en boekingen voor activiteiten en accommodatie voor Kaapstad en de regio, maar ook voor de rest van het land. De medewerkers hebben veel verstand van zaken en geven goed advies.

Naast winkelen, slenteren, kijken, genieten en eten kun je een cruise of helikoptervlucht maken of naar de bioscoop gaan. Vanuit de haven vertrekt de ferry naar Robbeneiland. De grootste muziekwinkel van Zuid-Afrika is hier gevestigd (CD Wherehouse) en de Cape Union Mart biedt een winkelbelevenis op outdoor gebied. Kampeerspullen en outdoorkleding en accessoires zijn gunstig geprijsd ten opzichte van Nederland. Het winkelaanbod is erg gevarieerd en je vindt hier werkelijk alles wat je zoekt.

In de Waterfront is ook een kantoor van de VAT Refund (btw-teruggave). Dit is een prettig voordeel bij het shoppen: op alle goederen die je koopt wordt belasting geheven en dit bedrag kunnen toeristen onder bepaalde voorwaarden terugkrijgen (囗 p. 45).

Bij de meeste restaurants en coffeeshops kun je lekker en goed eten. Sommige toeristen vinden de Waterfront zo aantrekkelijk dat ze zich er nauwelijks meer van los kunnen maken. Ieder zijn smaak, maar ontdek ook een paar andere stadsdelen voor je gedurende de rest van de vakantie neerstrijkt in de veilige haven die Waterfront heet.

ⓘ V&A WATERFRONT. Tel. 021 4087600. Geopend: dag. van 9–21, zo. v.a. 10 uur. Vanaf het busstation bij Adderley Street en vanaf Beach Road, Sea

BTW-TERUGGAVE (VAT REFUND)

Value Added Tax is een vorm van belasting die op bijna alle goederen en diensten in Zuid-Afrika wordt geheven en die meestal is inbegrepen in de prijs. Meestal (maar niet altijd) wordt de VAT à 14 procent apart aangegeven op de kassabon. Toeristen kunnen de VAT terugvorderen bij een speciaal kantoor op het vliegveld vlak voor vertrek. Omdat je dit moet doen voor het inchecken, is het moment niet ideaal mede omdat het altijd erg druk is. Handiger en sneller is het om dit al te regelen bij het kantoor in de Waterfront. Op het vliegveld moet je dan vóór het inchecken nogmaals langs bij de balie van de VAT Refund (in de vertrekhal). Hier doet men een steekproef om te controleren of je de spullen op de bon inderdaad wel uitvoert. Hierna check je in (de souvenirs hoeven niet in je handbagage te blijven). Je krijgt een waardecheque mee die je na het passeren van de douane kunt inwisselen in randen, euro's of dollars. Het kantoor is te vinden op de tweede etage van het Gateway Tourism Centre in het Clocktower Centre. De voorwaarden zijn als volgt: de aankopen (alles meenemen) moeten in totaal meer dan R250 waard zijn en samen met een VAT-gespecificeerde kassabon getoond worden, je moet je paspoort en vliegticket laten zien en ter plekke een formulier invullen. Voor meer informatie: VAT Refund Services, tel. 021 4054545.

Brochure btw-teruggave voor toeristen

Point rijden Golden Arrow-bussen richting de Waterfront. Een taxistandplaats is te vinden bij Breakwater Boulevard. Parkeerruimte voor auto's is er meer dan genoeg. www.waterfront.co.za

KAAP DE GOEDE HOOP

Trek een volle dag uit om te genieten van een van de hoogtepunten van Zuid-Afrika: de tocht naar het spectaculaire zuidwestelijke puntje van het continent, waar de oceaan 24 uur per dag tegen de rotsen beukt en waar vele schepen vergingen. Een wandeling naar Cape Point, waar de vuurtoren staat, levert een indrukwekkend uitzicht op. De rotsen liggen hier zo'n 200 m boven zeeniveau. Het is bijzonder om te beseffen dat het land hier ophoudt en verderop alleen Antarctica nog ligt. Een foto bij het bord van Kaap de Goede Hoop is echt een verplicht nummer. Af en toe gaan er niet alleen mensen op de foto maar ook terreinwagens die hier hun overlandtrip door Afrika beëindigen! De vegetatie bestaat bijna volledig uit Kaaps fynbos, de bijzondere plantenrijk-dom die een van de zes *floral kingdoms* in de wereld vormt. Protea's die je in de Nederlandse bloemenzaak per stuk koopt, groeien hier in grote struiken langs de weg. De protea is de nationale bloem van dit land. Een korte stop bij het bezoekerscentrum Buffelsfontein is de moeite waard. Kies een wandelroute en kom via de informatiepanelen meer te weten over de flora en fauna in dit deel van Table Mountain National Park.

Cape Peninsula

Volg vanuit Kaapstad de kustweg: via de stranden van Clifton en Camps Bay rij je de stad uit. Deze stranden behoren tot de mooiste ter wereld: wit poederachtig zand dat langzaam afloopt naar een turkooizen zee. Op een zonnige dag steken de grijze bergen af tegen de knalblauwe hemel. Onderweg passeer je de mooie baai van **Llandudno** met een strand omzoomd door gigantische ronde keien. Er wordt hier veel gesurfd maar het is ook een echt familiestrand. De gelukkigen die hier wonen heb-

De landtong is Kaap de Goede Hoop.

ben een prachtig uitzicht over de oceaan. Llandudno is een klein paradijsje, zo mooi dat je er thuis nog vaak aan zult terugdenken.

Hout Bay

De weg kronkelt langs de berg naar Hout Bay: een veel gefotografeerd dorp dat in een inham tussen berg en oceaan ligt. Een wit strand en hoge kliffen maken het compleet. Een mooie plek om Hout Bay te fotograferen is vanaf de weg als je het dorp uit bent: stop langs een van de uitkijkpunten en check de baai ook direct op walvissen (tussen juli en november). Hout Bay is voor veel mensen de eerste stop van deze dagtocht: aanraders zijn een boottochtje naar de kolonie zeeleeuwen bij Duiker Island en op z'n minst een blik op de drukke vissershaven. Vanaf de boot zie je het Kaaps schiereiland mooi liggen en de zeeleeuwen zijn een lust voor het oog door hun beweeglijkheid en de geluiden die ze maken. Ze stinken behoorlijk, maar dat maakt het schouwspel er niet minder op.

Rij naar de haven en maak een keuze uit een van de vele aanbieders van de boottocht. Ze doen eigenlijk allemaal precies hetzelfde maar hanteren niet dezelfde prijs.

ⓘ RONDVAART SEAL ISLAND. Vanuit de haven van Hout Bay, bij Mariners Wharf. De boten vertrekken dag. tot 15 uur ongeveer ieder uur. De trip duurt een uur. www.houtbay.org

Chapman's Peak Drive

De 10 km lange weg tussen Hout Bay en Noordhoek is een spectaculair mooi traject. Chapman's Peak Drive werd tussen 1915 en 1922 uit de rotsen gehouwen op een hoogte tot 600 m boven de zee. Het is een hele opgave voor de chauffeur een goede en veilige balans te vinden tussen het rijden van deze route en het genieten van het uitzicht. Er zijn een paar plekken waar je kunt stoppen. Hoog boven je torenen de bergwanden, terwijl recht naar beneden de oceaangolven breken op de rotsen.

Chapman's Peak Drive behoort samen met

Adembenemend: Chapman's Peak Drive

onder andere Route 66 in de vs tot de mooiste autowegen ter wereld. Het is zeker de moeite waard een auto te huren om deze sensatie te beleven. Chapman's Peak Drive was een paar jaar afgesloten vanwege vallend gesteente en het grote gevaar daarvan voor het verkeer. Afsluiten was echter niet de juiste oplossing, besloot de overheid tot opluchting van de toeristenindustrie en van de bewoners van het schiereiland. Nadat veiligheidsvoorzieningen waren getroffen, zoals netten die de stenen moeten opvangen, werd de weg heropend in 2003. Het traject is nu een tolweg; het tolhuisje staat bij Hout Bay. Aan deze kant staat ook een bronzen beeld van een luipaard: een herinnering, geplaatst in 1963, aan de luipaarden en ander wild dat hier vroeger leefde.

ⓘ www.chapmanspeakdrive.co.za

Noordhoek

Het 7 km lange en 500 m brede strand dat in zicht komt tegen het einde van Chapman's Peak Drive, is Long Beach, Noordhoek. Een prachtig strand, niet zozeer om te zonnen of te zwemmen (er is een gevaarlijke stroming), maar vooral om lange wandelingen te maken. Paardrijden is een geliefde activiteit en er is een aantal maneges waar je je kunt laten informeren over de mogelijkheden (zie p. 150). Galopperen door de branding van de Atlantische Oceaan is een belevenis voor paard en ruiter. Noordhoek is een rustig dorp, ondanks de groei van de afgelopen jaren. Ga voor koffie of lunch naar Red Herring Restaurant (met zeezicht) of naar Monkey Valley Resort (prachtig gelegen tegen een bergwand). Beide plaatsen worden aangegeven vanaf de hoofdweg. Je passeert ook Noordhoek Village Farmstall: goed voor een snelle koffiestop en om heerlijk vers brood, muffins en andere zoete baksels te kopen. Zoals het hoort bij een echte *farmstall*, verkopen ze hier ook organisch geteelde groente en fruit en zelfgemaakte jam, honing en dergelijke.

Cape Point, in de diepte ligt de vuurtoren.

Kommetjie

Dé favoriete surfspot, vooral bij wind uit het zuidoosten of zuidwesten, van het Kaaps schiereiland is Kommetjie. Ook (of juist) in de winter weten surfers de eindeloze en hoge golven van Long Beach te vinden. Het strand heeft een kleine inham (dat verklaart de naam van dit dorp, als een kommetje), waar het goed zwemmen is vanwege de iets hogere watertemperatuur.

Scarborough

Scarborough is een aardig stuk van Kaapstad verwijderd en dat betekent rust. Relatieve rust, want de golven die hier op het strand slaan zijn normaal gesproken van de heftige soort. Vanuit Scarborough buigt de weg (M65) landinwaarts af: hier kun je afslaan naar Cape Point. Wie souvenirs wil kopen, kan hier zijn slag slaan: dit kruispunt is één grote markt.

Cape Point

Het natuurgebied Table Mountain NP heeft verschillende gezichten. Van een afstand lijkt het fynbos te bestaan uit saai, laag grijsgroen struikgewas, zonder bomen. Van dichtbij zie je veel mooie kleurrijke bloemen en bijzondere bladvormen en structuren.

Het weer is belangrijk bij het ervaren van Cape Point. Bij harde wind en koud weer voel je mee met de schippers die schietgebedjes deden (en doen!) in de hoop veilig Kaap de Goede Hoop te ronden. De oceaan is wild en de wind sterk en koud: rechtstreeks vanaf de Zuidpool! Op een mooie zonnige dag ziet alles er vriendelijk uit: het nodigt uit tot wandelen en vanaf een rotspunt van het uitzicht genieten. Maar de wind en de golven ontbreken nooit in deze uithoek van het Afrikaanse continent; daardoor is de zee hier altijd spectaculair.

Bij de entree van het park krijgt de bezoeker een plattegrondje van het park: 7750 ha liggen klaar om ontdekt te worden. Maak een korte of een lange wandeling, de beste manier om de omgeving te verkennen (zie ook hoofdstuk 4, Het mooiste van de natuur). Het is ook de manier om je wat te verwijderen van de mensenmassa's op het pad bij de vuurtoren en bij Kaap de Goede Hoop. Probeer 's ochtends op tijd te arriveren (het park opent om 6 uur) en vermijd als het kan de maanden december en januari. Na 17 uur zijn de bussen weg, dus laat in de middag komen kan ook. Vanaf de parkeerplaats bij Cape Point is het 20 minuten lopen naar de oude vuurtoren – de uitkijkplaats.

Tip: buig iets af naar rechts, daar zijn op de kliffen de mooiste uitzichtpunten. Vanaf deze plek kijk je ruim 200 m de diepte in. Kijk uit dat je zonnebril niet van je hoofd af waait. Van de zijkant zie je de rotsen waarop de nieuwe vuurtoren staat. Daar naartoe lopen kan ook: volg het pad vanaf de oude vuurtoren (1,5 uur retourwandeling). Deze spectaculaire wandeling kan gevaarlijk zijn als het heel hard waait. Als het al moeite kost je staande te houden op de uitzichtpunten, dan waait het te hard voor deze trip! Het is ook mogelijk met een treintje naar het uitzichtpunt bij de oude vuurtoren te gaan. De rit duurt 10 minuten.

Bij het Two Oceans Restaurant kun je lunchen met uitzicht. Het terras is vaak erg winderig maar de ramen binnen zijn van vloer tot plafond doorgetrokken. Je kunt ook een broodje halen bij de Foodshop. Let op met eten: de *baboons* (bavianen) van Cape Point zijn brutaal en berucht. Ze associëren mensen met voedsel en pakken alles wat eetbaar is. Zelfs het openen van een portier, raam of achterklep van de auto valt af te raden als er baboons in de buurt zijn, op zoek naar iets eetbaars springen ze zo naar binnen.

Vuurtorens en vergane schepen

Kaap de Goede Hoop kennen we uit de geschiedenisboeken: hij is onlosmakelijk verbonden met de scheepvaart uit de tijd van de VOC. Bartholomeu Diaz was volgens

Dagelijks gaan hier honderden mensen op de foto.

die geschiedenisboeken in 1488 de eerste die Cape Point tegenkwam op zijn reis. De Portugees veranderde de naam Cabo Tormentosa (Kaap van de Stormen) al snel in Cabo da Boa Esperanca (Kaap de Goede Hoop). In die tijd was de Kaap bij goed weer een belangrijk navigatiepunt, maar in het donker en bij mist was het een gevaarlijke plek vanwege de stroming en rotsen.

In 1860 verrees hier de eerste vuurtoren: de oude vuurtoren waar nu het wandelpad vanaf de parkeerplaats naartoe leidt. Deze vuurtoren stond behoorlijk hoog: 238 m boven zeeniveau. Juist bij slecht weer was deze moeilijk zichtbaar voor de schepen. Vijftig jaar later werd het licht ontstoken in de nieuwe vuurtoren: 87 m boven zeeniveau. Naar deze vuurtoren leidt een ander wandelpad.

Langs de kustlijn van Kaap de Goede Hoop liggen minimaal 23 scheepswrakken. Vijf ervan zijn zichtbaar vanaf de kust: bij Duikersklip, Hoek van Bobbejaan, Diaz Beach en Buffels Bay. Bij Olifantsbos zijn twee wrakken van dichtbij te bekijken: vanaf het strand kun je er naartoe lopen. De vergane schepen zijn de *Thomas T. Tucker*, die verging tijdens de Tweede Wereldoorlog, en de *Nolloth*, die aan de grond liep in 1965. Het vertrekpunt van de wandeling is bij Olifantsbos: van daar loop je in 1,5 uur naar de wrakken en terug. Het pad voert door het fynbos en langs de kust en is niet moeilijk te belopen (zie hoofdstuk 4, Het mooiste van de natuur, voor deze wandeling).

Vogels en andere dieren

Dankzij de afwisseling van zee, bergen en fynbos leven rond Kaap de Goede Hoop ruim 250 soorten vogels. De bloeiende soorten fynbos, zoals protea en erica (heide), trekken de sunbirds, herkenbaar aan de lange staart, en sugarbirds, herkenbaar aan de lange gekromde snavel, aan die op

zoek zijn naar nectar. Zeevogels zoals de zwarte oestervanger, met zijn opvallende rode snavel en pikzwarte veren, kun je zien tussen de rotsen, waar hij zoekt naar voedsel. Ook leeft hier de Cape gannet, een albatros met een wit lijf en een geel-beige kop met zwarte tekeningen langs de ogen. Soms komen de Afrikaanse pinguïns ook aan de kant. Dit zijn dezelfde pinguïns als de kolonie die op Boulders Beach in Simon's Town leeft.

De eerder genoemde baboon is het dier dat het vaakst te zien is bij Kaap de Goede Hoop en Cape Point. Er leven ook verschillende antilopen: eland, bontebok, springbok, Cape grysbok, red hartebeest, grey rhebok en de Cape mountain zebra. Allemaal zijn ze moeilijk te spotten omdat ze normaal gesproken ver weg blijven van de weg. Gemakkelijker te zien zijn kleinere zoogdieren zoals de rock hyrax (klipdassie), een soort die ook op de Tafelberg leeft. Dit beestje ziet eruit als een groot uitgevallen marmot, maar de verrassende kant van dit dier is dat het verwant is aan de olifant.

In het walvissenseizoen van juli tot november zijn vaak southern right wales te zien in False Bay. Soms zijn er ook humpback wales en dolfijnen in de baai. De beste plekken om de walvissen te zien zijn Rooikrans en Smitswinkelbaai.

ⓘ CAPE POINT. www.tmnp.co.za

🚗 Kaaps Schiereiland: de route per auto.
Vanuit Kaap de Goede Hoop kun je ervoor kiezen via False Bay terug te rijden naar Kaapstad. Zo maak je een rondje (totaal ruim 100 km) over het schiereiland en rij je niet dezelfde weg terug. Beginnen aan deze kant van het schiereiland kan natuurlijk ook, houd wel rekening met de boottocht naar Duiker Island vanuit Hout Bay die na 15 uur niet meer vertrekt.

M6 – vanuit Kaapstad richting Clifton en Camps Bay, Llandudno, Hout Bay, Chapman's Peak Drive tot Noordhoek.

M65 – van Noordhoek via Kaap de Goede Hoop en Table Mountain National Park, naar Simon's Town.
M4 – van Simon's Town via Kalk Bay naar Muizenberg over de snelweg richting Kaapstad, via de southern suburbs zoals Newlands en Rondebosch.
M3 – van Muizenberg via Tokai naar Constantia, richting Kaapstad.

De pinguïns bij Boulders Beach

False Baykust

Simon's Town

VOC-gouverneur Simon van der Stel gaf in 1687 zijn naam aan dit havenstadje dat destijds diende als ankerplaats voor de schepen in de winter. Het is een van de oudste plaatsen in het land. Het plaatsje is sterk verbonden met de scheepvaart. De Zuid-Afrikaanse marine heeft in Simon's Town nog steeds een basis.

Tegenwoordig is Simon's Town bekend vanwege de kolonie pinguïns die er is neergestreken. De pinguïns herinneren eraan dat Antarctica eigenlijk niet zo ver weg is! In 1982 signaleerde men hier de eerste twee paartjes pinguïns. Niemand weet waarom ze hier kwamen en het zou zo maar kunnen dat ze op een dag weer vertrekken. Nu telt de kolonie meer dan 3000 pinguïns. De kolonie kon onder andere zo groeien omdat er beperkingen golden voor het vissen op ansjovis en sardines: het favoriete voedsel van de pinguïns. Tot een paar jaar geleden noemde men deze beesten Jackass pinguïns, nu heten ze African pinguïns. De oorspronkelijke naam hadden de pinguïns te danken aan het geluid dat ze voortbrengen: als het balken van een ezel. Maar aangezien meer pinguïnsoorten dit geluid maken, werd de naam veranderd in African Penguin: de enige pinguïn die in Afrika broedt. De kolonie is te vinden op Boulders Beach en Foxy Beach, stranden met grote ronde keien, wit zand en een blauwe zee. Boulders is onderdeel van het Table Mountain National Park. Via steigers die aangelegd zijn op het strand kun je heel dicht bij de pinguïns komen. Foxy Beach is een mooi strandje (direct naast de parkeerplaats voor Boulders), waar de pinguïns ook vaak zijn. Hier kun je (gratis) de hele dag verblijven en misschien zelfs zwemmen tussen de pinguïns. Het is een fotogeniek geheel; aan de pinguïns zal het niet liggen, zij laten zich van allerlei leuke kanten zien.

ℹ️ BOULDERS BEACH PENGUIN COLONY. Geopend: dag. tot 18 uur.

Fish Hoek

Omdat het water in False Bay een paar graden warmer is, groeide de kust hier uit tot een echte strandbestemming voor families. Er zijn wat voorzieningen, zoals toiletten en braaiplekken, en langs de kust kun je verse vis eten. Voor een zwemstop is Fish Hoek een goede keuze, verder is in dit dorp niet veel te beleven.

Verser dan vers: vis in de haven van Kalk Bay

Kalk Bay

Het stille vissersdorpje Kalk Bay kreeg de laatste tien jaar heel wat nieuwe inwoners. Capetonians voelen zich aangetrokken tot de ontspannen sfeer in dit dorp aan zee. Hoe relaxed Kaapstad zelf ook is, het kan altijd beter. Ook hier is het goed zwemmen in het iets aangenamere water van False Bay. Langs Main Road is een aantal winkeltjes: antiquairs, tweedehands boekhandels en handgemaakte souvenirs. De vismarkt is iedere dag weer levendig en je kunt er voor weinig geld heerlijke vis kopen voor op de braai. Tegen het einde van de ochtend is het beste moment: dan zijn de meeste vissers terug met hun vangst. Kalky's is dé plek voor fish and chips. Als je een poosje in de haven bent, krijg je een indruk van het kleurrijke maar harde leven van de vissers.

Muizenberg

Dé plek waar families graag naar het strand gaan: het strand loopt langzaam af in de zee, er is geen gevaarlijke stroming en er zijn voldoende parkeerplaatsen. Surfers hebben Muizenberg ook hoog op hun lijst met favoriete plekken staan. Beginnende surfers vinden hier de beste golven. Vanuit het hogergelegen deel van het dorp zijn tussen juli en november walvissen te zien. De walvissen komen in deze baai om hun pasgeboren jongen te laten aansterken, voordat ze de oceaan intrekken. De meeste kans om ze te zien heb je in oktober en november. De southern right whale, humpback whale en bryde whale zijn de soorten die in False Bay voorkomen.

WIJNLANDEN

De wijnlanden hebben alles wat het leven in de Kaap zo mooi maakt: schoonheid, ruimte, overweldigende natuur, goede restaurants en bijzondere guesthouses (meer hierover in hoofdstuk 9, De wijnlanden). Dit alles gesitueerd in een berglandschap, omgeven door eindeloze wijngaarden die voortreffelijke wijnen voortbrengen. In de Kaap zeggen ze: 'Een wijnmaker moet erg zijn best doen om een slechte wijn te maken.' Of: 'Als een druif mocht kiezen, zou hij hier willen leven.' De omstandigheden zijn ideaal, alle druiven doen het goed in het klimaat dat voor dit gewas fantastisch is. Zo ook de pinotage, een druivenras dat werd gecreëerd in Stellenbosch. Let op deze bijzondere druif bij het proeven.

Ook het kopen van wijn is een plezier, zeker bij het huidige prijsniveau: de allerbeste wijnen kosten niet meer dan 15 euro en een goede wijn voor thuis bij het eten kost tussen 3 en 7 euro. Wijn in een doos met kraantje van twee of vijf liter kost omgerekend nog veel minder en is vaak ook van prima kwaliteit: de Zuid-Afrikanen hebben deze verpakking uitgevonden om op feestjes en bij braais gemakkelijk wijn te kunnen serveren! Wijn proeven is een ervaring die verder gaat dan je neus in het glas steken en een slokje nemen. De wijnestates steken elkaar naar de kroon; de ene is nog mooier dan de andere, het ene restaurant verdient nog meer superlatieven dan het andere. Een dagje wijn is een belevenis waar je als bezoeker alleen maar van kunt genieten.

De wijnlanden zijn een hoogtepunt van Kaapstad. Wat je van een dagje wijnproeven kunt verwachten en hoe een keuze te maken uit de honderden wijnestates in de regio, lees je hieronder. Beschrijvingen van routes, wijnfarms, de activiteiten zoals golf en paardrijden en uitgebreidere beschrijvingen van de plaatsen Stellenbosch, Franschhoek en Paarl zijn te vinden in hoofdstuk 9.

Onderweg

Stellenbosch en Paarl zijn oude kernen, gesticht door de Nederlandse VOC'ers. Hier vinden we, net als in Kaapstad, de eiken terug die zij plantten langs de straten. Naar mooi bewaard gebleven voorbeelden van spierwit gepleisterde huizen in de beroemde Kaap-Hollandse stijl hoeft de bezoeker niet lang te zoeken. De dorpen staan er vol mee en de meeste wijnboerderijen zijn in deze stijl gebouwd. De klokgevels en trapgevels zijn herkenbaar, zo ook de indeling met een centrale voordeur en hal met aan weerszijden kamers. Waar je ook rijdt in de wijnlanden, het is bijna overal mooi. Bergen, riviertjes, de Kaap-Hollandse architectuur, eindeloos golvende druivenplantages en een paar prachtige bergpassen – er valt niet aan te ontkomen voor wie de wijnlanden gaat ontdekken!

Een dagje wijn...hoe zit dat in elkaar?

Wijngebieden

Een keuze maken uit de honderden wijnestates in de West-Kaapprovincie is geen gemakkelijke opgave. Wees niet bang 'verkeerd' te kiezen: hoewel er zeker kwaliteitsverschillen zijn, worden slechte wijnen hier zelden gemaakt. Bedenk waar je naar toe zou willen: een klassiek wijnhuis in Stellenbosch, een jonge wijnmaker in Robertson of de makers van brandy of port. Misschien wil je wel zien waar de wijn vandaan komt die je altijd haalt bij je eigen supermarkt of slijter. Of heb je in een restaurant een wijn ontdekt waarvan je de kelder graag wilt zien en daarna een doosje meenemen.

Kaapstad is een uur rijden verwijderd van het hart van de wijnlanden. De oorspronkelijke plaatsen Stellenbosch, Franschhoek en Paarl hebben ieder hun eigen karakter en mooie wijnestates om te bezoeken. Swartland, Robertson, Tulbagh en Worcester liggen op 1,5 à 2 uur rijden van de stad. Het gebied is wat jonger maar heeft volgens kenners de toekomst. Veel prijswinnende wijnen komen uit deze streken. Dichterbij (reken op 30 minuten) zijn Constantia en Durbanville. Deze laatste twee vormen een interessant contrast: in Constantia werd de eerste wijn verbouwd en de estates daar zijn ruim 300 jaar oud. Durbanville is juist nieuw en er

Uitzicht bij wijnestate Delaire, Stellenbosch

komen erg goede wijnen vandaan. Beide gebieden liggen in de buitenwijken van Kaapstad.

Wijnroutes

Om bezoekers uit binnen- en buitenland behulpzaam te zijn, hebben de wijngebieden wijnroutes samengesteld. Wijntoerisme is big business en dat resulteert in een enorm aanbod van mooi vormgegeven brochures, die goed van pas komen bij het plannen van de route. Huur een auto en trek erop uit, maar let wel op met wijn proeven... Uitspugen is in ieder geval voor de chauffeur een goed idee. Langs de weg staan de verschillende wijnhuizen goed aangegeven. Bij de meeste kun je dagelijks terecht; tussen 10 en 16 uur in ieder geval. Kijk voor exacte tijden in de brochures van de wijnroutes. Op een dag kun je zo'n vier wijnhuizen bezoeken, als ze niet te ver van elkaar verwijderd liggen.

Een belangrijk onderdeel van een 'dagje wijn' is de lunch. Bij veel wijnestates kun je fantastisch lunchen (en dineren). Bij sommige restaurants kun je een picknick bestellen en lekker genieten op een mooi plekje met uitzicht op de bergen en de druivenranken. Meestal moet dit wel gereserveerd worden, ook dit staat aangegeven in de brochures. De brochures zijn het beste af te halen bij de specialisten van de Wine Desk: zij hebben álles voorradig en kunnen veel tips geven. De Wine Desk zit in het Cape Town Gateway Visitors Centre in de Clocktower in de Waterfront.

Logeren

Een nachtje of twee logeren in een van de guesthouses of bed&breakfasts maakt een rondrit in de wijnlanden compleet. Net als in de restaurants zijn de meeste guesthouses luxe, fantastisch verzorgd en gelegen op de mooiste plaatsen. Vaak is er een zwembad, een tuin of een ander plezierig extraatje. Ook spa's en sauna's zijn te vinden bij sommige etablissementen.

Iets opsteken van wijn proeven

Proeven of het lekker is, dat kunnen we wel. Maar wat maakt dat iemand een wijn lekker vindt of niet, en hoe omschrijf je dat? Wie op wijntour gaat met de mensen van Wine Desk leert een paar basale dingen, zonder meteen een cursus te volgen. Wine Desk organiseert wijnexcursies, onder leiding van kenners. Dit is een groot verschil met de meeste andere aanbieders, waar de begeleiders van de wijntour vaak geen idee hebben wat het verschil is tussen een shiraz of een merlot. Wine Desk biedt dagelijkse tours, ook voor meerdere nachten, en is eigenlijk de enige optie voor een georganiseerde wijnexcursie.

ℹ WINE DESK. Tel. 021 4054550, Cape Town Gateway Visitor Centre in de Clocktower in de Waterfront. Geopend: 9–21 uur. www.winedeskwaterfront.co.za

Kaaps fynbos

Uniek voor Kaapstad en omgeving is de plantenfamilie die wordt aangeduid als fynbos. Het fynbos bestaat uit vier groepen: protea, *suikerbossie* in het Afrikaans, waarvan 24 soorten bekend zijn; erica, ongeveer 600 heideachtige gewassen; restio, rietsoorten; geophytes, bolgewassen waaronder orchideeën en dahlia's. Zuid-Afrika's nationale bloem, de koningsprotea, is een grote bloem met roze schutbladen en een hart van witte fluweelachtige stengeltjes. Zonder het te weten, heeft iedere Europeaan een stukje fynbos in de tuin, op het balkon of zelfs op de vensterbank. Geraniums, irissen, fresia's, margrieten en lelies hebben hun oorsprong in het fynbos. Kijk dus niet gek op als je tussen alle exotische soorten een gewoon margrietje of geranium ontdekt. Het fynbos staat sinds kort op de Werelderfgoedlijst.

Soorten

Binnen het fynbos zijn ongeveer 8500 soorten te onderscheiden. Ruim 5000 types zijn uniek in de wereld en groeien alleen hier. Vanwege het fynbos is dit deel van Zuid-Afrika een van de zes Floral Kingdoms in de wereld, namelijk het Cape Floral Kingdom. Andere Floral Kingdoms zijn zo groot als geheel Australië of beslaan het grootste deel van het noordelijk halfrond. Het Cape Floral Kingdom heeft het kleinste oppervlak (470 km²) maar de meeste plantensoorten. Nog een indrukwekkend getal: met 2256 plantensoorten heeft het Kaaps Schiereiland twee keer zoveel verscheidenheid in flora als de Britse Eilanden. De Britse Eilanden beslaan een oppervlakte die 5000 keer zo groot is als het Kaaps Schiereiland. Alleen al op de Tafelberg zijn bijna 1500 plantensoorten te vinden.

Eiken

Als het overigens aan de Nederlandse VOC-mannen had gelegen, was er niet zoveel fynbos overgebleven als nu het geval is. Aangezien er oorspronkelijk geen grote bomen bestonden in de Kaap, was er gebrek aan hout om mee te bouwen en te stoken. De VOC haalde het hout dat gebruikt werd bij de bouw van Kasteel de Goede Hoop uit bossen in Oost-Europa. Daarvoor moest een andere oplossing gezocht worden. De Nederlanders plantten de eiken in het centrum van de stad en de dennenbossen tegen de berghellingen. Naast het praktische nut (waaronder schaduw bieden) van dit soort bomen, probeerden de Europeanen ook een beeld van de natuur te creëren zoals ze die kenden. Deze bomen zijn er nog steeds, maar het oorspronkelijke fynbos verdween gelukkig niet.

Veldbranden

Bijzonder aan fynbos is dat het vuur (rook) nodig heeft om perfect te gedijen. Het is dan ook een speling van de natuur dat in de Kaap regelmatig veldbranden zijn in de droge zomers. Zo eens in de zeven jaar een brand zorgt ervoor dat het fynbos maximaal groeit en bloeit. Dit is moeilijk voor te stellen, maar het is zelfs zo dat de verkopers van fynbosbolgewassen en -stekjes (in Kirstenbosch) hun klanten aanraden de bolletjes een voorbehandeling te geven in een rookoventje (waar je paling in rookt) of boven de

Koningsprotea, de nationale bloem

barbecue. Zo komt de plant beter tot ontwikkeling.

De veldbranden in de Kaap komen op veel plekken helaas vaker voor dan eens in de zeven jaar. Dit heeft voor een deel negatieve gevolgen voor de planten en natuurlijk voor het landschap in het algemeen. Na de gigantische brand op de Tafelberg in januari 2006, die uitliep naar Camps Bay, Lions Head en Signal Hill, waren de bergflanken gedurende vijf maanden zwart geblakerd.

Afgebroken boomstammen lagen als luciferhoutjes tegen Signal Hill en grote proteastruiken vormden grillige houtskoolresten. Het was wonderlijk om te zien hoe de winterregens de bergflanken langzaam maar zeker weer een groen laagje gaven. Een knallend oranje leliesoort, die alleen bloeit na een brand vanwege de bollen die de rook nodig hebben, fleurt de hellingen op en getuigt opnieuw van het bijzondere karakter van het fynbos.

3

Het Afrikagevoel

Contrasten maken een moderne stad als Kaapstad interessant. Je bent in Afrika, maar waant je in Europa. Een verwarrend gevoel voor veel bezoekers, in meer of mindere mate voorbereid op slechte wegen en menukaarten met beperkte keuze. Zuid-Afrika stond inderdaad lang stil wat betreft het oppikken van trends en wereldse ontwikkelingen, als gevolg van de apartheid en de boycots, plus het gebrek aan goed onderwijs voor het grootste deel van de bevolking. Nu maakt het land een inhaalslag, die ervoor zorgt dat het in sommige opzichten veel moderner en kosmopolitischer is dan Amsterdam of Rotterdam. Neem de fantastische toeristeninformatiebureaus; zo zie je ze in Europa niet. De urbanisatie in Zuid-Afrika heeft veel Amerikaanse trekjes. Zie de gigantische winkelcentra, luxe tankstations en de voorliefde voor (goedkope) fastfood bij sommige mensen. Alle pracht en praal staan in schril contrast met de armoede waarin het grootste deel van de bevolking leeft.

AFRICAN SPIRIT

Wie er oog voor heeft, ziet veel 'Afrika' tussen alle westerse elementen. In dit hoofdstuk gaan we op zoek naar het Afrikagevoel in Kaapstad. Waar vind je dat in deze stad, wat is nou die beroemde Afrikaanse spirit? In Kaapstad moet je er even naar zoeken. Het is hier geen Nairobi, waar het hart van Afrika onmiskenbaar klopt. Als je weet wat die Afrikaanse geest inhoudt, zul je hem gemakkelijker herkennen. En vaker dan je denkt, want die spirit is een levenshouding van zwarte én blanke Zuid-Afrikanen. Wel ieder op hun eigen

◀ *Vicky's B&B, Khayelitsha* ▲ *Guguletu*

Straatleven

manier, maar zaken doen met een blanke Zuid-Afrikaan is zeker niet hetzelfde als met een Europeaan. Scherp zijn dus, want als jij het niet bent is de ander het wel! Van niets iets maken is een kenmerkende manier van leven in Afrika. Voor een arme man betekent het dat hij zonder gereedschap iets moet repareren, voor een arme moeder dat ze met wat maismeel en tomaten een maaltijd moet maken. Iemand die wat minder arm is, maakt met een fles wijn en een zonsondergang van een doordeweekse dag een romantische feestavond. Uit kleine dingen plezier halen en vooral veel genieten van de natuur en de familie – dat doen alle Capetonians, rijk of arm en wat voor huidskleur ze ook hebben.

Townships

Wie uit het vliegtuig komt en in z'n huurauto stapt, krijgt al wennend aan het linksrijdende verkeer een eerste schok: terwijl de Tafelberg opdoemt, staan de krotten van de townships langs de kant van de weg. Veel toeristen zouden het liefste doen alsof de armoede van de krottenwijken niet bestaat; velen blijven hun hele vakantie aan de (figuurlijk gesproken) *sunny side* van de stad. De werkelijkheid is dat niemand de golfplaten daken over het hoofd kan zien op de N2, van en naar het vliegveld. De overheid wil deze eerste aanblik van de stad graag veranderen, en bij voorkeur voor het WK voetbal in 2010 van start gaat. Daarom worden juist langs de randen van de wijken, tegen de snelweg aan, nieuwbouwprojecten gestart. Ironisch is dat in het hart van de verschillende townships zoals **Khayelitsha**, **Langa** en **Guguletu**, redelijk luxe bungalows en gewone stenen huizen staan. Sommige huizen zouden in een gemiddelde Nederlandse stad niet misstaan. In de townships wonen geen blanken. Terwijl in rijke, witte buurten zoals Tamboerskloof en Camps Bay toch wel een paar zwarte en gekleurde Capetonians wonen, is dat andersom niet zo. De meerderheid van de inwoners van Kaapstad woont op deze zanderige vlakten van de Cape Flats.

Volkstellingen

Volgens sommige schattingen wonen in de townships rondom Kaapstad zo'n vier miljoen mensen, dus meer dan in de vier grootste steden in Nederland bij elkaar. De cijfers lopen uiteen omdat een groot deel van de bewoners illegaal is en uit andere Afrikaanse landen komt. De mensen uit Zimbabwe, Malawi, Mozambique, Congo en Angola zijn uit hun land gevlucht om te ontsnappen aan oorlog, honger, armoede. Velen zijn illegaal in Zuid-Afrika, hebben dus geen identiteitskaart en worden daarom ook niet meegeteld bij een volkstelling. Overigens biedt het wel hebben van een identiteitskaart ook geen garantie om meegeteld te worden. De ambtenaren gaan op werkdagen tijdens kantooruren langs de deuren. Wie open doet wordt meegeteld. Wie op zijn werk is, wordt wel in de telling opgenomen maar men neemt dan een gemiddelde van het aantal inwoners van een huis op basis van het aantal vierkante meters. In de blanke wijken werkt dit systeem misschien nog redelijk. Maar in de townships wonen meestal veel meer mensen in een huisje van 25 m² dan de vier waar de gemeente van uitgaat. Wie in zo'n stenen huis woont, heeft meestal geprofiteerd van het Reconstruction and Development Program. Dit programma bepaalt het aanzicht van de townships steeds meer, sinds president Nelson Mandela in 1994 aan alle Zuid-Afrikanen een huis met water en stroom beloofde. Grofweg twee derde van de bevolking in de townships woont vandaag de dag in een 'echt' huis (gebouwd met bakstenen en voorzien van water en elektriciteit). Geld om de elektriciteit te betalen heeft niet iedereen.

Hoewel deze huizen klein en slecht geïsoleerd zijn (heet in de zomer en koud in de winter), is het voor de bewoners een enorme vooruitgang in vergelijking met de *shack* (hut) waar ze vandaan komen. Maar ondertussen groeien de krottenwijken elke dag weer verder uit. Tussen de krotten leven mensen en dieren door elkaar. Men heeft bijna geen leefruimte of privacy. Stromend water komt uit een gedeelde kraan, waar vrouwen de was doen en wa-

ter halen om mee te koken. Een rijtje toiletten dient voor een heel blok shacks, waar honderden mensen wonen. De hygiënische omstandigheden zijn slecht. Het gevaar van brand is altijd aanwezig. Branden zijn er wel een paar keer per week; ze ontstaan door een omgevallen kaars, een paraffinekooktoestel dat vlamt of door het illegaal aftappen van elektriciteit via gevaarlijke constructies. Omdat de shacks zo dicht op elkaar zijn gebouwd en het materiaal (hout, plastic) zo brandbaar is, kunnen branden grote gevolgen hebben. De overheid biedt mensen die door een brand dakloos zijn geworden hulp: wie zich meldt mét identiteitskaart (als die niet in de brand is verdwenen), krijgt een pakket met plastic, palen, spijkers en touw om een nieuwe shack te bouwen.

Ondanks de zware omstandigheden zien veel bewoners de voordelen van het wonen in deze krotten. Het is min of meer gratis, er zijn geen wetten of regels – als die er al zijn, hoef je je er niet aan te houden – kortom, er is vrijheid. Dat is waar Afrika van houdt. Een vorm van vrijheid, die inhoudt dat er altijd wel ergens een feestje is dat zonder klagende buren tot de ochtend kan duren. Die vrijheid houdt ook in dat je aan het stenen huis van de regering een deel van hout kunt bijbouwen omdat bijvoorbeeld je broer bij je intrekt, zonder vergunning of wat dan ook. Mensen leven anders dan wij, maar vaak vinden ze het oké. Zoals onze werkster Moslina zegt: 'Als ik hier woonde, zou ik de hele dag aan het poetsen zijn. En hoeveel zei je dat jullie voor de energierekening betalen?'

Doordat bijna alle mensen te maken hebben met een groot tekort aan leefruimte binnenshuis, speelt het leven zich veelal op straat af. Tegen de avond gaat iedereen naar buiten. In alle straten lopen drommen mensen, kinderen rennen rond en overal zie je groepjes buren met elkaar kletsen. De sfeer is gezellig en levendig. Wie met een townshiptour meegaat ziet er weinig van, maar dit zijn de plaatsen waar de criminaliteit welig tiert. Op straat ontstaan de bendes, vaak uit verveling en gebrek aan kansen. Niet voor niets zijn ook in de townships de betere huizen rondom voorzien van een hek. Ook de criminelen weten dat de tijd van apartheid voorbij is: hun zwarte of gekleurde medemens is net zo goed een doelwit als de blanke. De Oscar-winnende film *Tsotsi* laat dit ook zien. De criminaliteit in de townships is doorspekt met zwaar geweld en drank- en drugsmisbruik. Vaak zijn de bendeleden niet ouder dan 14, 15 jaar. Op vrijdagmiddag vanaf 14 uur stromen de eerstehulpafdelingen van de publieke ziekenhuizen vol met slachtoffers van afrekeningen in het criminele milieu. De meest extreme snij- en schotwonden zijn hier dagelijkse kost voor de artsen. Het is niet voor niets dat artsen in opleiding graag (een deel van) hun coschappen lopen in een Zuid-Afrikaans ziekenhuis. Hier valt op traumagebied meer te leren dan in Europa.

Dagelijks leven

Veel georganiseerd vermaak is er niet in de townships. Mensen moeten zichzelf vermaken. Dat doen ze door muziek te maken en te beluisteren, en door elkaar verhalen te vertellen. Wie een televisie heeft, kan rekenen op veel aanloop. Er zijn veel gospelkoren en andere met de kerk verbonden activiteiten. Dat levert een belangrijk stuk sociale controle op. Als iemand hulp nodig heeft, of die persoon het ermee eens is of niet, de kerk regelt en stuurt. De kerk neemt zo de rol over als die van de familieoudsten is uitgespeeld.

De cafés in de townships zijn eerder drinkgelegenheden dan ontmoetingsplaatsen. Mensen ontmoeten elkaar, maar laten zich volledig vollopen en drinken zich soms letterlijk kapot. Drank is goedkoop en

wordt in flinke hoeveelheden geserveerd; bestel je een biertje, dan krijg je een fles van 0,75 liter. Zelfgestookte sterke drank wordt ook veel gedronken. De verdovende, zelfs giftige werking van dit spul zorgt voor veel alcoholverslaafden en voor daarmee verweven problemen als (huiselijk) geweld, gebrek aan geld en familiedrama's.

Ook al is aan de leefomstandigheden en de behuizing de laatste tijd veel verbeterd, wat betreft winkels, restaurants, bakkerijen, een bioscoop of een internetcafé is het aanbod op de meeste plekken heel mager en soms nihil. Niet alleen omdat veel mensen arm zijn; onder de vier miljoen inwoners zijn er voldoende die genoeg te besteden hebben om bepaalde vormen van vermaak winstgevend te maken. Het ontbreekt op een bepaalde manier ook aan ondernemersgeest. Er zijn wel volop kleine zaakjes waar mensen voor hun dagelijkse levensbehoeften terecht kunnen. Maar er is een tekort aan structuur en aan ondernemersgeest. Veel succesvolle bedrijfjes worden door immigranten gerund: vluchtelingen uit Mozambique en Angola

die wel de benodigde *entrepreneurial drive* en visie hebben. In Johannesburg zijn de beste underground garages die van de Mozambikanen: zij staan bekend om hun vindingrijkheid. Veel arme Zuid-Afrikanen zien de vluchtelingen liever gaan dan komen; ze zijn geduchte concurrentie op de banenmarkt, werkgevers zien hen als betrouwbaar en het zijn 'harde werkers'. Ook zwaar, vuil en slecht betaald werk pakken de immigranten met beide handen aan.

Economische groei

Van oudsher waren de townships slechts bedoeld om in te wonen, de regering liet tijdens de apartheid niet toe dat zich hier officieel winkels of horeca vestigden. Nu is de wet veranderd, maar de omstandigheden veranderen een stuk langzamer. In 2005 werd in Khayelitsha een winkelcentrum geopend, dat succesvoller is dan de investeerders durfden te hopen. Een jaar ervoor werd de eerste(!) geldautomaat naast een populair café geopend. Deze ATM is nu drukker dan die van dezelfde bank in de Waterfront. Nu zijn alle banken aanwe-

JONGENS UIT CONGO EN ZIMBABWE

Altijd een brede glimlach

Op straat in Kaapstad zie je veel jongens uit Angola en Congo aan het werk als parkeerwachter of als souvenirverkoper. Zij zijn de oorlog ontvlucht en soms ontsnapt aan de dienstplicht, en weten vaak niet wat het lot van hun familie is. Maar ze lachen hun mooiste lach als je ze groet en vermaken zichzelf met zingen en dansen. Dat laatste vooral als je níet kijkt. Op de stranden van Camps Bay en op de markten zie je ook vaak dezelfde gezichten. De verkopers van de kralenvoorwerpen zijn vaak locals uit de townships.

Het meeste houtsnijwerk komt uit Zimbabwe en Malawi, en de jongens die het verkopen meestal ook. Hun gezin is nog in dat land en zorgt voor de aanvoer en productie van spullen. Twee keer per jaar gaan ze naar huis. Met het handwerk van de familie keren ze weer terug naar Kaapstad, om daar de stranden en straten af te lopen met hun houten tafeltjes annex schaakbord en de giraffes van groene kraaltjes. Hun verhalen bezorgen je kippenvel in de bloedhitte van een Kaapse februaridag. Opvallend is hun blijvende liefde voor het land waar ze vandaan komen, ook al hebben ze alles wat hun lief is moeten achterlaten. Maar zolang zij de hoop niet verliezen, die lach op hun gezicht houden en hun geest ongeknakt blijft, zo lang blijft Afrika ook het continent van de hoop.

zig in de townships. Maar andere bedrijven aarzelen nog altijd om te investeren hier.

NEEM DE MINIBUS

Openbaar vervoer is een nagenoeg niet bestaand fenomeen in Kaapstad. Zonder auto of scooter ben je nergens (fietsen wordt hier niet gedaan), het handjevol lijnbussen en treinen stelt niet veel voor. Vooral als de route niet aansluit op je vertrek- of eindpunt, heb je niets aan bus of trein want overstappen is echt teveel gevraagd. Minibusjes zijn het antwoord op het openbaarvervoervraagstuk. Ze worden voor het merendeel gebruikt door townshipbewoners, die 's ochtend en 's avonds minimaal een uur onderweg zijn naar hun werk in de stad. Een ritje in een van deze busjes, die officieel maximaal negen personen mogen vervoeren, is een echte Afrikaanse ervaring.

In heel Afrika is vervoer op deze manier geregeld. Bijna nergens is openbaar vervoer en een auto is duur. De busjes zijn te herkennen aan de roekeloze rijstijl van de chauffeurs en de dreunende muziek die naar buiten schalt. Wie zijn eigen busje

Minibus in Kloof Street

JAZZ EN DRUMSESSIES

Afrika leeft op het ritme van zijn muziek. In Zuid-Afrika is jazz heel belangrijk. Niet de kabbelende klanken waar de niet-kenner misschien direct aan denkt, maar een swingende vorm. Afrika danst en is uitbundig, net als zijn jazz: vrolijke trompetten en saxofoons, ritmes waarop je niet stil kan blijven staan en felle klanken vormen de rode draad. Vaak worden Afrikaanse instrumenten zoals de marimba en trommels gebruikt.

Tijdens een verblijf in Kaapstad kun je op verschillende plekken live jazz en drumsessies meemaken. Ga naar een van de cafés waar dagelijks of wekelijks bands optreden of neem deel aan de open sessies in het Drum Café.

Cape Jazz

Het hart van de Cape Jazz ligt van oudsher in de townships en in de gekleurde wijk District Six: tijdens de apartheid was jazz de muziek van de zwarten, terwijl de blanken naar rock-'n-roll luisterden. Het was raar en verdacht als je van muziek hield die niet bij je huidskleur paste. Zoals overal was ook in Zuid-Afrika muziek een manier waarop mensen zich konden uiten. Via muziek richtte men zich tegen de apartheid. Veel jazzmuzikanten uit die tijd moesten hun land ontvluchten; een aantal van hen is nu niet alleen in eigen land geliefd, maar werd wereldberoemd. Abdullah Ibrahim, Hugh Masekela en Miriam Makeba zijn muzikanten van wie de muziek ooit verboden was, maar die nu tot het establishment behoren. Deze grootheden zul je niet zomaar aantreffen bij een van de podia, maar wel bij een belangrijk festival als Cape Town Jazz Festival (voorheen North Sea Jazz Cape Town), dat ieder jaar eind maart wordt gehouden.

Wie de jazz echt wil meemaken en het leuk vindt meer over de achtergronden te weten, kan mee met de Cape Town Jazz Sa-

heeft, is op zijn manier een van de koningen van zijn township. Dagelijks worden vaste routes gereden. Handig voor toeristen is de route die van het busstation bij Adderley Street langs de hele Atlantic Seaboard gaat en daarbij langs Green Point, Sea Point en Camps Bay komt en eindigt in Hout Bay.

Hoe het werkt? Let op het hulpje van de chauffeur, die hangt uit het raam/de deuropening en schreeuwt het eindpunt. Je hoeft alleen maar je hand op te steken en het busje zal met piepende remmen stoppen. Eenmaal ingestapt zeg je waar je uit wil stappen. Het is in dit geval wel handig als je weet waar je naartoe moet, maar de mannen kunnen je altijd helpen. De 4 of 5 rand die het kost om mee te rijden, geef je via de andere passagiers door naar voren zodra je zit. Het wisselgeld komt via dezelfde handen weer richting jou.

Rijd je met je eigen (huur)auto, houd dan flink afstand van de minibusjes en wees niet verbaasd als de chauffeurs capriolen uithalen die je niet voor mogelijk houdt. Ze halen langs alle kanten in en zigzaggen over de weg. In het spitsverkeer op de N1 en N2 worden dagelijks tientallen minibusjes van de weg gehaald door de politie wegens gevaarlijk gedrag en overschrijden van de maximumsnelheid.

fari, georganiseerd door touroperator Coffeebeans Routes in samenwerking met Andulela Experience. Deze tour vindt iedere maandagavond plaats onder begeleiding van Iain Harris en Michael Wolf. Je gaat naar het huis van een muzikant ergens in de townships, hij vertelt, speelt en brengt je in een andere wereld. Het avondeten komt op tafel, er volgen meer muziek en verhalen.

Jazz is home: Jimmy Dludlu, Alvin Dyers en Richard Ceasar

De wereldberoemde (en lokale held) Mac McKenzie is een van de muzikanten die zijn huis openstelt voor deze toer. Tot het tijd is om naar Jazzclub Swingers in Lansdowne te gaan: hier wordt al meer dan twintig jaar iedere maandagavond een jamsessie gehouden. Jong talent wordt op het podium gemengd met oude rotten, wat een fantastische combinatie geeft. Hier komen eigenlijk alleen locals, de toeristen die er zijn vormen zo'n klein groepje dat ze wegvallen in het geroezemoes en de gezellige sfeer van Kaapse jazzliefhebbers onder elkaar.

ℹ CAPE TOWN JAZZ SAFARI. Coffeebeans Routes, gsm 084 7624944. www.coffeebeans.co.za

Drumsessies

Een prachtige kans om de echte Afrikaanse drumbeat tot in je tenen te voelen, is de Kayamandi African Drumming tour van Andulela Experience. Kayamandi is de township aan de rand van Stellenbosch. Tijdens deze tour van een halve dag maak je een wandeling door deze township waarbij je mensen ontmoet, de smaak van traditioneel Afrikaans eten ontdekt en natuurlijk een aantal basisritmes onder de knie probeert te krijgen tijdens de drumworkshop.

In een straatje in het centrum van Kaap-stad waar je normaal niet snel komt, is het Drum Café gevestigd. Op maandag- en woensdagavond vinden hier drumsessies plaats. Je kunt gewoon binnenlopen en een trommel gebruiken. Beginners en gevorderden zijn welkom in het altijd levendige Drum Café, waar je na het drummen misschien nog interessante gesprekken kunt aanknopen met de drummers die uit heel Afrika komen.

ℹ DRUM CAFE. Tel. 021 4611305, 32, Glynn Street, ten zuidoosten van de Company's Gardens. Op ma., wo. en vr. zijn er workshops waar iedereen aan mee kan doen, ook beginners! www.drumcafe.co.za

Muziekliefhebbers moeten ook de zondagmiddagen (17.30–18.30 uur) in Kirstenbosch in de gaten houden. In de zomer, van november tot april, is midden in de botanische tuinen iedere zondag een Summer Sunset Concert, waar je naar toe kunt voor een lage toegangsprijs. Het programma biedt een enorme variatie aan alles wat er op muziekgebied in dit land gebeurt. Je kunt rustig gaan zonder van tevoren te weten wie er speelt: deze concerten horen bij Kaapstad. Neem een picknick mee en ga languit in het gras liggen luisteren. De zon gaat onder achter de bergen, je hoeft alleen maar te genieten. In de winter (mei

Summer Sunset Concert in Kirstenbosch

tot oktober) zijn er ook concerten, de locatie is dan het mooie restaurant van Kirstenbosch. De toegangsprijs is wat hoger, maar een drankje en soep zijn inbegrepen en de concerten duren langer, van 18–20.30 uur.

ℹ️ SUMMER SUNSET CONCERTS. Eind nov.–begin apr. 17.30–18.30 uur. Reserveren niet van toepassing. Winter Concerts: mei–okt. 18–20.30 uur. Reserveren noodzakelijk: tel. 021 7629585.

ETEN À LA MAMA AFRICA

Afrikaans eten en koken

De wereldkeuken heeft zijn weg naar Kaapstad gevonden, maar de oorspronkelijke Afrikaanse roots zijn daarmee niet verdwenen. De ouderwetse keuken bestaat uit twee onderdelen: ten eerste de Afrikaanse basis, die bestaat uit mielies (mais), vlees, aardappelen. Deze ingrediënten kom je in heel Afrika tegen, overal groeit mais en het is goedkoop en voedzaam. Erg smaakvol is het niet. In sommige restaurants kom je dergelijke gerechten op de kaart tegen. Leuk om een keer te proberen.

Eten à la Mama Africa kan in een paar restaurants in Kaapstad. Wel een beetje toeristisch, maar er zijn ook altijd wel een paar locals te vinden omdat het eten gewoon goed is. Een aangekleed, avondvullend etentje waar de bezoeker vermaakt wordt met muziek en andere (subtiele) vormen van entertainment en waar het decor de aandacht trekt, kan men verwachten in de volgende etablissementen: **Africa Café** (met een menukaart die je van Kaapstad naar Caïro voert); de gerechten komen in kleine schaaltjes op tafel. Zang en dans door de serveersters. Het is erg toeristisch.

Op het Afrikaanse eten in **Marco's African Place** komen locals af, dat is een goed teken. Dansen na het eten is ook een goed teken: er is iedere avond livemuziek.

Mama Africa serveert struisvogel- of krokodillenvlees aan de bar, die de vorm heeft van een groene mamba. Het is een levendig en sfeervol restaurant. Het pand is aan

de buitenkant mooi beschilderd.

Off Moroka is een Afrikaans restaurant dat veel bezocht wordt door Afrikanen uit andere landen. Ze luisteren er naar 'hun' muziek, er zijn soms gast-dj's en poëzie-avonden. Niet toeristisch. Geen gedoe, geen opsmuk, maar een bruisende sfeer. Een aparte vermelding verdient restaurant **Mojo** op Spier Wine Estate. Het is een hele ervaring om hier te eten, het buffet wekt verbazing, zo ook het decor en de muziek. Reserveer op tijd en ga met een groepje. Zie hoofdstuk 9 Wijnlanden, voor informatie over Spier (restaurants Mojo en Jonkershuis) en restaurant Jonkerhuis op Groot Constantia.

ℹ AFRICA CAFE. Tel. 021 4220221, 108 Shortmarket Street, Heritage Square. Dag. geopend voor diner, 's winters op zo. gesloten. www.africacafe.co.za

MARCO'S AFRICAN PLACE. Tel. 021 4235412, 15 Rose Lane, Bo-Kaap. Dag. geopend voor lunch en diner.

MAMA AFRICA. Tel. 021 4248634, 178 Long Street. Dag. geopend voor lunch en diner, iedere avond livemuziek. Reserveren noodzakelijk.

OFF MOROKA. Tel. 021 4221129, 120 Adderley Street. Geopend voor diner van ma.–do.,

18.30–middernacht, op vr. en za. open v.a. 20.30. Poëzieavond op ma. om 20 uur.

Cape Malay

Het tweede onderdeel van de originele Kaapse keuken is de Cape Malay-stijl. Cape Malay-koken kenmerkt zich met name door het gebruik van speciale kruiden. Deze kruiden werden door de slaven in de 17de eeuw vanuit Azië meegebracht naar de Kaap (de naam Malay is niet geheel terecht, want slechts een klein deel van de slaven kwam uit Maleisië). In de keukens van de Hollandse VOC-families, waar de slaven werkten, kookten ze met hun eigen kruiden. Zo ontstonden Cape Malay-gerechten als *bobotie* (gehakt, kerrie, komijn, kruidnagel en nog zeventien kruiden, in de oven gebakken met een laagje geklopt ei erop en geserveerd met zoete chutney en gele rijst). Bobotie is een heerlijk gerecht en niet moeilijk te maken zolang je al die kruiden maar in huis hebt. De kruiden haal je in de Bo-Kaap bij de Atlas Trading Store. Een superwinkel vol met kruiden en geheimen. Een tweede voorbeeld van een Cape Malay-gerecht is

Cape Malay-curry: kip met aardappelen maar vooral kruiden

snack of bijgerecht gegeten. Bij veel corner-cafés staat een schaal op de toonbank, zodat je ze kunt kopen en proeven. Het hart van de Cape Malay-kook-stijl ligt in de Bo-Kaap, de wijk met de felgekleurde huisjes die tegen de heuvels van Signal Hill aangebouwd zijn, en die aan de andere kant begrensd wordt door Buitengragt. In deze buurt woonden vroeger de slaven, nu vormen de bewo-ners een mix van families die hier al generaties lang wonen en vaak moslim zijn, samen met yuppen die de centrale ligging van deze wijk en huizen fantastisch vinden. Het is erg hip om hier te wonen en de prij-zen zijn enorm gestegen in de laatste vijf jaar.

de *samoosa*: een driehoekig pasteitje ge-vuld met groente, kip en currykruiden. De vulling kan variëren (zoals de koks zeg-gen: 'Wat je koelkast naar voren schuift stop je in de samoosa.'). Het driehoekje wordt gemaakt van een deeg dat lijkt op filodeeg, maar nog dunner is. Even in de olie, frituren en klaar. De samoosa lijkt een beetje op een loempia en wordt als

Koken, cultuur en boodschappen

Echt *inside information* krijg je door mee te gaan met de Cape Malay Cooking Safari, ge-

RECEPT BOBOTIE

Bobotie is een ovenschotel van gehakt, eieren, gember, koriander en mango chutney. Laat de lange lijst ingrediënten je niet afschrikken: als je de kruiden in huis hebt, is het verder erg makkelijk. En erg lekker!

Ingrediënten

Olijfolie, 50 g boter, 1 kg rundergehakt, 2 uien, 125 g gele rozijnen, 60 g geschaafde amandelen, 125 ml mango chutney, 2 geperste tenen knoflook, 1 theelepel gemberpoeder, 1 theelepel kurkuma, 2 theele-pels komijnpoeder, 2 theelepels korianderpoeder, 3 kruidnagels, 5 jeneverbessen, versgemalen peper, zout, een bosje versgehakte peterselie, limoenblaadjes, 0,5 liter melk, 6 eieren.

Bereidingswijze

Snipper de uien en bak ze glazig in een grote braadpan met boter. Voeg het gehakt toe. Doe ui en ge-hakt in een grote kom en meng alle ingrediënten erdoor, behalve de limoenblaadjes, eieren en melk. Doe het gehakt in een ingevette ovenschaal en steek de opgerolde limoenblaadjes in het aangedrukte gehaktmengsel. Klop de eieren met de melk en giet dit er overheen. Zet de schotel 15 min. in de voor-verwarmde oven (170 graden) tot de bovenlaag een bruin kleurtje krijgt.

Serveren met rijst (gele rijst is 'in stijl') en maak er een friszoete salade bij van komkommer, mango en een pepertje.

organiseerd door Andulela Experience. Op zaterdagochtend, als de Bo-Kaap bruist van de activiteiten, ontmoet je elkaar in het Bo-Kaap Museum en maakt daarna een wandeling door de wijk. De bezoeker hoort van alles over het leven en de mensen in deze wijk, over de gebruiken, de architectuur en natuurlijk over het eten. De Atlas Trading Store ruik je al voor je hem ziet: een groothandel in kruiden en andere (droge) ingrediënten van de Cape Malay-keuken. Er wordt uitleg gegeven over de combinaties van kruiden en natuurlijk is dit hét moment om exotische spullen voor thuis te kopen. Ten slotte leer je ook bepaalde gerechten te maken. Na een bezoek aan de slager, waar de noodzakelijke fruit- of groenteatjar wordt gekocht, ga je naar het huis van de gastvrouw. Ze vertelt een paar keukengeheimen en laat de bezoekers zelf wat maken. Bijvoorbeeld hoe je samoosas vouwt en vult – de driehoekjes die niet strak genoeg zijn worden meedogenloos leeggekiept.

Na een half uurtje in de keuken volgt de maaltijd zelf: een curry met kip en aardappelen (supersimpel te maken), roti (anders dan de Surinaamse) of een soort oliebol met spinazie en kikkererwten. Speciale dorstlessende drankjes, atjars, chutneys en als dessert bijvoorbeeld *koesisters* (een soort gekruide donut, maar in gevlochten vorm) maken de lunch compleet. Eten doe je met je handen en je bord moet tot de laatste kruimel leeg zijn, anders ben je onbeleefd. Met een volle maag, een tas vol kruiden, een map met recepten en een verrijkende ervaring erbij keer je ongetwijfeld tevreden huiswaarts.

Restaurants

Er zijn veel restaurants die een of meer gerechten uit de Cape Malay-keuken op hun menu hebben staan. In de Bo-Kaap zijn een paar redelijk authentieke adressen (naar moslimgebruik zonder alcohol) waar je Cape Malay en Indiaas kunt eten.

Biesmiellah (aan het einde van Wale Street, tegen Signal Hill aan) en de Noon Gun Tearoom & Restaurant zijn de twee beste. In **Noon Gun** is het alsof je bij een familie aan tafel zit (wat eigenlijk ook zo is). Het vaste menu, waardoor je van alles kunt proeven, is een goede keuze. Vlakbij staat het kanon waar om 12 uur de Noon Gun wordt afgeschoten.

Buiten de stad kun je in de wijnlanden terecht, bij Restaurant Jonkerhuis op Groot Constantia. Een Cape Malay-buffet wordt geserveerd bij Jonkershuis Restaurant op Spier Wine Estate.

ℹ️ BIESMIELLAH. Tel. 021 4230850, Wale Street, Bo-Kaap. Open voor lunch en diner van ma.–za. Geen alcohol.

NOON GUN TEAROOM AND RESTAURANT. Tel. 021 4240529, 273 Longmarket Street, Bo-Kaap. Open van ma.–za. van 10–22 uur.

DISTRICT SIX

District Six was tot halverwege de jaren zestig een bruisende, levendige en kosmopolitische wijk. Tussen het stadscentrum en Devil's Peak ingeklemd woonden zo'n 60.000 mensen van verschillende bevolkingsgroepen, de meeste coloureds en van Indiase afkomst. Er woonden ook blanken, zwarten en Chinezen. District Six was een arme wijk, er was heel wat criminaliteit en het leven was hard. Toch overheerste de positieve geest in dit getto. De gemeenschapszin was groot en sommige families leefden hier al vier of vijf generaties. Jazz en andere kunstuitingen waren belangrijk en de uitstraling hiervan reikte tot buiten de wijk en beïnvloedde de rest van de stad. Aan dit geheel werd een einde gemaakt door de apartheidsgezinde stadsbestuurders van die tijd. Zij verklaarden District Six in 1966 tot een witte wijk. Natuurlijk waren de bewoners niet van plan te wijken: ze protesteerden gedurende een paar jaar op alle mogelijke manieren en waren zelfs bereid hun wijk met hun leven te

Typisch Afrikaans beeld

verdedigen. De overheid was sterker en zette stelselmatig bulldozers in, waarmee ze District Six met de grond gelijk maakte. Het fatsoen van deze waanzinnige bestuurders reikte slechts zover dat ze de moskeeën en kerken overeind lieten staan. Tot vandaag is het voormalige District Six een lege plek in de stad. Het heet nu Zonnebloem.

De bewoners van District Six werden verbannen naar de kale vlakten van de townships Mitchell's Plain, Athlone en Atlantis. Soms werden families uit elkaar gehaald; de sterke onderlinge banden tussen buren en vrienden werden zwaar op de proef gesteld door de grote afstand waarop men nu van elkaar woonde. Met het verdwijnen van de wijk verloren veel mensen hun werk, hun school, kortom hun bezigheid. Deze ontwikkeling legde de basis voor het ontstaan van gewelddadige bendes in Mitchell's Plain. Jongeren waren hun vertrouwen, geloof en basis kwijt en zakten weg in het moeras van criminaliteit en drugs. De armste gezinnen kwamen in Mitchell's Plain terecht. Wie een huis kon kopen, deed dat in Athlone of Atlantis.

Het lot van de bulldozers was eigenlijk ook bestemd voor de Bo-Kaap. Maar omdat de bewoners daar (als moslims) een veel hechtere en meer homogene groep vormden, was hun protest wel succesvol. De bewoners werden officieel eigenaar van huizen en om dat besluit kracht bij te zetten werden veel panden tot nationaal monument verklaard; dat gaf in ieder geval een papieren bescherming. In de jaren vijftig vonden ook in de Bo-Kaap overigens gedwongen verhuizingen plaats: de zwarte bewoners moesten er weg omdat de wijk volgens de wet als 'coloured' wijk was bestempeld.

Nadat District Six vernietigd was, werd er schande van gesproken in binnen- en buitenland. Hoewel deze protesten niets uithaalden, hadden ze wel tot gevolg dat Zonnebloem niet verder ontwikkeld werd tot de beoogde witte wijk. Wat wel werd gebouwd, was het gebouw van de Cape Technikon (een opleidingsinstituut op hbo-niveau). Sinds het jaar 2000 wordt ieder jaar een stuk grond 'teruggegeven' aan de oorspronkelijke bewoners van District Six. Er worden nu weer huizen gebouwd en deze

INGETOGEN FEESTMUZIEK: GOEMA

The Goema Captains of Cape Town

Sluit je ogen en stel je een straathoek voor in het verdwenen District Six, of tegen een felgekleurde gevel in de Bo-Kaap. Mannen spelen riedeltjes op hun gitaar, zittend op de stoeprand. Wat je hoort, blijkt een *goema*-liedje. Je herkent het niet; het is geen jazz, of toch wel? De goema-liedjes zou je kunnen beschrijven als een soort volksliedjes uit District Six en de Bo-Kaap. Liedjes die werden gespeeld bij het jaarlijkse carnaval, triomfantelijk omdat deze of gene straat de prijzen had binnen gesleept. Het is een muziekstroming op zich, waarin banjo en drums belangrijke rollen spelen. Andere instrumenten zijn dezelfde die de muzikanten voor jazzmuziek gebruiken. Melodieus, soms met een zangpartij, vaak vrolijk en snel; dat is de goema. Deze liedjes werden door de slaven gezongen tijdens de carnavalsparade die zij hielden op hun enige vrije dag in het jaar, nieuwjaarsdag. Zij vierden Tweede Nuwe Jaar, op 2 januari, en dat feest is nog steeds een heel belangrijke traditie in Kaapstad.

Feestmuziek dus eigenlijk, maar ook ingetogen vanwege het serieuze, zware leven dat men leidde. In de 20ste eeuw vormden de liedjes langzamerhand een onderdeel van de volkscultuur in de 'coloured' wijken Bo-Kaap en District Six. The Goema Captains of Cape Town is opgericht door Mac McKenzie, Hilton Schilder, Alex van Heerden en Robbie Jansen, stuk voor stuk legendarische lokale muzikanten die opgegroeid zijn met de goema-liedjes. Hun cd *Healing Destination* is van historische waarde, er is namelijk niet veel opgenomen in dit genre en de 'kennis' kan snel verdwijnen. Er is veel informatie bijgevoegd over de mannen en hun achtergrond, leuk en enthousiasmerend. Freshlyground-zangeres Zolani Mahola levert ook een bijdrage. Het concept van deze cd, een groep muzikanten die oude liedjes spelen, doet denken aan Ry Cooder's Buena Vista Social Club. Dit is een muzikaal document dat bij Kaapstad hoort.

The Goema Captains of Cape Town – *Healing Destination*. Mountain Records. Te koop (of te bestellen) bij de lokale muziekwinkels, of via producent. www.coffeebeans.co.za.

worden toegewezen aan de verdreven bewoners. Zij kunnen dus mondjesmaat terugkomen naar hun wijk. Maar of dat nou een oplossing is... District Six zal nooit meer worden zoals het was: de bulldozers hebben de ziel van de buurt voor altijd vernietigd.

District Six Museum

Dit museum is er voor en door de vroegere bewoners van de wijk. Als toerist krijg je hier een indruk van hoe het was, maar voor hen is het een reis in de tijdmachine en een hulpmiddel bij het verwerken van verdriet en het behouden en creëren van herinneringen. Centraal staat een grote plattegrond van de wijk. Bewoners hebben hun naam geschreven bij de plaats waar hun huis stond; herkenningspunten zoals winkels zijn aangegeven. Er zijn veel foto's, aangevuld met herinneringen van mensen, een nagebouwde keuken en winkel, geluidsopnames, muziek. Ook bewaard gebleven zijn bijna alle straatnaamborden uit District Six: deze zijn achtergehouden door de man die toezicht hield op het afbraakproces. De borden moesten eigenlijk gedumpt worden in Table Bay, samen met al het andere afval.

Laat je rondleiden door of maak een praatje met een van de medewerkers van het museum. Zij zijn voormalige bewoners en hebben ieder hun eigen, boeiende, verhaal.

ⓘ DISTRICT SIX MUSEUM. 25A Buitenkant Street, City Bowl. Tel. 021 4618745. Geopend: ma.–do. 9–15, vr. 9–16 uur. www.districtsix.co.za

BEZOEK DE TOWNSHIPS

Een bezoek aan de townships is het gemakkelijkst te organiseren met een touroperator. Niet bij alle aanbieders krijg je een 'echt' beeld van het leven. Bepaal eerst wat je graag wilt zien. Sommige mensen kunnen de armoede in levenden lijve niet aan. Als dit de eerste keer is dat je armoede ziet, is het inderdaad heftig. Kies voor een tour met een van de organisaties die hieronder vermeld staan. Je ziet niet alleen het echte leven met z'n positieve en negatieve kanten, maar je ontmoet ook mensen die je wat te vertellen hebben, misschien beleef je iets op cultureel gebied (muziek!) of kun je ergens mee-eten. Je krijgt veel meer mee van het leven en de sfeer in de townships als je met je gids een wandeling maakt. In een busje blijven zitten geeft bovendien echt een voyeuristisch gevoel.

'Meet the People' tour

Deze tour start om 17 uur en eindigt rond middernacht. Je bent te gast bij een familie in de township Kalkfontein. Zij nemen je mee hun wijk in. Je ontmoet allerlei mensen met ieder hun eigen verhaal. Deze tour geeft een erg goede indruk van het leven in de townships: het is een hard leven maar de gemeenschapszin is enorm, en dat is erg belangrijk. De avond is gevuld met muziek, eten, praten en lachen. De mensen die je ontmoet zijn net zo geïnteresseerd in jou als jij in hen.

De bedenker van deze route is Iain Harris, die deze tour ook meestal begeleidt. Zijn fi-

Zicht vanaf de snelweg N2 op Guguletu township

losofie luidt dat de tours van Coffeebeans Routes over een paar jaar niet meer nodig moeten zijn, omdat toerisme de township-bewoners kan stimuleren en hun zelfvertrouwen geeft hun kansen en talenten te benutten. Dat zijn filosofie werkt, blijkt uit het feit dat twee vrouwen samen een cateringbedrijfje zijn gestart, nadat ze begonnen waren met koken voor de deelnemers aan deze tour. Een andere vrouw heeft haar huis omgetoverd tot een B&B, zodat toeristen hier kunnen logeren. Info: gsm 084 76249 44. www.coffeebeans.co.za

Cape Care Route

Deze dagtour neemt je mee naar 'de andere kant' van de stad en laat zien hoe de lokale gemeenschap leeft, en de uitdagingen aanpakt die met het verdwijnen van de apartheid ontstonden. Verschillende projecten worden bezocht, zodat je kunt zien hoe mensen hoop en toekomst putten uit hun eigen creativiteit. Succesverhalen, toekomstdromen, erfenissen uit het verleden,

gemeenschapszin en zorg voor elkaar stapelen zich op bij deze dagtour, die op iedere deelnemer indruk zal maken.

Township Experience

Halve dagtour naar Langa en Philippi, de oudste townships in Kaapstad. Bij deze tour krijg je een idee hoe het leven in de townships zich ontwikkelt van de leegte van post-apartheid tot de inhaalslag die nu plaatsvindt. Je ziet de scholen, de communitycentra, de klinieken (met informatie over hoe men met hiv/aids omgaat), de nieuwe woningen en de sportfaciliteiten. Alles is in de ontwikkelingsfase, dus je ziet moderne mobiele telefoonunits naast een marktje waar schapen- en koeienkoppen worden verkocht voor de maaltijd.

De Cape Care Route en Township Experience staan onder leiding van een van de beste gidsen van de Kaap, Faizal Gangat (winnaar van de Guide of the Year Award 2003 en 2004). Info: tel. 021 4483117, gsm 083 3580193. www.tourcapers.co.za

4

Het mooiste van de natuur

Eén van de geweldige eigenschappen van Kaapstad is de hoeveelheid natuur in de buurt. Niet het aangeharkte groen van een park, een paar weilanden aan de rand van de stad of gewoon een strand in de buurt. Nee, in Kaapstad krijg je de ruige, wilde natuur zo voor je voeten geworpen. Midden in de stad de fascinerende Tafelberg. En dan de Atlantische Oceaan. Witte stranden: één voor iedere dag van de week. Dieren: zebra's of pinguïns, met een beetje geluk zie je ze allebei. Er zijn ook gewone koeien. Bloemen en planten: het Kaapse plantenrijk heeft meer soorten dan alle Britse Eilanden samen. Palmen en eiken staan broederlijk naast elkaar in de straat. De bezoeker van de Kaap verzucht regelmatig: 'Wat is het hier móói!' Op een gege-

ven moment zeg je het maar niet meer hardop. Straks denkt iemand nog dat je overdrijft.

WANDELEN BIJ DE TAFELBERG

Op de 'to do' lijst van iedere bezoeker aan Kaapstad staat de Tafelberg bovenaan. Volledig terecht, dus ga zodra het helder is richting de berg en vergeet alle andere plannen. Het weer is echt onvoorspelbaar in Kaapstad, dus grijp de kans. En maak als het even kan een van de volgende wandelingen. Trek er twee, vier of zes uur voor uit en je hebt een heerlijke dag in de bergen, op vijf minuten afstand van het stadscentrum. De Tafelberg: ga erop, eraf, er langs of dwars eroverheen.

▲ Vanaf de Tafelberg kijk je op Camps Bay

◄ Voor iedere dag van de week is er een strand: hier St. James met de kleurige badhokjes.

Er op: Platteklip Gorge

Platteklip is de meest gebruikte route om de Tafelberg te beklimmen. De route loopt langs de voorkant van de berg. Het is een kwestie van recht omhoog, over rechtop gezette brokken steen. De gorge (kloof), het laatste stuk naar boven, zie je vanuit de stad ongeveer in het midden als een verspringing in de berg. De klim naar bo-

ven is niet moeilijk, maar wel zwaar. Ook een beetje saai, omdat je niet zo gemakkelijk om je heen kunt kijken.

Eenmaal boven is de beloning natuurlijk dat fantastische uitzicht. Je komt uit op het plateau waar de kabelbaan ook eindigt. Nadat je hartslag genormaliseerd is, ga je rechtsaf naar het Upper Cableway Station. Dat is nog een kwartiertje lopen.

Maar neem de tijd voor die uitzichten, misschien met een drankje op het terras? Afgezien van de kabelbaan naar beneden (zo'n vijf minuten zonder wachttijd) en de tijd die je op het plateau doorbrengt, zal de route via Platteklip Gorge een kleine drie uur duren. Er is geen schaduw; dus vertrek in de zomer 's morgens vroeg, zorg voor voldoende drinkwater en zonnebescherming.

De meeste mensen gaan met de kabelbaan naar beneden. Hoewel je er niet op kunt rekenen dat die gaat als het weer plotseling verslechtert. Afdalen via Platteklip Gorge is misschien niet voor iedereen weggelegd; de bergwand is steil en de afdaling schijnt nogal een aanslag op de knieën te zijn.

🏃 Loop vanaf het Lower Cable Station verder over Tafelberg Road. Na ongeveer 2 km staat aan je rechterhand een informatiepost van National Parks, er ligt een kleine dam en een bord dat aangeeft dat Platteklip Gorge hier begint. Na een kwartier klimmen kom je op het Upper Contour Path. Volg dit pad een klein stukje, tot aan het bord Contour Path/Platteklip Gorge. Het pad is gemakkelijk te volgen en zigzagt naar boven. Klim naar boven door de diepe spleet in de berg, die nu gemakkelijk te herkennen is.

Er op: Skeleton Gorge

Skeleton Gorge laat een heel andere kant van de Tafelberg zien. Het vertrek is vanuit de botanische tuinen van Kirstenbosch. De oostelijke hellingen van de Tafelberg zijn ruig en de ravijnen staan vol met grote oude bomen. Een heel stuk van de wandeling ligt het pad lekker in de schaduw. Je loopt eerst naar het Contour Path (dat loopt vanaf Kloof Nek helemaal langs de voorkant van de berg, de hoek om naar Kirstenbosch en Constantia) en daar starten de routes Skeleton Gorge en Nursery Ravine (zie iets verder in de tekst).

Bij een herinneringsbord aan Jan Smuts, de Boerenleider en president, op wiens fa-

voriete wandelpad je nu loopt, begint de klim naar boven via Skeleton Gorge. Je klimt via trappen, ladders en losse grote keien. Om je heen zijn diepe ravijnen en sommige rotspartijen zijn moeilijk te beklimmen. Voor de klimpartij is een redelijke conditie vereist, want het zijn niet alleen de benen die het werk doen. Het is te gevaarlijk hier het pad te verlaten. Na een uur ben je boven.

🏃 In Kirstenbosch (entree betalen) begin je te lopen naar het Contour Path. Vanaf hier volg je het bord Skeleton Gorge. Afdalen langs Skeleton Gorge is niet aan te raden, maar natuurlijk wel mogelijk.

Er af: Nursery Ravine

Als je via Skeleton Gorge de berg hebt beklommen, gaat de logische route terug naar Kirstenbosch via Nursery Ravine. Bovenaan Skeleton Gorge staat rechts een bordje naar Kasteelspoort. Volg het Kasteelspoortpad gedurende ruim een half uur en kom dan uit bij de top van Nursery Ravine. Daal af door dit ravijn en kom weer uit op het Contour Path, het pad dat terug naar Kirstenbosch leidt. De combinatie Skeleton Gorge/Nursery Ravine duurt ongeveer vijf uur. De grasvelden van Kirstenbosch en het restaurant zijn uitnodigend genoeg om uit te rusten van deze sportieve ervaring.

Er langs: The Pipe Track

Dit wandelpad loopt langs de westelijke flanken van de berg, onderlangs de Twelve Apostles en is een van de oudste en bekendste routes voor de Capetonians. Geliefd omdat ze zo mooi is en niet zwaar. Het uitzicht over de Atlantische Oceaan, het strand van Camps Bay en de bergrug voor je, is prachtig. Het pad werd in 1887 aangelegd om de pijplijn voor de watervoorziening aan te leggen. Het water komt vanuit de reservoirs op de Tafelberg en stroomt richting Kloof Nek. De route is min of meer vlak en vergt

Twaalf Apostelen

dus niet al te veel energie. Dit maakt deze route ook geschikt voor de zomer, hoewel je ook dan het beste 's ochtends loopt om nog een beetje schaduw te hebben. Het pad eindigt vanzelf; deze route loop je in een uur en 15 minuten. De terugweg (over hetzelfde pad, inkorten kan dus gemakkelijk) zal iets sneller gaan, omdat het alleen maar bergafwaarts gaat. Reken in totaal op ongeveer twee uur.

🚶 De Pipe Track begint net voorbij het kruispunt op Kloof Nek, waar je richting het Lower Cableway Station rijdt. Laat de auto achter op de parkeerplaats die meteen links verschijnt. Aan de overkant van de straat wordt het begin van de Pipe Track aangegeven, eerst een paar treden naar boven.

Er langs: Frontal Contour Path

Dit pad loopt ongeveer halverwege de hoogte van de Tafelberg, van rechts naar links langs de voorzijde. Je kunt je vanuit je luie stoel al wel voorstellen wat een uit-

zicht dat betekent. In de herfst en de winter, als het heeft geregend, zijn er onderweg een stuk of vijf watervallen. In elk seizoen moeten er twee stroompjes overgestoken worden, maar die zijn vooral verfrissend. Het eerste half uur is even klimmen, daarna is het pad min of meer vlak. Wel gaat het soms over steile randjes. Mensen die in de kabelbaan zitten en over dit pad heen zweven, denken dat je een prof bent. Net als de Pipe Track is het Frontal Contour Path niet zo zwaar, maar wel heel mooi. Locals raden hun buitenlandse gasten aan eerder deze wandeling te maken dan de Platteklip Gorge-route te lopen. Vanwege de mooie uitzichten is deze wandeling een stuk plezieriger, ook als het warm is. Je kijkt op Lions Head en de Atlantische Oceaan, en de witte huizen van Camps Bay schitteren in de zon. Natuurlijk moet je toch ook de berg opgaan met de kabelbaan, want dat uitzicht mag je niet missen.

🚶 Vlak bij de tweede haarspeldbocht vanaf het kruispunt van Kloof Nek is parkeergelegenheid. Het pad begint links van de hekken van de Kloof Nek Water Treatment Plant. Het eerste kwartier stijgt op vriendelijke wijze, daarna wordt het wat zwaarder. Volg het Contour Path in de richting van Devils Peak. Het pad gaat onderlangs de kabelbaan en passeert verschillende ravijnen waar afhankelijk van het seizoen meer of minder water doorheen stroomt. Na ongeveer een half uur lopen langs dit pad, kruist het de route van Platteklip Gorge. Voorbij Silverstream Ravine (een goede plek om te rusten, want er is schaduw en water) is een splitsing. Ga naar links en begin daarmee aan de afdaling. Al snel zie je het asfalt van de Table Mountain Road. Onderaan ga je linksaf en dan is het nog ongeveer 3 km terug naar de plek waar de auto staat.

Hoerikwaggo Table Mountain Trail

Eerst maar even dit: Hoerikwaggo is de naam die de Khoisan gaven aan de Tafelberg. Deze trail is georganiseerd door South African National Parks en biedt een luxe, verzorgde vorm van ontdekken, wandelen en genieten voor drie dagen en twee nachten. In deze trail komen Kaapstad en de Tafelberg op unieke wijze samen. De begeleiders zijn volledig getrainde berggidsen, die hun enorme kennis van de berg, de geschiedenis, flora en fauna op enthousiaste wijze delen. Ze zijn uitgerust en getraind om eerste hulp toe te passen. Bagage wordt naar de overnachtingsplaatsen gebracht. Ondanks de luxe en de rit met de kabelbaan is dit een echte driedaagse wandeltocht. Per dag loop je ongeveer zes uur, in totaal 25 km.

Dag 1 start in de Waterfront, waar de trail begint met een boottocht in de haven. Daarna volgt een stadswandeling. Je loopt door de Bo-Kaap, bezoekt het District Six Museum en komt door het centrum. Op de eerste avond slaap je in de Platteklip Wash Houses. Deze huisjes zijn luxe, er wordt gekookt en de service is uitstekend. Ze staan hoog boven in de heuvels tegen de bergwand geplakt. Het uitzicht over de stad en al haar lichtjes is uniek vanaf deze plek.

Top van Lion's Head

MOOI MAAR VERRADERLIJK

Veel mensen hebben de neiging te vergeten dat de Tafelberg, omdat hij midden in de stad staat, een echte berg is met gevaren. Ieder jaar sterven er mensen op de berg, omdat ze verdwaald zijn of verrast door slecht weer. Houd daarom de volgende regels aan:

Gedrag

- Loop nooit alleen.
- Laat iemand (bijv. de receptie van je hotel) weten welke route je neemt.
- Vertrek op tijd, zodat je voor donker terug kunt zijn. Bij twijfel hierover, niet gaan.
- Als je verdwaalt, blijf waar je bent en zorg dat je warm blijft. Wacht op hulp.
- Maak nooit een vuurtje en gooi nooit afval weg.

Meenemen

- Mobieltje met volle batterij. Zet het nummer van de Mountain Rescue erin: 021 9489900.
- Water: twee liter per persoon
- Eten
- Regenjack
- Warme trui
- Hoed
- Zonnecrème met hoge beschermingsfactor

ℹ️ HOERIKWAGGO TABLE MOUNTAIN TRAIL. Informatie en boekingen: www.hoerikwaggotrails.co.za en www.sanparks.org.

Kirstenbosch Botanical Garden

Op de derde plaats van het lijstje meest bezochte toeristenattracties, na Tafelberg en Waterfront, staat de botanische tuin. Kirstenbosch is iets bijzonders: een van de mooiste tuinen ter wereld, gelegen tegen de hellingen van de Tafelberg. Kirstenbosch is 528 ha groot.

In 2004 werd Kirstenbosch door UNESCO verklaard tot werelderfgoed, vanwege de waarde die wordt gehecht aan het unieke fynbos. Ongeveer 22.000 soorten planten en bomen kun je tegenkomen bij een zwerftocht door de tuinen. De tuinen hebben een oppervlakte van 36 ha, het grootste deel is wilde natuur. Er lopen wel wandelroutes doorheen, zoals Smuts Track, onderdeel van de route naar Skeleton Gorge. Bijzonder aan Kirstenbosch is dat niet alleen de liefhebber er (vanzelfsprekend) aan zijn trekken komt, maar iedereen die van de natuur houdt. Families picknicken in het gras, vrienden delen een fles wijn onder de bomen, joggers lopen hun ronde. Zoals gebruikelijk in een botanische tuin, is de indeling thematisch. Dat maakt het nog een stuk interessanter: de Fragrance Garden (met bijzonder aromatische soorten) en de Useful Plants (sommige planten hebben heel verrassende toepassingen) zal iedereen boeien. Mooi is ook de Braille Trail: bordjes in braille, bij planten met bijvoorbeeld een bijzondere bladstructuur die je moet aanraken om het te snappen. De enorme variëteit aan planten en bomen trekt veel vlinders en vogels aan. Het Silvertree Restaurant (bij de hoofdingang) is mooi gelegen en een goede plek voor een lunch of drankje. Meer zin om languit in het gras te liggen? Koop een picknickpakket of een broodje bij de deli, binnen in

De volgende dag is het nog een korte wandeling naar het Lower Cableway Station, waar de kabelbaan naar de top van de Tafelberg vertrekt. Bovenop wandel je door het fynbos en langs de rotsformaties naar het hoogste punt van de berg, Maclears Beacon (1086 m), waar je luncht met een picknick. Die avond logeer je in de Overseers Hut, een mooi onderkomen bovenop de berg.

's Ochtends verken je het plateau van de berg. Na de lunch wordt de afdaling ingezet. In Kirstenbosch eindigt de Hoerikwaggo Table Mountain Trail.

Luisteren naar het concert in Kirstenbosch

het restaurant. Bij de tweede ingang, waar ook het Garden Centre is en waar je zaden en bollen van fynbos kunt kopen voor thuis, is de Tearoom. Deze is wat kleiner maar ook mooi gelegen.

Eén ding mag je echt niet missen: de Summer Sunset Concerts. In de zomer is aan het eind van iedere zondagmiddag een concert in de open lucht, terwijl de zon ondergaat achter de berg. Het genre kan variëren van rock tot jazz of klassiek, maar de musici zijn altijd Zuid-Afrikaans (en goed). De concerten zijn een instituut: families en groepen vrienden komen met grote picknickmanden en dekens vaak halverwege de middag al naar Kirstenbosch. De perfecte zondag, waarmee je op ontspannen wijze een hectische Cape Town week afsluit.

In de week voor kerst worden de Christmas Carols gezongen; zet je gêne opzij, neem een kaarsje en zing mee. Dit zijn zwoele zomeravonden, anders dan je ze gewend bent rond kerst.

In de winter zijn er ook concerten op zondag. Het concert begint om 18 uur in het Silvertree Restaurant, waar drankjes en soep geserveerd worden (inbegrepen in de toegangsprijs). Kirstenbosch heeft geen eigen website waar je de line-ups voor de concerten kunt nalezen. Houd de lokale media in de gaten of pak een foldertje mee (die worden goed verspreid en liggen in ieder geval bij Cape Town Tourism).

ⓘ SUMMER SUNSET CONCERTS. Eind nov.–begin apr. 17.30–18.30 uur. Reserveren niet van toepassing. Winter concerts mei–okt. 18–20.30 uur. Reserveren noodzakelijk: tel. 021 7629585.

Wandelen in Kirstenbosch

Zomaar ronddwalen zonder een specifieke route te volgen, kan heel goed in Kirstenbosch. Wie daar niet van houdt of de protea's niet wil mislopen, koopt voor een paar rand een plattegrond bij de ingang. Er zijn drie bewegwijzerde wandelroutes, de Stinkwood Trail (45 min), de Yellowwood Trail (1,5 uur) en de Silvertree Trail (3 uur). Stinkwood is een gemakkelijke route, hoewel er wel geklommen wordt. Yel-

Mouille Point vuurtoren: de oudste nog werkende in het land

lowwood Trail loopt bijna helemaal door het bos en is gemiddeld qua zwaarte (afwisselend stijgen en dalen). Onderweg zie je veel verschillende bomen waaronder de Silvertree, die in de regio op drie plaatsen voorkomt: Kirstenbosch, de zuidelijke hellingen van Lion's Head en de Helderbergen (Somerset West). De wandeling ligt 's zomers en 's winters bijna volledig in de schaduw. Silvertree Trail is de zwaarste wandeling van de drie en bewijst met een duur van drie uur hoe groot Kirstenbosch eigenlijk is.

EEN OMMETJE IN DE STAD

Lions Rump

De romp van de leeuw is een ontspannen wandeling van een uurtje, perfect voor tussendoor. Vanaf Kloof Nek rijd je Signal Hill Road op, helemaal aan het einde is de parkeerplaats met het mooie uitzicht. Parkeer de auto daar. De wandeling leidt naar de Kramat, een van de moslimbegraafplaatsen die verspreid liggen over de Kaap.

De Kramat is een kleine moskee, die open is voor bezoekers. Denk wel aan de moslimgebruiken, dus bedek blote lichaamsdelen en doe je schoenen uit. De weg terug is min of meer dezelfde. De uitzichten zijn geweldig: op de heenweg zie je de kustlijn en de oceaan bij Fresnaye en Sea Point, op de terugweg kijk je op de City Bowl.

In de rechtse hoek van de parkeerplaats start de wandeling. Na korte tijd passeer je het onderkomen van de Kaapse padvinders. Steek hun parkeerplaats over en neem daar het rechtse pad (op de terugweg zul je het linkse pad hebben). Nu volgen de uitzichten op zee. De terugweg gaat langs hetzelfde pad, waar je rechts aanhoudt voor de uitzichten over de City Bowl. Je kunt ook Signal Hill Road volgen, maar dit is behalve vaak erg druk met auto's, ook een behoorlijke omweg.

Sea Point Promenade

Locals die even een frisse neus willen halen, doen dat op de Sea Point Promenade, die langs Beach Road loopt. Tussen Mouille Point (de vuurtoren) en Sea Point lopen Capetonians van allerlei pluimage langs

Diaz Beach

de zee. Oude dametjes doen hun ronde (met of zonder poedel), gespierde mannen rennen en laten tegelijk hun bruine vel zien. Mooi, lelijk, arm, rijk, jong en oud: iedereen weet de weg naar de Sea Point Promenade te vinden. Als toerist val je hier dus zeker niet uit de toon. Koffie, lunch maar vooral smoothies haal je bij Newport Market and Deli, 17 Beach Road. Hoewel aan zee, is hier geen echt strand. Wel een mooi groot zwembad: Sea Point Pavilion Swimming Pool aan het einde van de promenade (richting het westen en Bantry Bay). Hier is het al net zo'n mix van mensen als op de promenade. Je kunt hier olympische baantjes trekken in het onverwarmde zoute water (met uitzicht op zee) of zwemmen zoals je zelf wilt. 's Middags en in het weekend zijn er veel gezinnen.

🛈 SEA POINT PAVILION SWIMMING POOL.
Geopend: mei–nov. 8.30–16.30 en dec.–apr. 7–18 uur.

WANDELEN BIJ KAAP DE GOEDE HOOP
In hoofdstuk 2, waarin de highlights van de Kaap beschreven staan, adviseerden we al zoveel mogelijk uren vrij te maken voor Cape Point, het onderdeel van Table Mountain National Park waarin Kaap de Goede Hoop ligt. Dit is typisch een plek waar je het meeste van geniet als je er loopt. Juist als het stormt, blijf zeker dan niet in de auto zitten. Loop in ieder geval vanaf de parkeerplaats bij het Two Oceans Restaurant naar de vuurtoren boven op Cape Point. Rijd vervolgens naar Kaap de Goede Hoop. Zonder die foto van het bord gelooft niemand dat je hier echt geweest bent. Hierna kun je nog een van de wandelingen maken, trek daar zo'n 1,5 uur voor uit. Bij het Buffelsfontein Visitors Centre (zie kaart op p. 88) kun je veel informatie krijgen over deze en andere wandelroutes. Informeer daar ook naar meerdaagse wandeltochten en accommodatie in het park.

Van Cape Point naar Kaap de Goede Hoop
Deze wandeling is het leukst als je een tweede auto kunt parkeren onder aan Kaap de Goede Hoop, dan hoef je niet terug te lo-

pen naar de parkeerplaats bij het restaurant bij Cape Point. Lukt dat niet, dan neem je dezelfde weg terug. Je loopt door het fynbos over zanderige paadjes of over vlonders, die hier liggen om de planten te beschermen. Hier en daar bestaat de ondergrond uit stenen platen in verschillende tinten. Naar Kaap de Goede Hoop lopen duurt een klein uur. De uitzichten zijn adembenemend: je ziet de vuurtoren van Cape Point vanuit de hoek zoals de kapiteins hem vanaf zee zien. Dat levert ook mooie foto's op. In de diepte ligt Diaz Beach, een prachtig wit strand waar de rotsen en de golven een mooi schouwspel opleveren. Er is een trap om naar het strand af te dalen. Zwemmen hier is zeer gevaarlijk vanwege de stroming; er is hier echt niemand die je komt redden. Onderweg zijn ontmoetingen met baboons (bavianen) bijna verzekerd. De wandeling eindigt op Kaap de Goede Hoop.

🏃 Vertrek vanaf de parkeerplaats bij het restaurant en Cape Point, waar bordjes staan die naar Cape of Good Hope wijzen. De wandeling is voornamelijk een kwestie van afdalen met hier en daar een stukje klimmen.

Olifantsbos en scheepswrakken

Een mooie mix van lopen langs verlaten stranden, scheepswrakken die vergaan zijn op de legendarische Kaap de Goede Hoop, fynbos en rotsen en dat allemaal min of meer zonder andere toeristen: dat is de Olifantsbos-wandelroute. Volg met de auto de borden naar Olifantsbos. De wandeling begint vanaf de parkeerplaats. Onderweg passeer je Olifantsbos Cottage, een geweldig vakantiehuis waar je je alleen op de wereld kunt voelen. Er kunnen in totaal twaalf mensen logeren. Informeer bij Buffelsfontein Visitors Centre (tel. 021 7809204) of op de internetsite van National Parks (www.tmnp.co.za), misschien is er nog een nachtje vrij.

🏃 Vanaf de parkeerplaats start het wandelpad, dat direct naar het strand leidt. Op het strand lig-

gen levensgrote botten van een walvis die hier een paar jaar geleden aanspoelde. De botten zullen verzameld worden en tentoongesteld in Buffelsfontein Visitors Centre. Een stukje verder ligt het wrak van de *Thomas T. Tucker*, een Amerikaans schip dat hier in 1942 verging. Er zijn vele schepen vergaan voor deze kust, maar de wrakken zijn meestal niet meer te zien. Als je bij Kaap de Goede Hoop naar de zee kijkt, zie je verder op zee steeds een golf ergens op kapot slaan. Het wrak is niet te zien, je denkt dat het een rots is maar dat is het niet.

Loop verder over het strand tot je bij het wrak van de *Nolloth* komt: een Nederlands schip dat op de rotsen liep in 1965. Van de lading, die voor een groot deel uit flessen drank bestond, hebben de lokale vissers nog lang plezier gehad. Je kunt vanaf hier dezelfde weg terug nemen of het pad volgen dat landinwaarts loopt. Na een half uur kun je rechtsaf slaan en de wandeling ruim twee uur verlengen, volg dan de borden naar Sirkelsvlei. Sirkelsvlei is een meertje met zoet water, dat ontspringt in ondergrondse bronnen. Volg je de weg rechtdoor, dan loop je door het fynbos terug naar de parkeerplaats. Het Shipwreck circuit duurt ongeveer twee uur.

Cape of Good Hope Hiking Trail

Dit is het serieuze werk: 34 km in twee dagen, dwars over het zuidwestelijke puntje van Afrika. Je overnacht in een hut die voorzien is van bedden met matrassen, douche, toilet, lampen op zonne-energie, een gasbrandertje met twee platen, servies, en een braai buiten. Slaapzak, kleding en eten/drinken moet je zelf meebrengen. Je kunt het tegen betaling bij de hut laten brengen, zodat je loopt met alleen een dagrugzakje. Deze overnight-trail is een fantastische ervaring. Het is niet waarschijnlijk dat je veel andere mensen tegenkomt, de paden zijn afgelegen. Deze route gaat niet naar Cape Point en Kaap de Goede Hoop. Vanaf de hutten kun je wel naar Cape Point lopen, reken hiervoor nog twee à drie uur en 7 km extra. Na

Uitzicht vanaf Noordhoek Peak, op Hout Bay

de eerste dag, waarop je 20 km loopt via de Atlantische kust, is dit waarschijnlijk een beetje veel van het goede. De tweede dag beslaat de route 13 km, terug langs de False Baykust. De hutten (er zijn er drie, elk voor zes personen) staan niet ver van elkaar verwijderd tegen de heuvels aan. Op beide dagen (maar zeker de eerste dag) moet je om 9 uur starten met lopen, om te zorgen dat je voor donker arriveert. Bij de Main Gate van het park parkeer je de auto, haal je de sleutel van de hut en kun je eventueel bagage achterlaten zodat deze bij de hut wordt gebracht. Deze service moet je reserveren en de kosten betalen aan de Admission Officer. Je kunt ook hout voor de braai bij de hut laten brengen. Ondanks de redelijk grote afstanden, is deze trekking niet extreem zwaar of moeilijk. Wie 's ochtends op tijd begint, heeft onderweg voldoende tijd om te rusten; de bagageservice maakt het lopen letterlijk en figuurlijk lichter. Zorg dat je op alle weersomstandigheden bent voorbe-

reid. Deze uithoek van Afrika krijgt de volle laag van storm, regen en koude lucht, maar ook van zon; er is geen schaduw onderweg.

ℹ Gezien het gebruik van de hutten, is reserveren noodzakelijk. Dit kan telefonisch (ma.–vr. 8–16 uur) bij het Buffelsfontein Visitors Centre (tel. 021 7809204) of via e-mail traveltrade@sanparks.org bij SANParks Travel Trade (tel. 021 4222816). www.sanparks.org.

FALSE BAY COAST

De False Bay Coast loopt van False Bay (ten zuiden van Constantia) via Kalk Bay, Fish Hoek en Simon's Town naar Cape Point. Het Kaaps Schiereiland (Cape Peninsula) bestaat voor het grootste deel uit beschermd natuurgebied: Table Mountain National Park en Silvermine Nature Reserve. Silvermine is niet zo bekend bij toeristen, maar dat komt door concurrentie van Table Mountain National Park (Tafelberg en Cape Point). Silvermine is erg mooi en het is er lekker rustig. Het natuur-

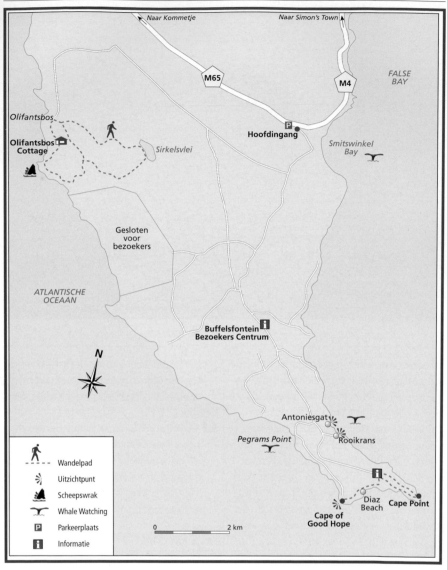

Cape Point, wandelingen

gebied vormt min of meer de ruggengraat van het schiereiland en reikt in het westen bijna tot Chapman's Peak.

Noordhoek Peak

Misschien maak je tijdens deze wandeling wel een van de mooiste foto's van de reis. Het uitzicht vanaf Noordhoek Peak over Houtbaai; het dorp, de baai, de bergen en steile rotsen die in de oceaan aflopen – het is een klassiek plaatje. Een mooie plek voor een picknickje. Je legt ruim 9 km af over een gravelpad, met geleidelijke stijging, trek hier drie uur voor uit.

Voor deze wandeling ga je per auto vanaf de Ou Kaapseweg rechtsaf het park in, Silvermine West. Voorbij het hek (waar je toegang betaalt) rijd je door naar de parkeerplaats bij de Silvermine Reservoir Wall. In dit waterreservoir kun je zwemmen en er zijn picknickplaatsen ingericht.

🚶 Neem vanaf de parkeerplaats het gravelpad dat de vallei achter het reservoir in gaat. Blijf steeds op het gravelpad en laat de kleine zijweggetjes links (en rechts) liggen tot het pad klimt en uitkomt bij een splitsing. Je kunt even links gaan (volg het zanderige bandenspoor) om het uitzicht over Simon's Town, Fish Hoek en Noordhoek te zien. Even klimmen, maar de moeite waard. Weer op het hoofdpad, passeer je een dam aan je rechterhand waarna drie scherpe bochten volgen. Blijf op het pad tot aan je linkerhand een hoop stenen ligt, die dient als wegwijzer naar Noordhoek Peak (een paar honderd meter verderop). Op een heldere dag is dit een onvergetelijk uitzicht. Houd op de terugweg rechts aan (niet dezelfde weg terug), zodat je weer terug komt op het gravelpad. Na een half uurtje dalen volg je de bocht naar rechts, het laatste stuk terug naar de parkeerplaats is steeds rechtdoor. Houd het reservoir in de gaten.

ℹ️ SILVERMINE NATURE RESERVE. Open van zonsopgang tot zonsondergang. Van apr.–sept. 8–17, okt.–mrt. 7–19 uur. Volg de M64, Ou Kaapseweg, die van Tokai (einde van de M3 en de Southern Suburbs) naar Noordhoek en Simon's Town loopt. De M64 is een bergpas met veel verkeer en hier gebeuren veel ongelukken, dus wees extra voorzichtig.

Muizenberg

De felgekleurde badhokjes in victoriaanse stijl zijn bekend van de foto's in reisgidsen. Veel mensen missen deze strandhuisjes echter tijdens hun verblijf in Zuid-Afrika, je moet namelijk even weten waar ze staan. Hier zijn ze dus, op het strand van St. James, waar deze wandeling langs voert. Onderweg kun je zwemmen, walvissen spotten (tussen augustus en begin november), koffie drinken (in Muizenberg bij Empire Café, 11 York Road) en de vervallen maar tegenwoordig weer hippe victoriaanse huizen bekijken. Een constante factor is de zee; dat maakt deze wandeling in haar geheel erg afwisselend en mooi. Afleiding en pauzes niet meegerekend, duurt deze wandeling een uur.

🚶 Vertrek en einde bij het treinstation van Muizenberg. Het tweede deel (de terugweg) langs de kust vanaf St. James, loopt ook vanaf het station. Als je wilt, kun je de trein terug nemen van St. James naar Muizenberg. Vanaf het station loop je rechtsaf Main Road in. Voorbij Muizenberg Park ga je links (Camp Road), je passeert nu de synagoge. Hier begint de trap die omhoog leidt naar Boyes Drive. Die loopt parallel aan Main Road, maar is hoog tegen de bergwand aangeklemd. Mooie uitzichten dus; let op de walvissen, want Boyes Drive is vanwege de hoogte een perfecte plek om ze te spotten. Aan de rechterkant van de weg ligt Silvermine Nature Reserve. Onder je zie je op een gegeven moment de victoriaanse badhokjes van St. James. Ga naar beneden via de trappen (Jacob's Ladder) en kom weer uit op Main Road. Hier loopt een tunneltje onder het spoor door en zo sta je dan ineens op het strand. Het pad langs de kust kun je helemaal volgen naar Muizenberg. Halverwege kun je dit pad even verlaten om (weer via een tunneltje) naar Rhodes' Cottage te gaan. Rhodes' Cottage Museum is het vroegere huis van Cecil Rhodes, nu ingericht als museum waar het natuurlijk om de vroegere bewoner gaat. Het huisje is schattig en de tuinen zijn heel mooi. Terug op het pad langs de kust, passeer je de victoriaanse resten van Muizenberg.

ℹ️ RHODES' COTTAGE MUSEUM. Tel. 021 7881816, 246 Main Road, St. James. Open van 9.30–16 uur.

WANNEER WELK STRAND?

Zoveel stranden, zoveel winden, zoveel keus. Als de wind eenmaal waait in de Kaap en je hebt het strand in je hoofd, kun je maar beter rekening houden met de windrichting. De wind is genadeloos en een martelende zandstorm als je op het verkeerde strand zit. Op het goede strand is het een verkoelend briesje. Aangezien je daarnaar op zoek bent, hier de tips en trucs van kenners.

Llandudno

Het met ronde rotsen gesierde karakteristieke Llandudno ligt aan drie kanten beschut voor de wind. Tegen de berg en vlak achter de duinovergang hebben de *rich and famous* hun optrekjes, uitkijkend op het adembenemende brede strand. Erg geliefd bij de gevorderde *surf dudes* vanwege de altijd aanwezig hoge golven. Een van de mooiste stranden en zonsondergangen ter wereld. Romantisch is een toepasselijke term. Kom 's ochtends op tijd, of tegen de avond, want er is weinig parkeerruimte.

Sandy Bay

Het enige officiële naaktstrand: hier kun je zo naakt zijn als je zelf wilt, in een relaxte sfeer. Veel gays zijn hier vaste klant. Dit mooie stukje strand kun je alleen bereiken via Llandudno Beach, vanaf de parkeerplaats volg je een pad (20 minuten lo-

pen). Hier zijn geen verkopers met drankjes of ijs, dus neem alles zelf mee.

Camps Bay

Als het waait, vanuit welke richting dan ook, krijg je hier de volle laag. Aan de andere kant, op een bloedhete dag heb je in Camps Bay al profijt van het kleinste briesje. Camps Bay is het Afrikaanse zusje van LA's Venice Beach, het witte strand begrensd door palmbomen in Californië waar het gaat om zien en gezien worden. Tussen alle gebronsde en gespierde lichamen lopen ook 'gewone' buurtbewoners, die hun hond uitlaten of met hun kinderen spelen op het strand. De spectaculaire achtergrond van de Twaalf Apostelen en Lion's Head zorgen voor mooie beelden, welke kant je ook uitkijkt. Hoewel het hier heel druk kan zijn, kun je meestal toch wel parkeren en het strand is ruim genoeg.

Clifton

Ligt erg beschut, zelfs voor de beruchte

Camps Bay, strand

Eén van de mooiste stranden is Llandudno.

South Easter. Het kan hier dus erg warm worden. Clifton Beach, het meest trendy strand van Kaapstad, is verdeeld in vier stukken door grote ronde rotsen. Voor een deel trekken ze ieder hun eigen publiek: Clifton 1 en 2 is waar de modellen (echte en *wanna-be's*) komen en Clifton 3 is hét gay strand. Clifton 4 is voor iedereen: families en jongens en meiden die niet in de categorie model of gay (willen) passen. In de wereld van film en fotografie staat Clifton bekend als 'het ideale strand'. Je bereikt de stranden met trappen vanaf Victoria Road (de kustweg vanuit Camps Bay). Clifton 4 ligt het dichtst bij Camps Bay, Clifton 1 ligt richting Bantry Bay en de stad. De superluxe appartementen boven de stranden zijn het duurste onroerend goed in Afrika.

Muizenberg richting Simon's Town
Komt de wind uit het westen, ga dan richting de stranden van False Bay, waar de ergste wind wordt tegengehouden door de bergen. Het water is hier een graad of vijf warmer dan aan de Atlantische kust. De golven zijn hier wat minder groot, waardoor gezinnen met kinderen en beginnende surfers hier graag komen. Ga niet te diep want hier zijn haaien.

Bloubergstrand
Blouberg is goed als de wind uit het noorden komt. De noordelijke winden waaien meestal van april tot september, wanneer de wolken blijven hangen bij de Tafelberg en het zonnig is in Blouberg. De zon heeft in de wintermaanden zoveel kracht dat het al snel heerlijk is op het strand. Hier is veel activiteit: jong en oud vermaakt zich met vliegers, volleybal, frisbee en met de vele honden die hier los mogen. De strook gras achter het strand is de plek waar moeders en oma's zich installeren met de picknick. Als de vaders zijn uitgespeeld, gaat het vuur aan voor de braai.

5

Kunst en cultuur

Cultureel Kaapstad kent invloeden uit de hele wereld. Sinds de stichting van de kolonie kwamen mensen uit de hele wereld naar deze uithoek en brachten hun taal, religie, recepten, kunstvormen en muziekinstrumenten mee.

OUD EN NIEUW IN MUSEA

Musea zijn heel goedkoop: in ieder geval onder de R20 en veel musea loop je binnen voor R10. De Iziko musea (zoals het South African Museum en het Planetarium) zijn gratis toegankelijk op zaterdag. Kijk op www.iziko.org.za voor meer informatie.

Gold of Africa Museum

Typisch een museum waar de gemiddelde toerist niet zo snel naar toe zal gaan, maar maak een uitzondering: Gold of Africa is een belevenis, die je diep in het mysterieuze hart van Afrika brengt. Landen als Ghana, Senegal en Mali waren rijk aan goud en het edelmetaal speelde een enorm belangrijke rol in de cultuur van de koninkrijken van Ashanti en Akan. Mythische figuren worden verklaard, het zijn sprookjes op zichzelf. Er is ook een werkplaats waar de beste goudsmeden van Afrika werken aan eigen ontwerpen, die te koop zijn in de bijzondere museumshop. Het Martin Melck House (1783), waar het museum gevestigd is, staat bekend als het mooiste Kaap-Hollandse huis dat nog bestaat in de stad.

ⓘ GOLD OF AFRICA MUSEUM. Tel. 021 4051540, 96 Strand Street (naast het Nederlands consulaat). Geopend: ma.–za. 9.30–17 uur. www.goldofafrica.com

◀ Swingende optredens ▲ De mooie winkel van Africa Nova

Mensen staan in de rij voor de South African National Gallery bij de expositie 'Picasso in Africa'.

District Six Museum

Dit museum vertelt het verhaal van een wijk die moest verdwijnen tijdens de apartheid. Hoe surrealistisch dat is, maak je op uit de presentaties in dit museum. Laat je rondleiden door een oud-bewoner en hoor wat apartheid voor hen betekende. Na veel politiek getouwtrek is besloten dat de oud-bewoners hier opnieuw kunnen gaan wonen, maar het zal je snel duidelijk worden dat dat mosterd na de maaltijd is.

ⓘ DISTRICT SIX MUSEUM. Geopend: ma.–do. 9–15 uur, vr. 9–16 uur. www.districtsix.co.za

South African National Gallery

Moderne kunst uit Zuid-Afrika, met veel erfenissen uit het verleden erin verwerkt. De kunstwerken vertegenwoordigen de culturele rijkdom van de stad goed. Ook is er een goed gesorteerde museumwinkel. De exposities zijn vaak de moeite waard.

ⓘ SOUTH AFRICAN NATIONAL GALLERY. Geopend: di.–zo. 10–17 uur. www.iziko.org.za

South African Museum

Dit museum is gericht op de biologische en culturele diversiteit van Zuid-Afrika. Er zijn versteende botten van uitgestorven reptielen uit de Karoo, waarvan geschat wordt dat ze twee miljoen jaar oud zijn. Een replica van het skelet van een walvis is het indrukwekkende middelpunt. Het aangrenzende planetarium heeft shows over de sterrenhemel van die avond. Leuk voor wie het Zuiderkruis wel kan vinden, maar nog iets gerichter van de spectaculaire sterren wil genieten.

ⓘ SOUTH AFRICAN MUSEUM AND PLANETARIUM. Geopend: dag. 10–17 uur. www.iziko.org.za

Kasteel De Goede Hoop

Tussen 1666 en 1679 gebouwd door de eerste VOC'ers en het oudste gebouw in Zuid-Afrika. De meeste balken die gebruikt werden bij de bouw zijn van Baltisch dennenhout en werden per schip aangevoerd vanuit Europa. Destijds waren hier geen

Felgekleurde huizen in de Bo-Kaap

bomen waar balken van gezaagd konden worden, daarom werden later de eiken aangeplant. Het leisteen op de vloeren komt van Robbeneiland, de zandstenen in de muur komen van Lion's Head. De vlaggen op het Leerdambastion vertegenwoordigen de verschillende tijdperken van bezetting van het kasteel. Het stervormige gebouw was vanaf 1678 het middelpunt van alle burgerlijke, administratieve en militaire bezigheden in de Kaap, totdat de kolonie zich sterk begon te ontwikkelen en sommige activiteiten elders werden gevestigd. Nog steeds is het Kasteel de zetel van het Zuid-Afrikaanse leger in de Kaap en het huisvest de William Fehr Collection, met veel antiek en schilderijen uit de VOC-tijd.

ℹ️ KASTEEL DE GOEDE HOOP. Geopend: dag. 9–16 uur. Tel. 021 7871200. Tours: ma.–vr. 11, 12 en 14 uur. www.castleofgoodhope.co.za

Bo-Kaap Museum

Dit kleine museum is het hart van de Bo-Kaap en een goed startpunt als je de wijk wilt bekijken. Het eerste gedeelte is een ingericht huis, met bruidskamer en keuken voorzien van alle details. Steek de binnenplaats over en bekijk op de eerste verdieping de expositie *Faces of the Bo-Kaap*, waar duidelijk wordt wat een kleurrijke smeltkroes aan mensen hier woont. De expositie geeft goede achtergrondinformatie, waardoor je wandeling een stuk waardevoller wordt. De tours uit hoofdstuk 3, Het Afrikagevoel, starten bijna allemaal vanuit het Bo-Kaap Museum.

ℹ️ BO-KAAP MUSEUM. 71 Wale Street. Geopend: ma.–za. 9–16 uur.

AFRICAN ARTS & CRAFTS

Veel handgemaakte producten die in Kaapstad worden aangeboden – in winkels, op de markt en op straat – vallen onder de noemer 'township art'. De gebruikte materialen zijn gerecyclede verpakkingen, zoals blikjes, papier en plastic. Daarnaast wordt veel gewerkt met kralen, waarmee van alles wordt gemaakt (juist geen sieraden, de eerste associatie bij kralen!). Dierfiguren, lampen, kandelaars en tasjes – de creativiteit van de kunstenaars kent geen grenzen. Het is ongelofelijk wat gecreëerd wordt met een minimum aan materiaal en gereedschap.

Blikjes worden versneden en samen met ijzerdraad gevormd tot bloemen, vliegtuigjes en radio's. De radio's werken echt en behoren tot de leukste creaties. Driedimensionale schilderijen met beelden uit de township worden gemaakt op een plaat met gebruik van zand, tin, rubber, verf en plastic. Deze townshipscenes zijn vaak net zo kleurrijk en creatief als de wereld die ze uitbeelden. De artiesten maken van kroonkurken, plastic, draad, papier en stof verbazend mooie dingen. Souvenirs jagen wordt zo wel erg leuk.

Waardevolle kunst

In Kaapstad kom je 'echte' kunst tegen uit zuidelijk Afrika: Zambia, Angola, Namibië, Botswana en Zimbabwe. Wat wij als kunst beschouwen, speelt vaak een belangrijke rol als gebruiksvoorwerp in het dagelijks leven van mensen. Voorbeelden zijn sieraden, kookgerei of hoofdsteuntjes. Wandelstokken van stamhoofden of oorbellen en hoeden worden neergezet of opgehangen als ze eenmaal zijn verkocht aan handelaren. Dealers in Afrikaanse kunst gaan de bush in en rijden naar de kleinste dorpjes, waar ze mensen goed betalen voor gebruiksvoorwerpen die men wil afstaan. Soms komen ze waardevolle zaken tegen, die gaan meestal direct naar verzamelaars in de hele wereld. Voor andere dingen hebben ze adresjes. Houtsnijwerk wordt vaak op bestelling gemaakt in landen als Namibië en Zimbabwe. Het is vakwerk, waar veel mensen hun brood aan verdienen. Wie geïnteresseerd is in Afrikaanse kunst, moet minimaal een paar honderd euro investeren. Dat is de waarde van de meeste stukken, die echt oud zijn. Een belangrijk criterium is dat de herkomst duidelijk is. Een waardevol voorwerp heeft een duidelijk verhaal: de functie ervan, hoe oud het is, uit welke regio het komt en bij welk volk het vandaan komt. Het is heel fascinerend om je hierin te verdiepen. De winkels kopen in bij een select aantal kunsthandelaren: de winkel moet je altijd toestemming geven om bij hen navraag te doen als je meer wilt weten. Een bijzonder getalenteerde kunsthandelaar is Robert Vogel. Zijn Umlungu African Art Dealers is een enorme bron van kennis en informatie voor mensen die echt iets bijzonders willen kopen. Hij heeft een showroom, maar levert ook aan de hierna genoemde winkels.

ⓘ UMLUNGU AFRICAN ART DEALERS. Tel. 021 4476617, Old Castle Brewery, 6 Beach Road, Woodstock. E-mail: zulurob@iafrica.com. www.umlungu.co.za

Shoppen

Er is geen gebrek aan plaatsen waar je een herinnering aan Kaapstad kunt kopen. In de Waterfront is een aantal zaken, waarvan Delagoa in het Clocktower-gebouw de beste is. Veel winkels verkopen alles waar een dierenprintje op staat, en letten niet op eerlijke handelsprijzen of originele spullen. Onderstaande winkels zijn echt de moeite waard om te bezoeken, omdat je gegarandeerd kwaliteit, geweldig design en eerlijke handel tegenkomt.

heARTworks

Een winkel waar je hart sneller van gaat kloppen, dat is heARTworks bij uitstek. 'Alles ten zuiden van de Zambezi' is hun territorium als het gaat om inkopen, maar het meeste komt uit Zuid-Afrika. Voor de deur van hun winkel in Kloof Street zitten vaak groepen vrouwen te werken aan uiteenlopende projecten: de laatste tijd zijn ze met kussenhoezen en teddyberen bezig.

Etalage van Africa Nova

ℹ️ HEARTWORKS. Tel. 021 4248419, 98 Kloof Street (naast Melissa's) en Gardens Centre (begane grond), tel. 021 4653289. Openingstijden Kloof Street: ma.–vr. 9–17, za. 9.30–14. Openingstijden Gardens Centre: ma.–vr. 9–18, za. 9.30–15, zo. 10–14 uur.

Africa Nova

Als er een prijs was voor de mooiste etalage van Kaapstad, zou Africa Nova die week na week winnen. Op kleur gerangschikt en met fynbos erin verwerkt, komen de spullen van Africa Nova prachtig uit. Keramiek, antiek, sieraden, schilderijen en stoffen: alles is handgemaakt en ieder stuk is bijzonder. Niet goedkoop, maar je koopt gegarandeerd iets bijzonders.

ℹ️ AFRICA NOVA. Tel. 021 4255123, Cape Quarter, 72 Waterkant Street, De Waterkant.

Hét bewijs dat je heel direct de makers steunt met je aankopen. Heel mooie dingen voor in huis en speciale sieraden.

Monkeybiz

Een winkel in de Bo-Kaap die tot doel heeft de oude traditie en kunst van het

Monkeybiz

werken met kralen tot een nieuw hoogtepunt te brengen. De initiatiefnemers hebben hiervoor een groep van 350 (vaak hiv-positieve) vrouwen bij het project betrokken, die de mooiste voorwerpen maken. Poppen en dierfiguren zijn hun specialiteit. Ga zeker even kijken.

ⓘ MONKEYBIZ. Tel. 021 4260636, 65 Rose Street, Bo-Kaap. Geopend: ma.–vr. 9–17, za. 9–13 uur. www.monkeybiz.co.za

Streetwires

De winkel van Streetwires is een sociaal project. Bij binnenkomst zie je het atelier, er zitten dagelijks tientallen mensen kralen te rijgen waar ze (o.a. dier)figuren van maken. Ze krijgen betaald per artikel. Deze manier van werken is ontstaan op straat: zoals je waarschijnlijk gemerkt hebt, verkopen veel straatverkopers voorwerpen van geregen kralen *(beadwork)*. De verkopers moeten keihard werken en krijgen vaak te weinig voor hun spullen; bovendien verkopen ze in de winter helemaal niets. Streetwires geeft aan de beste 'bead artists' een soort inkomensgarantie, door bestellingen bij hen te plaatsen. Een klein deel van wat hier gemaakt wordt komt in de winkel van Streetwires terecht; het meeste wordt in opdracht van bedrijven gemaakt en geëxporteerd over de hele wereld. Je kunt gratis een rondleiding krijgen waarbij uitgebreid verteld wordt hoe Streetwires werkt. Vraag ernaar.

ⓘ STREETWIRES. Tel. 021 4262475, 77 Shortmarket Street, Bo-Kaap. Geopend: ma.–vr. 9–17, za. 9–13 uur. www.streetwires.co.za

African Image

Hier vind je oude voorwerpen afkomstig van het hele continent, maar ze verkopen ook zelf ontworpen dingen. Leuke T-shirts, kussenhoezen en tassen zijn redelijk uniek te midden van alle souvenirs die uiteindelijk op elkaar lijken.

ⓘ AFRICAN IMAGE. Tel. 021 4238385, Hoek Church en Burg Street (bij Greenmarket Square). Geopend: ma.–vr. 9–17, za. 9–13.30 uur. www.african-image.co.za

GELIEFDE FILMLOCATIE

Kaapstad is het Hollywood van de 21ste eeuw. Als dat zelfs in Hollywood gezegd wordt, is het niet overdreven. De Kaap is enorm in trek bij producenten van films en commercials, vanwege de combinatie van het landschap en de filmindustrie die op hetzelfde hoge niveau staat als in Europa en Amerika. Het landschap en de stad kunnen zich als een kameleon aanpassen. Kaapstad kan eruit zien als San Francisco met de lichtjes op zee op de achtergrond, terwijl de sfeer van New Orleans gevat wordt met shots van de victoriaanse balkons in Long Street. Een Frans dorpsstraatje vind je op de kinderkopjes van de Bo-Kaap en een Duits landschap net buiten de stad. De natuur leent zich voor uiteenlopende achtergronden: groene bergen, paradijselijke stranden of donkere wouden. Bij de opnames van de film *Lord of War* met Nicholas Cage, Ethan Hawke en Jared Letho fungeerde Kaapstad als decor voor 35 verschillende plaatsen in de wereld, waaronder Beirut, Berlijn, Bolivia, Colombia, het Caribisch gebied, Indonesië, Ivoorkust, Monrovia, Sierra Leone en New York. De filmindustrie is belangrijk voor de economie: er gaat jaarlijks R2 biljoen in om. Er wordt flink gebouwd aan nieuwe studio's en de oude Longkloof-studio's zijn verbouwd om aan de grote vraag te voldoen. Europese bedrijven in materiaalverhuur en licht/geluid openen vestigingen in Kaapstad. De belangrijkste moneymakers zijn de commercials. Let maar eens op tijdens een reclameblok: je ziet de ene na de andere commercial voor auto's voorbij komen met de Kaap (of meer specifiek: Chapman's Peak Drive) als locatie. Geschat wordt dat zeven op iedere tien op locatie gefilmde reclamespots in de West-

Tsotsi wint een Oscar in 2006.

Kaap worden opgenomen.

In de bioscoop of thuis op de bank kun je Kaapstad en omgeving herkennen in verschillende speelfilms: *Blood Diamond* met Leonardo DiCaprio werd gefilmd in Kaapstad, Kwazulu Natal en Mozambique. *The Constant Gardener*, waarvoor Kate Winslet genomineerd was voor een Oscar in 2006, werd gedeeltelijk hier gefilmd. Will Smith speelde Mohammed Ali voor de film *Ali*, met Kaapstad als locatie.

Oscars en Gouden Beer

De Zuid-Afrikaanse gangsterfilm *Tsotsi* kreeg in 2006 de Oscar voor beste buitenlandse film. Het is een rauw verslag van het leven van criminele jongens in Soweto, die denken dat ze geen andere keus hebben dan zich aansluiten bij een bende. 'Tsotsi' is straattaal voor 'tuig'. De hoofdrolspeler, debuterend acteur Presley Chweneyagae noemt zich zo (hij heet eigenlijk David). De film portretteert Tsotsi in een cruciale week van zijn leven. Een film die je aan het denken zet en die inzicht geeft in de harde waarheid van het leven van veel mensen. Het script is gebaseerd op het boek van de Zuid-Afrikaanse schrijver Athol Fugard, die het verhaal schreef in 1961 maar pas publiceerde in 1980. De Oscar bracht Zuid-Afrika in extase, en zorgde voor een enorme toeloop op de bioscopen. Te huur op dvd.

Een heel speciale film is *U-Carmen eKhayelitsha*. Winnaar van de Gouden Beer bij het Filmfestival van Berlijn in 2005. De opera Carmen van Bizet wordt gezongen in het Xhosa en speelt zich af in Khayelitsha, de gewelddadigste township van Kaapstad. De muziek van Bizet, vertaald in het Xhosa, gemengd met traditionele muziek en opgenomen met een orkest van jonge Zuid-Afrikanen, maakt de film tot een buitengewone kruisbestuiving tussen Xhosa-cultuur en Europese opera. Te huur op dvd.

Zuid-Afrika was in 2004 trots op Charlize Theron, die de Oscar voor Beste Actrice won voor haar rol in *Monster*. Theron heeft ook haar portie Zuid-Afrikaans huiselijk geweld gehad: haar moeder vermoordde haar vader uit zelfverdediging.

Naar de film

In Kaapstad zin om naar de film te gaan? In de winkelcentra zijn grote bioscoopcomplexen, waar alle recente films draaien. Op dinsdag kun je hier voor de halve prijs naar binnen. Een instituut is het Labia Theatre, er draaien commerciële maar kwalitatief goede films. Fantastisch oud theater, leuke sfeer, alleen maar locals. Speciale aandacht voor de snacks, die zijn hier 'old school' en gaan verder dan popcorn!

ⓘ LABIA THEATRE. Tel. 021 4245927, 68 Orange Street, Gardens. www.labia.co.za

MEESLEPENDE MUZIEK

Paul Simon opende met zijn album *Graceland* de ogen en oren van de wereld voor de ritmes van Zuid-Afrikaanse muziek. La-

dysmith Black Mambazo had een belangrijke rol bij de productie van dit klassieke
album. Hun a-capellastijl kan meeslepend
zijn, maar de kritiek op de groep is dat ze
niet met hun tijd meegaan. De tijden zijn
inderdaad nogal veranderd sinds eind jaren tachtig de wereld in de gaten kreeg
welke muziek Zuid-Afrika voortbracht.

Voor thuis: op cd

Muziekwinkels zijn helemaal ingericht op
toeristen die Zuid-Afrikaanse muziek mee
naar huis willen nemen. Ga naar de CD
Wherehouse (V&A Waterfront) voor extreem veel keuze en professionele aanpak,
en naar African Music Store (Long Street)
voor de sfeer van een kleine, goed gesorteerde winkel waar het personeel alle tijd
voor je heeft.

Artiesten

Hugh Masekela en Miriam Makeba zijn de
opa en oma van de Zuid-Afrikaanse jazz.
Letterlijk bijna, want ze waren ooit met elkaar getrouwd. Ze zijn wereldberoemd en
superpopulair. Beiden hebben tijdens de
apartheid in ballingschap gezeten. Miriam
Makeba zei daarover: 'Ik word gevraagd
om op te treden in de hele wereld, maar in
mijn eigen land kan ik niet eens wonen.'
Het verdriet van ballingschap en apartheid is bij Masekela en Makeba goed te
horen. Zo breekbaar als Makeba tegenwoordig (op 74-jarige leeftijd) is, zo fit is
Hugh Masekela nog. Hij is 68 en zijn lon-
gen laten hem vooralsnog niet in de steek:
hij bespeelt zijn trompet met verve. Miriam Makeba verklaarde tijdens haar optreden op Cape Town Jazz Festival in 2006
dat dit haar laatste grote optreden was en
dat ze alleen nog zou zingen in kleine
kring. De jonge vrouw die met *Pata Pata*
wereldberoemd werd, is nu alleen nog
herkenbaar aan haar bijzondere stem.
Voor vele festivalgangers was ze de ster
van de avond. Hoewel ze vaker heeft aan-

Altijd ergens livemuziek

gekondigd dat ze zou stoppen, lijkt het
erop dat dit inderdaad haar 'Grande Fina-
le' was. Hugh Masekela gaat juist een heel
nieuwe periode in: hij heeft zijn *Stimela*
(uit 1972, het lied van de mijnwerkers,
met de fluit van de stoomtrein) samen
met een van Johannesburgs hipste dj's,
Blackcoffee, gemixt met kwaito. Kwaito is
de undergroundversie van Amerikaanse
rap met Afrikaanse ritmes. Erg dansbaar
en de meest verkochte muzieksoort (na
gospel) in Zuid-Afrika, dat zul je merken
in het uitgaansleven.

Muziek die je meeneemt

Geen tijd om te luisteren of geen idee waar
je moet beginnen? Een aantal artiesten, geselecteerd op hun lokale populariteit en
daarom veelzeggend over de cultuur, is zo
goed dat je hun muziek zonder vooraf luisteren kunt kopen. Toevallig of niet, ze zijn
allemaal onder de 40 jaar.
Jimmy Dludlu is een gitarist die in Zuid-
Afrika erg gewaardeerd wordt, omdat hij

Sabelo Mwahla

extreem muzikaal is. Zijn sound is jazzy met een vleugje funk.

Freshlyground is enorm populair, hun album *Nomvula* ontbreekt in weinig huishoudens. Europa kreeg in 2006 ook met Freshlyground te maken: ze openden het filmfestival in Cannes en wonnen de Best African Act op de MTV Europe Music Awards. Hun muziek is dansbaar, met Afrikaanse ritmes en westerse pop, en sommige nummers bezorgen je kippenvel. Teksten zijn niet alleen in het Engels maar ook in Xhosa, een (voor ons) exotische, mooie taal.

Malaika en **Simphiwe Dana** zijn verschillende zangeressen, maar beiden succesvol met hun Afrikaanse popgeluid.

Ntando is een enorm populaire zanger: zijn genre is de zogenaamde Afropop. Hij zingt in Xhosa en maakt daarmee een statement. In 2005 won hij awards voor zijn album, het beste nummer, de beste mannelijke muzikant en de beste Afropopmuzikant.

Een laatste tip: mocht je op een maandagavond vroeg in je hotelbed kruipen, zet dan de tv aan en kijk naar het muziekprogramma *Africa Café* op SABC2, 22 uur.

Livemuziek
Dagelijks livemuziek – heel vaak jazz omdat het zo'n belangrijke stijl is in Kaapstad – is er op verschillende plaatsen in de stad. In Long Street is het altijd prijs, volg gewoon je oren. Bars en cafés in allerlei stijlen en met gemêleerd publiek bieden voor ieder wat wils. Veel locals én toeristen zijn hier te vinden. De Waterfront heeft twee restaurants waar dagelijks jazz te beluisteren is. Gezien de locatie zijn hier meer toeristen, maar op bepaalde artiesten komen liefhebbers af. Kijk in de kranten om te zien wie waar speelt. Ze zeggen hier niet voor niets: 'Jazz is finally back home.'

De populairste locaties zijn de volgende.

Zula Sound Bar in Long Street heeft dagelijks muziek van bekende en startende

bands, er zijn regelmatig cd-presentaties en het is echt een locatie om in de gaten te houden. Ontspannen, creatieve sfeer onder het uiteenlopende publiek.

Kennedy's Cigar Lounge and Restaurant is een semichique lounge met restaurant waar jazz wordt gespeeld. Tijdens het diner is de muziek ingetogen.

In **Marimba** is iedere avond livemuziek. Tijdens het diner hoor je langzame jazz, Afrikaanse muziek of blues, na het eten gaan ritme en volume omhoog en vult de dansvloer zich. Het restaurant is erg goed. Marimba is onderdeel van het Cape Town International Convention Centre.

The Green Dolphin is een formeel restaurant dat al twintig jaar iedere avond live jazz biedt. De top van Zuid-Afrika speelt hier (of heeft dat ooit gedaan).

Manenberg's (in de Clocktower-building) is een iets meer relaxte omgeving, hoewel je er ook eet tijdens het optreden. Hier ook dagelijks livemuziek, meestal muzikanten uit Kaapstad maar op het podium van Manenberg's hebben ook al veel toppers uit het buitenland gestaan.

ⓘ ZULA SOUND BAR. Tel. 021 4242442, 194 Long Street. www.zulabar.co.za

KENNEDY'S CIGAR LOUNGE AND RESTAURANT. Tel. 021 4241212, 1st Floor, 251 Long Street. www.kennedys.co.za
MARIMBA. Tel. 021 4183366, hoek Heerengracht en Coen Steytler Avenue. Geopend: voor diner ma.–za. www.marimbasa.com
THE GREEN DOLPHIN. Tel. 021 4217471, V&A Waterfront. www.thegreendolphin.co.za
MANENBERG'S JAZZ CAFÉ. Tel. 021 4215639, Clocktower, V&A Waterfront. www.manenbergs-jazzcafe.com

BOEIENDE BOEKEN

In de boekhandels van Kaapstad kunnen liefhebbers hun hart ophalen. De literaire wereld is niet groot in Zuid-Afrika, maar Kaapstad is het episch centrum van literatuur in Afrika. Alle lijntjes komen hier samen, al zal het wat verdieping vergen om hier inzicht in te krijgen.

Zuid-Afrika heeft grote klassieke schrijvers voortgebracht, J.M Coetzee en Nadine Gordimer wonnen beiden de belangrijke Booker Prize. Coetzee won die twee keer én kreeg in 2003 de Nobelprijs voor zijn oeuvre. Zij schrijven geen gemakkelijke boeken, maar het lezen ervan beloont je met kennis en inzicht in het Zuid-Afrika van tijdens en vlak na de apartheid. Coetzee woont tegenwoordig in Australië en heeft zijn Zuid-Afrikaanse paspoort ingeleverd. Dit maakt hem tot de gebeten hond in de literaire wereld in dit land, de rest van de wereld vindt het wel interessant dat hij zo overduidelijk de politiek slechte kanten van Zuid-Afrika de rug toekeert. De schrijver steekt niet onder stoelen of banken dat hij voor het mooie weer of het lekkere eten niet naar Australië had hoeven gaan.

De nieuwe generatie schrijvers heeft een bijzonder kenmerk: ze schrijven bijna zonder uitzondering over het vinden van de balans tussen de wereld waarin ze opgroeiden en de wereld waarin ze nu leven, die zo veranderd is. Een thema dat de meeste mensen dagelijks bezighoudt. Alle boeken zeggen iets over de erfenis die iedere Zuid-Afrikaan bij zich draagt. De apartheid heeft op iedereen invloed gehad en schrijvers verwerken dit in hun boeken. Voorspeld wordt dat naarmate Zuid-Afrika meer integreert, rassenscheiding en thema's van de postapartheid minder een hoofdrol zullen spelen in de literatuur.

Klassieke fictie

Life and Times of Michael K. – J.M. Coetzee. Een jonge tuinman wil zijn moeder uit haar gewelddadige woonomgeving halen. Hij neemt haar mee naar een verlaten boerderij om daar een nieuw leven te beginnen, maar merkt dat vluchten voor het turbulente Zuid-Afrika niet gaat. Winnaar van de Booker Prize 1989.

Disgrace – J.M. Coetzee. Een bijzonder voorbeeld van een postapartheidsverhaal. Een professor in de Engelse literatuur wordt ontslagen omdat hij seks had met studenten. Hij probeert vervolgens de band te verdiepen met zijn dochter, die getrouwd is met een Afrikaner Boer. Winnaar van de Booker Prize in 1999.

Moderne fictie

Gem Squash Tokoloshe – Rachel Zadok. Blank meisje kijkt terug op haar jeugd, waarin haar racistische moeder de goede band die zij had met haar zwarte nanny probeert te saboteren. De setting is een afgelegen boerderij in Limpopo. Over opgroeien in tijden van apartheid, terwijl je als (blank) kind niet weet wat dat is. Veel geprezen debuut.

A City Imagined – Stephen Watson. Kaapstad door de ogen van negentien schrijvers die er wonen of geboren zijn. De complexe relatie met hun 'Mother City' gaat verder dan het plaatje van de Tafelberg. Herkenbare plaatsen maken de verhalen levendig en kleurrijk.

180° New Fiction by South African women writers – Diverse auteurs. Verzameling verhalen van Zuid-Afrikaanse schrijfsters.

The Good Cemetery Guide – Consuela Roland. Een fris, nieuw verhaal over een begrafenisondernemer in Kalk Bay.

Cold Sleep Lullaby – Andrew Brown. Een literaire thriller: moord in Stellenbosch en hedendaagse Zuid-Afrikaanse issues spelen de hoofdrol. Er zit ook een historische verhaallijn met Simon van der Stel verwerkt in dit mooi geschreven boek. De schrijver is in het dagelijks leven advocaat in Kaapstad.

The Whale Caller – Zakes Mda. Veelgeprezen auteur die in deze roman de hoofdrol geeft aan de Whale Crier van Hermanus, de man die de komst en verblijfplaats van de walvissen aankondigt aan de toeristen.

Like Clockwork – Margie Orford. Een vermoorde vrouw wordt gevonden op de promenade bij Sea Point. Het verhaal is actueel in de onderwerpen die het aansnijdt: de seksindustrie en de problemen bij interraciale relaties komen aan bod in deze literaire thriller.

Non-fictie

Over het land, economie en politiek

Country of my Skull – Antjie Krog. Misschien wel het beste boek om te lezen als je inzicht wilt krijgen in de ziel van Zuid-Afrika. Het gaat over de Waarheidscommissie, die Krog minutieus volgde, in combinatie met haar eigen waarheid: hoe het is om in deze tijd een Zuid-Afrikaan te zijn.

Nelson Mandela, the authorised biography – Anthony Sampson. Veelgeprezen biografie van Nelson Mandela die vertelt over zijn leven voor, tijdens en na de gevangenschap. Mandela's invloed als president op Zuid-Afrika en de rest van de wereld komt aan bod. Daarnaast doet Sampson onthullingen over het apartheidssysteem en vertelt hij hoe de verhoudingen tussen ANC en bedrijfsleven veranderden in Mandela's presidentsjaren. Interessanter dan de autobiografie *Long Walk to Freedom*, waarin Nelson Mandela zich meer op de vlakte houdt over interessante feiten op persoonlijk en politiek vlak.

The Shackled Continent – Robert Guest. Afrika is het enige continent dat armer is geworden in de laatste 30 jaar. Waarom, vraagt Guest zich af. Wie zich dit ook afvraagt en die vraag beantwoord wil zien, zal dit boek ervaren als een eyeopener. Aan de hand van ervaringen, reportages en economisch inzicht geeft Guest de wortels van het probleem aan.

Kookboeken

African Salad, South Africans at home – Stan Engelbrecht en Tamsen de Beer. Beeld van alledaags kook- en eetgedrag in het hele land. Dit is eerder een document van een generatie dan een kookboek. De samenstellers hebben bij willekeurige huizen aangebeld en om het familierecept gevraagd. Het handgeschreven recept wordt afgedrukt naast een foto van het huis, de keuken of de bewoners, die vertellen over het gerecht.

Cape Town Food – Phillipa Cheifitz. Kookboek aan de hand van een weekend in Kaapstad. Met verhalen over vis kopen in de haven en braaien op het strand. Mooie foto's, strakke vormgeving.

The South African Illustrated Cookbook – Lehla Eldridge. Leuk souvenir, klein boekje met tekeningen over eten in Zuid-Afrika. Aan de hand van bekende (toeristische) plaatsen worden regionale recepten gegeven. Met culturele achtergrondinformatie.

Fotoboek/Koffietafel

Shack Chic, Art and Innovation in South-African shack-lands – Craig Fraser. Kleurrijk boek met geweldige foto's die de kracht van de townships uitstralen.

Winelands – Gerald Hoberman. Een prachtige uitgave met linnen kaft. Alle boeken van topfotograaf Hoberman zijn mooi. Ze hebben verschillende thema's, zoals wildlife en Cape Town.

West Coast – Karena du Plessis en Vanessa Cowling. Een mooi vormgegeven boek waarin fotografie de boventoon voert, maar er staat ook toeristische informatie in. Biedt genoeg inspiratie om af te reizen naar de lange lege stranden en kleine dorpen langs de Westkust.

Cartoon/strips

Madam & Eve – S. Francis and Rico. Over een Engelse dame en haar huishoudster in een buitenwijk van Johannesburg. Post-apartheidsgedachten en -gebeurtenissen, veelzeggend, humoristisch maar niets verhullend. Op vrijdag staan ze in de *Mail & Guardian* en er zijn verschillende verzamelboekjes

Zapiro – Jonathan Shapiro. De satire druipt ervan af in de politieke spotprenten van Zapiro, die zeggen waar het op staat en soms meer vertellen dan de kranten en journaals. Zapiro kreeg in 2005 de Prins Claus Prijs 'voor zijn vlijmscherpe blik op nationale en internationale kwesties'.

Gedichten

Vooral in het Afrikaans zijn gedichten de moeite waard. Ingrid Jonker en Elisabeth Eijbers zijn twee van de belangrijkste dichteressen. Gerrit Komrij maakte een monumentale bloemlezing van Afrikaanse gedichten: de moeite waard, omdat het tegelijk een tijdsbeeld geeft. Het samenspel tussen Nederlands en Afrikaans is op een of andere manier vooral in poëzie merkbaar. Taalliefhebbers zullen plezier beleven aan deze invloeden. Antjie Krog schrijft bijzonder mooie poëzie in het Engels. Haar recente bundel *Body Bereft* gaat over ouder worden en de kunst van het accepteren.

ⓘ Koop deze titels bij Exclusive Books, boekhandels met vestigingen in onder andere V&A Waterfront en Kloof Street. www.exclusivebooks.co.za

CULI CAPE

Boerewors en biltong, bobotie en samoosas, wijn en rooibos, melktert en koeksisters, snoek en Cape salmon, blatjang en piri piri, corkage en doggie bags, braais en potjies. Deze traditionele, typisch Zuid-Afrikaanse producten vertegenwoordigen een caleidoscoop aan invloeden in de keuken van het land. Veel ingrediënten worden gegeten door alle bevolkingsgroepen in het land – blank, zwart en coloured, wat best uniek is omdat ze oorspronkelijk juist bij één groep hoorden. De Zuid-Afrikaanse keuken is de regenboognatie in de praktijk. Een potjie is een zware smeedijzeren pan op drie poten, die al in de tijd van de Voortrekkers gebruikt werd. De boeren zetten het potjie de hele dag boven een vuurtje en 's avonds was de inhoud gaar. Op de bodem liggen steevast aardappelen, daarop een mengsel van groente en bovenop eventueel vlees. Het potjie wordt nog steeds gebruikt, in alle lagen van de bevolking. Voor sommigen is het een manier van koken die past bij de trend om gezond en natuurlijk te leven. Anderen gebruiken het dagelijks, gewoon omdat het handig is en je een lekker stoofpotje maakt zonder enige moeite.

Braaien

Braai

Braaien, Afrikaans voor barbecuen, is de nationale liefhebberij. Word je bij iemand thuis uitgenodigd, dan is de kans groot dat de kolen al liggen te gloeien. Maak niet de kapitale fout je met het vuur te bemoeien (vooral niet als vrouw). De mannelijkheid van de gastheer staat of valt met de gaarheid van zijn boere-

Rooibosthee

wors. Boerewors is een goed gekruide worst die wordt verkocht in opgerolde vorm. Het is natuurlijk de kunst om die ronde vorm erin te houden bij het keren op de braai...

Biltong

Het gedroogde vlees ziet er niet appetijtelijk uit, maar proef het in ieder geval een keer. Vleesminnend Zuid-Afrika heeft biltong en droëwors (droge worst) waar wij in Nederland borrelnootjes hebben. De geliefde hartige snack is ontstaan uit de behoefte om vlees lang te kunnen bewaren in huis of onderweg; in gedroogde vorm. Biltong wordt gemaakt van rundvlees of wild: struisvogel, kudu of impala. Je krijgt het in snippers of in repen (niet aan te raden om te eten in gezelschap omdat het zo taai is, ook niet fijn voor sommige gebitten). Heb je de half gedroogde (moist) variant, die nog iets vochtig is, dan heeft dat in de verte iets weg van carpaccio. Een goede slager (ook in de supermarkt of in de winkelcentra) laat je van alles proeven.

Rooibos

Nederland is één van de belangrijkste importeurs van de Zuid-Afrikaanse rooibosthee. De rooibosplant (Aspalanthus linearis) groeit alleen in de Cederbergen (250 km ten noorden van Kaapstad) en is uniek vanwege zijn gezondheidsbevorderende eigenschappen. Van de plant wordt een 50 cm lange tak geoogst, deze wordt in kleine stukjes geschaafd. De groene takjes krijgen hun bruinrode kleur door fermentatie in de zon. Het proces is 100% natuurlijk, het resultaat is het product waarvan je rooibosthee zet. Aan de thee, die cafeïnevrij is, wordt helemaal niets toegevoegd. De thee heeft een rijke warme smaak, een beetje rokerig en zoet. De zakjes kun je in de theepot laten zitten, als je bij een nieuwe pot steeds twee zakjes toevoegt krijgt de thee nog veel meer smaak. Veel antioxidanten en een laag tanninegehalte zorgen voor een goede bijdrage aan de gezondheid. In Zuid-Afrika wordt lauwe rooibos aan baby's gegeven, omdat het krampjes vermindert. Koude theezakjes worden gebruikt tegen luieruitslag bij ba-

Cape Malay-kruiden

by's en helpen tegen eczeem en acne. Er zijn ook cosmetische producten te koop waarin rooibos wordt verwerkt.

Cape Malay

Het recept van bobotie (zie 📖 p. 69) is een perfecte kennismaking met de Cape Malay-keuken, die wordt gekenmerkt door het gebruik van pittige kruiden met frisse smaken te combineren. De slaven uit Indonesië en India die werkten in de keukens van hun Hollandse bazen, gebruikten hun eigen kruiden en bereidingswijzen. Ze moesten die aanpassen aan de Hollandse smaak, maar dit pakte goed uit. De koks gebruikten kruiden als komijn, kruidnagel en gember en maakten curry's. Een bijzonder ingrediënt is de waterlelie: deze bloem is de basis van de waterblommetjiebredie. De zaaddozen van de inheemse waterlelie, die in meren en moerassen groeit, worden gestoofd. Dit seizoensgerecht staat op de menukaarten in de maanden mei tot augustus; dan zijn de zaaddozen het grootst. Probeer het

bij het restaurant van Kasteel de Goede Hoop (Waterblommetjie Restaurant) of bij Jonkershuis op wijnlandgoed Boschendal of Groot Constantia.

Snoek en andere vis

Vis is een belangrijk onderdeel van de eetcultuur in Kaapstad. De oceaan is bijzonder rijk aan vis en schaal- en schelpdieren. Krab, inktvis, mosselen en oesters worden in grote hoeveelheden door de vissersboten aan land gebracht. Ook langoustines en kreeft (een variant zonder scharen) zijn hier volop. Er worden ook veel garnalen gegeten, die worden ingevlogen vanuit Mozambique waar ze van superkwaliteit zijn. De meeste variëteit in vis is er in de lente en de zomer. In de winter is het zeewater te koud voor bijvoorbeeld tonijn. Liefhebbers van die vis moeten de Kaap niet verlaten zonder die hier geproefd te hebben! Snoek is een typische Zuid-Afrikaanse zeevis met stevig vlees en een heerlijke smaak. De naam werd gegeven door de Hollande VOC'ers, die de vis vonden lijken op de zoetwatersnoek die ze kenden. Snoek doet het heel goed op de braai (een snoekbraai is in de zomer heel geliefd). Een traditionele wijze van serveren is gebakken snoek met zoete korrelkonfyt, een heerlijke zoete jam van muskaatdruiven. Omdat de vis zo stevig is, doet hij het ook goed in schotels en stoofpotten.

Farmstalls

Onderweg buiten Kaapstad kom je regelmatig een *Farmstall* of *Padstal* (Afrikaans) tegen. Deze typisch Zuid-Afrikaanse winkels/restaurantjes zijn bijna zonder uitzondering geweldige plekken om te eten: op het menu staan simpele, lokale gerechten zoals stoofpotjes, soepen, salades, pastei, worstenbroodjes en taart. Je kunt er altijd zelfgemaakte dingen kopen, zoals jam, chutney, brood, gedroogd fruit en vaak ook bloemen die in de buurt worden gesneden. Bij een farmstall krijg je een indruk van het le-

Uitgebreid ontbijten, Cape Grace

ven op het platteland, waar de stadse Cape-tonian maar al te graag een vleugje van mee-krijgt.

Je eigen drank meebrengen

Word je bij iemand thuis uitgenodigd, neem dan altijd wat wijn, bier of frisdrank mee, want Zuid-Afrikanen hebben de Ameri-kaanse stijl van 'iedereen brengt iets mee' standaard toegepast op de drank. Als je voor iemand iets inschenkt, is het de bedoeling dat je schenkt uit hun eigen fles. In de ogen van toeristen is dat heel opmerkelijk. Zelfs aangebroken flessen gaan aan het einde van de avond mee naar huis.

Corkage

In restaurants is er de mogelijkheid om meegebrachte wijn te drinken. Dit is ont-staan in de tijd waarin weinig restaurants een drankvergunning hadden. Ondertus-sen heeft zelfs het kleinste café een vergun-ning, maar de mogelijkheid bestaat nog steeds. Je zet je fles op tafel, hij wordt ge-opend en geschonken door de bediening en daarvoor betaal je een *corkage fee*, meestal R10 of R20. Een uitkomst als je eet op een plek waar het samenstellen van de wijn-kaart duidelijk bijzaak was, of als je wijn hebt gekocht bij een estate en die graag wilt drinken.

Doggie bags

Net als in Amerika zijn doggie bags heel ge-woon in Zuid-Afrika. De porties zijn soms inderdaad erg groot. Veel mensen maken er een gewoonte van om het stuk overgeble-ven pizza in te laten pakken en aan de par-keerwacht of aan een zwerver te geven.

6

Genieten van het goede leven

In Kaapstad kan het leven zo gemakkelijk zijn. De kunst van het genieten van het goede leven is voor Capetonians een dagelijkse bezigheid. Als toerist zit er maar één ding op: meedoen! Zoveel is er niet voor nodig om een mooie dag te beleven: de basis is een mix van een bruisend stadsleven, vrolijke vriendelijke mensen met een natuurlijk decor van bergen, zee en fynbos dat Kaapstad een van de mooiste steden ter wereld maakt. Zon en een strakblauwe lucht zijn bijna 300 dagen per jaar gegarandeerd.

Op straat kom je zingende mensen tegen, niet een maar soms wel een paar per dag. In Nederland word je direct voor de dorpsgek versleten. Maar dit is Afrika en dat betekent dat het swingt en met een brede glimlach gepaard gaat.

Omdat 'genieten van het goede leven' in Kaapstad zo belangrijk is, écht de way of life, gaan we in dit hoofdstuk in op de plekken waar dat genieten plaatsvindt. Samen vormen deze uitgaansgelegenheden, winkels, restaurants en hotels of andere accommodaties de topattracties van de stad. Achtereenvolgens komen aan bod:

- **Aan zee**: Camps Bay, Green Point/Fresnaye
- **City Bowl**: Long Street en Kloof Street
- **V&A Waterfront**
- **Waterkant**
- **Kaaps Schiereiland**: Hout Bay, Kalk Bay, Simon's Town.

Dit zijn de voor toeristen belangrijkste wijken en buurten. Voor elk ervan geven we de beste tips voor de onderdelen Slapen, Eten, Shoppen en Late night. Iedere buurt heeft heel erg zijn eigen sfeer en

◄ *Llandudno is een klein paradijsje.* ▲ *Cocktails in Camps Bay*

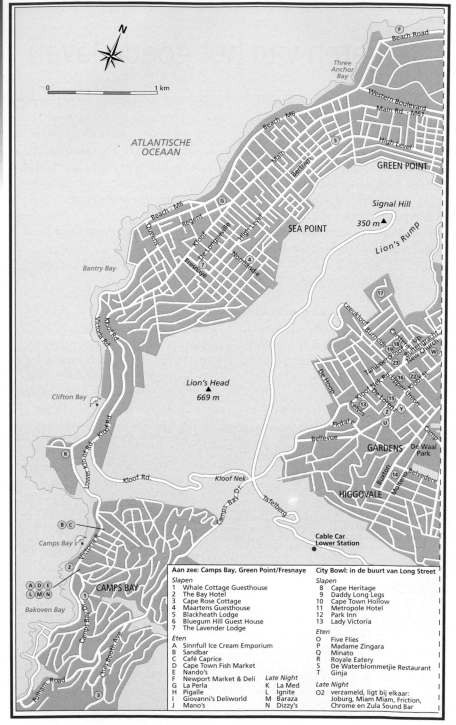

ATLANTISCHE OCEAAN

Three Anchor Bay

Western Boulevard
Main Rd. - M61

Beach - M6

High Level

GREEN POINT

Main

Bertram

SEA POINT

Signal Hill
350 m ▲

Lion's Rump

Beach - M6

Regent

Kloof

De Longueville

High Level

Normandie

Queens

Fresnaye

Bantry Bay

Leeukloof

Burnside

Camera's - Up

New Church

Buitengracht

Tamboerskloof

De Hoop

Kloof Nek Rd

Upper Union

Kloof St.

Kelvin

De Lorentz

Firdale

Bellevue

GARDENS

De Waal Park

Camp

Buxton

Molteno

Belvedere

HIGGOVALE

Lion's Head
669 m

Clifton Bay

Lower Kloof Rd - Kloof Rd

Victoria Rd

Kloof Rd

Kloof Nek

Camps Bay - Dr.

Tafelberg

Cable Car
Lower Station

Camps Bay

Victoria R.

CAMPS BAY

Bakoven Bay

Camps Bay Dr.

Chas Booth Ave.

Fulham Road

Aan zee: Camps Bay, Green Point/Fresnaye	City Bowl: in de buurt van Long Street
Slapen	**Slapen**
1 Whale Cottage Guesthouse	8 Cape Heritage
2 The Bay Hotel	9 Daddy Long Legs
3 Cape Rose Cottage	10 Cape Town Hollow
4 Maartens Guesthouse	11 Metropole Hotel
5 Blackheath Lodge	12 Park Inn
6 Bluegum Hill Guest House	13 Lady Victoria
7 The Lavender Lodge	
	Eten
Eten	O Five Flies
A Sinnfull Ice Cream Emporium	P Madame Zingara
B Sandbar	Q Minato
C Café Caprice	R Royale Eatery
D Cape Town Fish Market	S De Waterblommetjie Restaurant
E Nando's	T Ginja
F Newport Market & Deli **Late Night**	
G La Perla K La Med	**Late Night**
H Pigalle L Ignite	O2 verzameld, ligt bij elkaar:
I Giovanni's Deliworld M Baraza	Joburg, Miam Miam, Friction,
J Mano's N Dizzy's	Chrome en Zula Sound Bar

Kaapstad

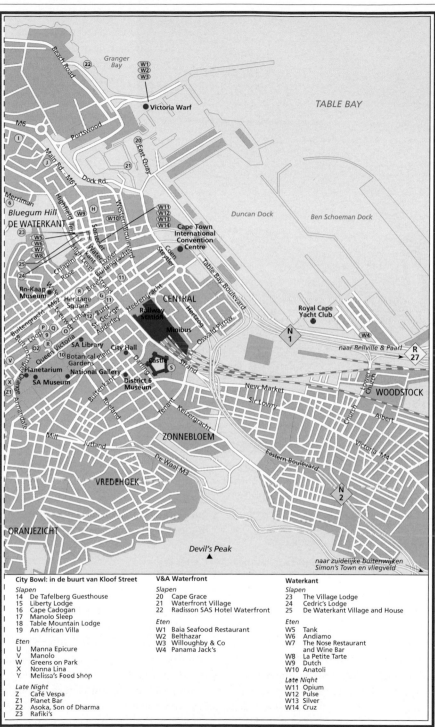

City Bowl: in de buurt van Kloof Street

Slapen
14 De Tafelberg Guesthouse
15 Liberty Lodge
16 Cape Cadogan
17 Manolo Sleep
18 Table Mountain Lodge
19 An African Villa

Eten
U Manna Epicure
V Manolo
W Greens on Park
X Nonna Lina
Y Melissa's Food Shop

Late Night
Z Café Vespa
Z1 Planet Bar
Z2 Asoka, Son of Dharma
Z3 Rafiki's

V&A Waterfront

Slapen
20 Cape Grace
21 Waterfront Village
22 Radisson SAS Hotel Waterfront

Eten
W1 Baia Seafood Restaurant
W2 Belthazar
W3 Willoughby & Co
W4 Panama Jack's

Waterkant

Slapen
23 The Village Lodge
24 Cedric's Lodge
25 De Waterkant Village and House

Eten
W5 Tank
W6 Andiamo
W7 The Nose Restaurant and Wine Bar
W8 La Petite Tarte
W9 Dutch
W10 Anatoli

Late Night
W11 Opium
W12 Pulse
W13 Silver
W14 Cruz

Victoria Road, Camps Bay

alle nieuwbouw ook hier en daar een witte villa van de oude stempel uit de jaren vijftig of zestig. Wie zo'n huis koopt, maakt het meestal met de grond gelijk en bouwt er een nieuw huis voor in de plaats.

Het witte, halvemaanvormige strand van Camps Bay, met de blauwe oceaan aan de ene kant en een rij palmbomen aan de andere kant, is een van de meest gefotografeerde stranden ter wereld. Hier logeren is de ultieme vakantie, je zou bijna vergeten dat je in een stad bent. Het is erg toeristisch, hoewel locals hier ook graag naar het strand gaan. Uit eten gaan in Camps Bay doe je voor de plek, niet voor het eten. Hoewel je een stuk minder kritisch naar je eten kijkt als de zonsondergang er een roze sausje overheen gooit. Voor *sundowners* (drankjes bij zonsondergang) is er geen betere locatie dan de boulevard van Camps Bay.

biedt wat anders dan de andere, dus wat het leukste is hangt af van wat je zoekt.

AAN ZEE

Camps Bay is de *playground* van Kaapstad; hier en verderop langs de kust staan de duurste huizen en rijden de Ferrari's door de straten. De meeste huizen zijn onder architectuur gebouwd, met geslaagde voorbeelden van natuurstenen wanden die samen lijken te smelten met de bergachtige omgeving. Minder geslaagd zijn de huizen vermomd als taart: roze met wit in een ronde vorm. Je ziet *rim-flow* zwembaden (waar het water over de rand stroomt), dakterrassen en tropische tuinen. Tussen

Camps Bay

Slapen

Het **Whale Cottage Guesthouse** ligt vlak bij het strand met uitzicht op zee, twee zwembaden en mooi ingerichte, ruime lichte kamers. Het grote luxeueze **Bay Hotel** ligt direct aan zee, in het midden van de bruisende boulevard Victoria Road. Het is voorzien van alle gemakken die je van een vijfsterrenhotel mag verwachten. Vlak bij zee in een rustige straat ligt de vriendelijke B&B **Cape Rose Cottage**. De grote kamers kijken op zee en zijn erg comfortabel ingericht. Een kitchenette maakt iedere kamer compleet.

ⓘ WHALE COTTAGE GUESTHOUSE. Tel. 021 4383840, 57 Camps Bay Drive. www.whalecottage.com

BAY HOTEL. Tel. 021 4384444, Victoria Road. www.thebay.co.za

CAPE ROSE COTTAGE. Tel. 021 4381786, 8 Hoopoe Avenue. www.caperosecottage.co.za

Eten

Bij **Sinnfull Ice Cream Emporium** hebben ze zelfgemaakt ijs met erg goede luchtdichtheid en kwaliteitsingrediënten. Proef het sorbetijs in vruchtensmaken en sta jezelf toe verslaafd te raken aan Addiction (witte chocolade met amandel en toffee) of Heavenly Hash. Je bent gewaarschuwd!

Sandbar ligt aan het rustige einde van het Camps Bay-stuk van Victoria Road; op het terras met de zeldzame natuurlijke schaduw van een boom verzamelen zich de locals. De verdeling is duidelijk: de iets meer relaxte en oudere types zitten hier, het jonge, opgetutte en hippe volk zit een paar deuren verder bij Caprice. De Sandbar heeft heel goede smoothies, wat weer prettig is voor na het hardlopen. Het is ook een pitstop voor wielrenners tijdens hun rondje Peninsula. Lekkere en simpele gerechten voor lunch en diner.

Zien en gezien worden is het devies bij **Caprice**. Zondagavond is de topavond, dan komt iedereen quasinonchalant van het strand voor een sundowner om pas diep in de nacht weer te vertrekken. Het publiek is een mix van hippe locals en toeristen 'in the know', modellen, tv-mensen en dergelijke. De parkeerplaatsen voor de deur worden gereserveerd voor de mooiste auto's, zo lijkt het althans. Gemixte leeftijden, al voel je je met 30 jaar soms de oudste van de hele tent. Je zou het niet verwachten, maar je kunt hier lekker eten (zij

het simpel; burgers, salades, etc.). De nachos zijn een speciale vermelding waard en maken je hele tafel blij.

Bij de **Cape Town Fish Market** in het winkelcentrum op Victoria Road kies je de vis zelf bij een verkoopbalie, eventueel kun je hem ook meenemen en op je eigen braai grillen, maar van de kaart kiezen kan ook. De sushibar is goed en wordt druk bezocht. Een groot restaurant met goede service, vraag naar een tafel op het balkon op een windstille avond. Gelegen op de 1ste verdieping boven Pick 'n Pay.

Nando's is een van de meest geliefde fastfoodrestaurants van Zuid-Afrika. Nando's maakt kip op Portugese wijze en dat doen ze goed, kies een wrap of een burger en vermeld hoeveel peri-peri je kunt verdragen. Op een van de beste plekken van Camps Bay hebben ze met veel stijl en humor een restaurant geopend, dat er geweldig uitziet. De cocktailbar maakt het feest compleet. Je kunt natuurlijk ook kippetjes afhalen voor op het strand.

ⓘ SINNFULL ICE CREAM EMPORIUM. Geopend: dag. 10–23 uur, ga de trap op links van Pick 'n Pay supermarkt.

SANDBAR. Tel. 021 4388336, 31 Victoria Road.

CAFE CAPRICE. Tel. 021 4388315, Victoria Road. Geopend: dag. 9–2 uur.

CAPE TOWN FISH MARKET (CTFM). Tel. 021 4381866, 1ste verdieping, Victoria Road.

NANDO'S. Tel. 021 4381915, Victoria Road.

Late night

Uitgaan in Camps Bay bestaat uit het volgen van een simpel patroon: sundowners bij **La Med** of Caprice. Na de sundowners worden in La Med pizza's geserveerd, daarna is de dansvloer open. Veel buitenlanders die voor korte of langere tijd in Kaapstad zitten komen hier. Zondag is de beste avond in La Med.

Je kunt na de sundowners goed blijven hangen in La Med of Caprice, maar voor het echte clubgevoel moet je naar **Ignite**,

Sundowners

op de bovenste verdieping van het Victoria Road complex. Dit is dansen en uitgaan met zeezicht. Tot voor kort heette het Eclipse. Binnen is niets veranderd: de club is even stylish als de mensen die er komen. Donderdag is dé avond.

Vlakbij Ignite liggen ook **Baraza** en **Dizzy's**. Bij Dizzy's is meestal livemuziek (jazz op vrijdag en zaterdag, allerlei genres op andere dagen) en hier zijn veel locals te vinden, dezelfde soort die overdag bij de Sandbar zit. Je kunt hier ook eten, op de kaart staat vooral seafood. Baraza is een cocktailbar met de uitstraling van een warm, gezellig café, natuurlijk ook met uitzicht op zee en een briesje door de openstaande ramen.

ⓘ LA MED. Tel. 021 4385600, Glen Country Club, Victoria Road, Clifton. Rij Camps Bay uit richting Clifton, en volg een bordje naar La Med.

CAFE CAPRICE. Tel. 021 4388315, Victoria Road, Camps Bay.

IGNITE. Tel. 021 4380883. The Promenade, Victoria Road, Camps Bay.

BARAZA Tel. 021 4382758, The Promenade, Victoria Road, Camps Bay.

DIZZY'S. Tel. 021 4382686, 41 The Drive, Camps Bay. Net achter Victoria Road, bij de parkeerplaats achter Pick 'n Pay.

Fresnaye, Sea Point, Green Point

Fresnaye, Sea Point en Green Point zijn opkomende wijken. Het waren altijd vooral woonwijken, met veel appartementen. De armoedige stukken van Main Road, met winkels en restaurants, zijn zo goed als verdwenen en nu worden voornamelijk de voordelen van deze wijken gezien: centraal gelegen, vlak aan zee en niet te duur. Sea Point en Green Point hebben enorm geprofiteerd van de stijgende waarde van onroerend goed in Kaapstad, de prijzen zijn de afgelopen vier, vijf jaar ver(drie)dubbeld. Daar zijn allerlei yuppen op af gekomen, en op hun beurt trekken zij weer restaurantjes en winkels aan. Kortom, hier wordt geleefd, gewerkt, gelopen langs de zee en golf gespeeld op de Metropolitan Golf Course. Het Green Point Stadium zal een belangrijke rol spelen tijdens het WK voetbal 2010. De wijken liggen ingeklemd tussen Signal Hill en de zee; omdat er maar drie hoofdstraten zijn op deze smalle landstrook is het niet moeilijk je te oriënteren.

Slapen

Bijvoorbeeld in **Maartens Guesthouse**. Maarten is de gastvrijheid zelve in dit heerlijk relaxte guesthouse. Centraal gelegen maar toch rustig. Wireless internet, een zwembad en een tennisbaan bij de buren maken dit guesthouse heel compleet. Zeven kamers.

De **Blackheath Lodge** is prachtig ingericht, gelukkig niet met een opgeprikte sfeer – echt een aanrader. Een minuut van zee en vlak bij het bruisende leven van Sea Point. Negen kamers.

Hoog boven Green Point, tegen Signal Hill aan, staat het driesterren guesthouse **Bluegum Hill Guest House**. Er is een prachtig uitzicht over de stad naar alle kanten, de zee en Robbeneiland vanuit de kamers en vanuit het zwembad. Goede verzorging, smaakvolle inrichting en ontspannen sfeer. Hoewel centraal gelegen, toch net iets te ver om te lopen naar zee, winkels en restaurants. Zes kamers.

Bickley House heeft vier kamers en is een luxe guesthouse in een van de oudste huizen van dit stadsdeel. Vroeger een jachthuis, nu gerenoveerd met ruim zwembad en mooie tuin. De kamers hebben een eigen patio, vloerverwarming, badjassen etc. Heerlijk en gezond ontbijt op het terras. Goede centrale ligging (lopen naar zee, winkels, restaurants).

The Lavender Lodge heeft in Provençaalse stijl gedecoreerde kamers, een goede sfeer en een mooie binnentuin. De kamers hebben een patio of balkon en een koelkast. Centraal gelegen, op loopafstand van zee, winkels en restaurants. Vier kamers.

ℹ️ MAARTENS GUESTHOUSE. Tel. 021 4343561/082 8923342 (Maarten) 39 Avenue Normandie, Fresnaye. www.maartens.co.za

BLACKHEATH LODGE. Tel. 021 4392541/076 1306888 (Antony Trop), 6 Blackheath Road, Sea Point. www.blackheathlodge.com

BLUEGUM HILL GUEST HOUSE. Tel. 021 4398764/082 5658865, 13 Merriman Road, Upper Green Point. www.bluegumhill.co.za

BICKLEY HOUSE. Tel. 021 4347424, 17 Bickley Road, Sea Point. www.bickleyhouse.com

THE LAVENDER LODGE. Tel. 021 4398328, Hoek Avenue Fresnaye en De Longueville. www.lavenderlodge.co.za

Eten

Vlak bij de vuurtoren van Green Point (de oudste van het land) staat **Newport Deli** als een vertrouwd baken. Wat je hier eet is vers en gezond. De smoothies zijn legendarisch en met een bakkerij in huis is het brood gegarandeerd lekker. De *roasted vegetable salade* is super. De buurt leest hier de krant, terwijl op de promenade de rest van de stad voorbij wandelt. De grand old lady onder de restaurants in de stad, **La Perla**, is niets veranderd sinds de opening in 1971. De obers zijn nog even stijf en keurig als toen en het hippe oranje uit de jaren zeventig is nog steeds leuk. Dit Italiaanse restaurant ontvangt op zondag *la famiglia*, een bewijs van kwaliteit. Uit de uitgebreide menukaart is het moeilijk kiezen, maar een foute keuze maken is bijna onmogelijk gezien de hoge standaard die men hier hanteert. Op een mooie avond zit je buiten heerlijk, met zeezicht.

Pigalle is geschikt voor een bijzondere avond: dit restaurant is prachtig gedecoreerd, de sfeer is glamour en kristal, dus een mooie gelegenheid als je iets te vieren hebt. Het eten is bijzonder goed. Pigalle wint prijzen en heeft veel vaste klanten die terugkomen voor seafood en vlees van de grill.

Geweldige sfeer en nog betere broodjes vind je bij de onvervalste, puur Italiaanse **Giovanni's Deliworld**. De familie bedient

Mondain Camps Bay

het uitgaansleven speelt zich hier af, de vele restaurantjes zorgen voor volle terrasjes en er is overal muziek. Overdag wordt dit aangevuld met de sfeer die bij een grote stad hoort: verkeer, haastige mensen en zakenlunches. Heel hectisch is het niet: het blijft Kaapstad, dus relax...

Slapen

Het boutique **Cape Heritage** hotel is gevestigd in een pand uit de 18de eeuw en is onderdeel van het mooi gerenoveerde Heritage Square. De vijftien airconditioned kamers hebben ieder hun eigen stijl, bijvoorbeeld Afrikaans of Japans (of Hollands). Antiek en modern gaan hier goed samen. In de binnentuin wordt het ontbijt geserveerd. Ernaast ligt **Caveau**, een goede plek voor een glas wijn en een lekkere maaltijd.

Daddy Long Legs is een funky hotel met kamers en appartementen ontworpen door kunstenaars, muzikanten, schrijvers waardoor een creatieve vibe overal aanwezig is. Dé kans om middenin het bruisende Long Street te logeren. Dit is echte 'urban chic'. Dertien kamers en appartementen.

Het mooie, pas gerenoveerde **Cape Town Hollow** hotel met 56 kamers ligt vlak naast de Company's Gardens en het Planetarium van het sa National Museum. De kamers aan de voorzijde hebben de Tafelberg volledig in beeld. Inrichting van de kamers is comfortabel en Engels qua stijl. Het hotel heeft een zwembad met zonneterras op de eerste verdieping en er is een goede spa.

Het **Metropole** is een boutique hotel met grootstedelijke allure: minimalistisch ingericht met abstracte kunstwerken en donker hout. De 29 kamers hebben grote bedden en prachtige badkamers van grove stenen. De M-Bar & Lounge is een hip

de koffiebar, de kassa en de deli (de gast kan aanwijzen hoe hij zijn broodje wil, ook warme maaltijden). Lokale Italianen 'wonen' aan de koffiebar waar deals worden gesloten en waar veel wordt gelachen. **Mano's** is een echt buurtrestaurant, waar familiebijeenkomsten en zakenbesprekingen plaatsvinden. Italiaanse kaart, goede crème brûlée, goede service en redelijke prijzen. De vibe is typisch Capetonian. Ga erheen om uit te vinden wat dat is.

ℹ NEWPORT MARKET & DELI. Tel. 021 4391538, 47 Beach Road, Mouille Point. Geopend: dag. 8–20 uur.

LA PERLA. Tel. 021 43422471, Hoek Church Street en Beach Road, Sea Point. Geopend: dag. 10.30–23 uur.

PIGALLE. Tel. 021 4214343, 57a Somerset Road, Green Point. Geopend: voor lunch 12–15, diner v.a. 19 uur. Gesloten op zo.

GIOVANNI'S DELIWORLD. Tel. 021 4346893, 103 Main Road, Green Point. Geopend: dag. 7.30–21, in dec. en jan. tot 22 uur.

MANO'S. Tel. 021 4341090, 39 Main Road, Green Point. Geopend: ma.–vr. lunch en diner, za. alleen diner.

CITY BOWL: LONG STREET

Het stadscentrum waar alles gebeurt, het hart van de actie ligt hier. In Long Street is het altijd druk op straat, ook 's avonds en zeker in de zomer. Een belangrijk deel van

Long Street

dakterras is een klein zwembad met uitzicht op de Tafelberg.

ⓘ CAPE HERITAGE. Tel. 021 4244646, 90 Bree Street. www.capeheritage.co.za DADDY LONG LEGS. Tel. 021 4223074, 134 Long Street. www.daddylonglegs.co.za CAPE TOWN HOLLOW. Tel. 021 4231260, 88 Queen Victoria Street. www.capetownhollow.co.za METROPOLE HOTEL. Tel. 021 4247247, 38 Long Street. www.metropolehotel.co.za PARK INN. Tel. 021 4232050, 10 Greenmarket Square. www.parkinn.com

Eten

Five Flies is een klassiek, stijlvol restaurant gevestigd in een groot pand uit de 18de eeuw, tegenover de Cape High Court. Vroeger zat De Nederlandsche Club op de eerste verdieping, dat zie je nog aan de relikwieën aan de muur. Zo historisch als het pand is en zo klassiek als de ingrediënten van de gerechten, zo modern is de draai die eraan gegeven wordt. Dit is spannend uit eten gaan. De onberispelijke service maakt dit mooie adres compleet. De binnentuin is de leukste plek om te zitten, daarnaast zorgen verschillende kleinere kamers voor een intiem effect.

Naar **Madame Zingara** ga je met vrienden als er iets te vieren is, of als je in de stemming bent voor erg lekker eten in combinatie met vermaak, acts en veel lachen. Het is hier altijd druk, luidruchtig en feestelijk. Madame Zingara zou niet al jaren de ster van Loop Street zijn als het eten niet zo goed was. Dus dat is het: een Italiaanse invalshoek (maar niet met pizza en pasta), veel groentegerechten en natuurlijk hun 'signature-dish': chocolate chilli steak. De

adres voor een drankje na het werk. Er wordt heel wat genetwerkt in de rode stoelen van struisvogelleer. Op de eerste verdieping is het restaurant **The Veranda**, dat een goede naam heeft en Zuid-Afrikaanse gerechten serveert met mediterrane invloeden. Buiten (op de veranda) heb je leuk uitzicht over Long Street.

De locatie is een belangrijk pluspunt voor het **Park Inn** hotel, dat verder niet heel bijzonder is maar gewoon goed. Op Greenmarket Square is het altijd gezellig door de sfeer die de marktkooplui meebrengen. Het hotel is gevestigd in het voormalige Shell-hoofdkantoor en is nog maar een paar jaar oud. De 165 kamers zijn praktisch maar comfortabel ingericht, uitzicht over de stad, de zee en/of de Tafelberg. Badkamers hebben alleen een douche. Op het speciale saus wordt door veel restaurants geïmiteerd, maar haalt het niet bij de originele versie. Proberen dus.

Minato biedt verse sushi van een eigenwijze Japanse kok. Een van de beste sushi-adressen van de stad, om de hoek van Long Street. Kom hier voor het eten, niet voor de sfeer. Het pand is aan de buitenkant wél erg mooi: Gaudí-stijl in Kaapstad.

Royale Eatery heeft gourmetburgers met verslavend lekkere frietjes van zoete aardappel. Vrolijke sfeer, mix van toeristen en locals.

De **Waterblommetjie Restaurant @ The Castle of Good Hope** is een bijzonder sfeervolle plek om Cape Malay-gerechten te proeven: de kaart is samengesteld door Cass Abrahams, die bekendstaat als de beste Cape Malay-kok van de stad. Het oudste gebouw van Zuid-Afrika staat met zijn dikke muren en kroonluchters bol van de historie. Buiten zit je naast de wallen van het kasteel, met achter je de Tafelberg.

Het beste restaurant van Kaapstad, althans volgens sommigen, is **Ginja**. Gevestigd in een oud graanpakhuis uit 1850. Kok Mike Bassett heeft vele talenten: die van het combineren van smaak en ingrediënten (hij verstaat de kunst van fusion), die van het verrassen en die van het presenteren. De gerechten zien er uniek uit, dit zal de meest verwende foodie blij verrassen. Op tijd reserveren. Geopend: dag. voor diner, in de winter op zo. gesloten.

ℹ️ FIVE FLIES. Tel. 021 4244442, 14–16 Keerom Street. Geopend: dag. voor diner, op werkdagen ook voor lunch.

MADAME ZINGARA. Tel. 021 4262458, 192 Loop Street. Geopend: ma.–za. voor diner, zo. gesloten.

MINATO. Tel. 021 4234712, 4 Buiten Street. Geopend: ma.–vr. v.a. 19 uur.

ROYALE EATERY. Tel. 021 4224536, 279 Long Street. Geopend: ma.–za. 12–23.30 uur.

DE WATERBLOMMETJIE RESTAURANT @ THE CASTLE OF GOOD HOPE. Tel. 021 4625849, Hoek Strand en Buitenkant Street – Kasteel de Goede Hoop.

GINJA. Tel. 021 4262368, 121 Castle Street. Geopend: dag. voor diner, in de winter op zo. gesloten.

Late night

Uitgaan in Long Street mag je niet missen bij een bezoek aan Kaapstad. Long Street staat elk weekend vol met mensen, binnen in de bars en buiten op straat. Je komt hier

Kloof Nek Road met victoriaans huis

van alles tegen, hippies, groepjes hoogge-hakte hippe meisjes en toeristen zijn aan de orde van de dag (of nacht?). In de langste straat van Kaapstad is echt altijd iets te beleven. In de zomermaanden is het wekenlang feest. Let wel op je spullen, want helaas verwisselen telefoons en portemonnees hier regelmatig van eigenaar.

Joburg is een voornamelijk zwarte bar, waar altijd een goede sfeer heerst. Als je echt wilt zien wat dansen is, moet je hier zeker even binnen wippen voor een biertje.

Miam Miam is een hippe kroeg met deurbeleid. Je loopt naar binnen via een smalle gang, die uitkomt op een binnenplaats waaraan de dansvloer grenst. Hier worden regelmatig shows gehouden, en er is altijd een dj.

Friction heeft een kleine dansvloer met dj, maar bestaat voornamelijk uit een grote bar en enorm balkon met een goed uitzicht over het levendige Long Street.

Chrome is een club om de hoek bij Long Street. Het is enorm hip, en iedereen be-kijkt voornamelijk zichzelf in de enorme spiegels die hier overal aan de wand hangen. Toch is de sfeer over het algemeen goed, en wat later op de avond stroomt het vol met publiek van alle leeftijden.

Zula is de *venue* voor beginnende en gearriveerde bands en muzikanten. Hier worden dagelijks optredens gegeven, die je voor weinig geld kunt bijwonen. Het is er altijd druk en je komt de meest uiteenlopende types tegen. Creatieve omgeving.

ⓘ JOBURG. Tel. 021 4220142, 218 Long Street.
MIAM MIAM. Tel. 021 4225823, 196 Long Street.
FRICTION. 172, Long Street.
CHROME. Tel. 021 4223368, 6 Pepper Street.
ZULA SOUND BAR. Tel. 021 4242442, 194 Long Street.

CITY BOWL: KLOOF STREET

Kloof Street is al een aantal jaren dé trendy straat van Kaapstad en de ruggengraat van de leuke wijken Tamboerskloof en Gardens. De victoriaanse huizen in deze wijken zijn geschilderd in allerlei kleuren en hebben balkons van gekruld ijzerwerk

Table Mountain Lodge met Lion's Head erachter

en tuinen met tropische en mediterrane bloeiende struiken. Er is een aantal warm aan te bevelen guesthouses in deze buurt. Het is leuk om hier te logeren als je op zoek bent naar de mix van een woonwijk met trendy winkeltjes en goede eethuisjes, waar wel toeristen komen maar zeker niet te veel. Deze wijken liggen onderaan de Tafelberg en langs Signal Hill. De centrale ligging (een paar minuten van Long Street en Camps Bay) maakt ze geliefd bij de inwoners én bij toeristen.

Slapen

In Kelvin Street, het mooiste straatje van deze buurt, vormen de huizen met de Tafelberg op de achtergrond een perfect plaatje. Oude eikenbomen en een grote palm geven dit stille straatje nog meer karakter. **Lady Victoria** zit in zo'n victoriaans pand, heeft zes comfortabele kamers en een veranda waar je heerlijk kunt zitten. Er is een klein zwembad.

De **Tafelberg Guesthouse** is een mooi, luxe guesthouse gerund door de gastvrije Vla-

mingen Ann en Kris van Cappellen. Oefen de hellingproef nog maar eens voor je naar De Tafelberg afreist, het ligt steil tegen de Tafelberg aan. De beloning is natuurlijk een fantastisch uitzicht. De acht kamers hebben airco en een koelkast. Een heerlijk comfortabel adres.

De **Liberty Lodge** is een klein guesthouse (vier kamers) waar alle comfort je omringt, van gratis ADSL-internet tot airco en heerlijke bedden. Het interieur van dit victoriaanse huis is een mooie mix van oud en nieuw, met Afrikaanse touch. Relaxte sfeer. Een witte oase van stijl, rust en luxe in een victoriaans huis omringd door tuinen: dat is **Cape Cadogan**. Een paar van de twaalf kamers hebben tweepersoons douches, alle hebben een privéterras en (moderne) hemelbedden. Kroonluchters gemaakt van drijfhout zetten de toon qua stijl. In een zijstraat halverwege Kloof Street. **Manolo Sleep** belooft heel bijzonder te worden, de website en het pand zien er veelbelovend uit. De mannen van Manolo hebben met hun restaurant bewezen dat ze een fantastische smaak hebben en precies weten hoe trends met comfort en kwaliteit te combineren. Houd de website in de gaten voor de opening. **Table Mountain Lodge** in Tamboerskloof ligt in een deel van de de wijk met een dorpse sfeer. Het is dicht bij het onderste deel van Kloof Street en bij Long Street. De acht kamers in het mooi gerenoveerde Cape Dutch huis hebben antieke houten vloeren, grote ramen, wit linnen en ruime badkamers. Klein zwembadje in kleine tuin, binnen is er des te meer ruimte. Gratis internet. Vriendelijk adres.

Een superadres in een mooi straatje, zeer centraal gelegen, is **An African Villa**. Het bestaat uit drie klassieke victoriaanse panden die samengevoegd zijn tot een indrukwekkend geheel. Aan de achterkant is een zwembad met terras, waar ontbeten wordt bij mooi weer. De twaalf kamers zijn licht, met grote ramen en hoge plafonds. Lekkere leunstoelen en goede bedden. Gratis internet.

ⓘ LADY VICTORIA. Tel. 021 4233814, 1 Kelvin Street, Gardens. www.ladyvictoria.co.za
DE TAFELBERG GUESTHOUSE. Tel. 021 4249159, 68 Molteno Road, Oranjezicht. www.detafelberg.com
LIBERTY LODGE. Tel. 021 4232264, 33 De Lorentz Street, Tamboerskloof. www.capetowncity.co.za
CAPE CADOGAN. Tel. 021 4808080, 5 Upper Union Street, Tamboerskloof. www.capecadogan.com
MANOLO SLEEP. Tel. 072 2093084, 33 Leeukloof Drive, Tamboerskloof. www.manolosleep.co.za
TABLE MOUNTAIN LODGE. Tel. 021 4230042, 10a Tamboerskloof Road, Tamboerskloof. www.tablemountainlodge.co.za
AN AFRICAN VILLA. Tel. 021 4232164, 19 Carstens Street, Tamboerskloof. www.capetowncity.co.za/villa

Eten

Manna Epicure is hét adres in Kaapstad voor een brunch in het weekend of een doordeweekse lunch. Reserveren kan niet, zo druk is het. Kom dus op tijd. Ook als je geen trek hebt, is het bij Manna Epicure de moeite waard het interieur te bewonderen (inclusief siliconentoilet!). Het is simpel (alles is wit), maar mooi. Bloemencreaties, zachtroze taartjes met zilveren parels, zelfgebakken brood dat nog lekkerder ruikt dan het eruit ziet, verse fruitmixen en geweldig servies. Alles wat hier uit de oven komt, is een 'epicurean delight' zoals ze het zelf omschrijven – de taartjes zijn niet alleen mooi maar ook erg lekker. De opzet van het menu is kenmerkend voor hun vernieuwende concept: het is opgebouwd rondom de smaaksensaties *sweet, savoury, sour* en *bitter*.

Voor een speciale avond of om een gewone avond speciaal te maken, is **Manolo** perfect. De drie eetkamers in het grote victoriaanse pand zijn verschillend gedecoreerd, met ieder hun eigen sfeer. Het menu bestaat uit fusion ideeën, waarbij de kok zich uitleeft door typisch Zuid-Afrikaanse ingrediënten te combineren met klassiek Franse invloeden. In de cocktailbar maakt een handige barman aan de lopende band de huiscocktail Manolo Chill. Meestal is de service onberispelijk, wat de avond uit compleet maakt.

Op het zonovergoten, grote terras van **Greens on Park** is het gemakkelijk een paar uur vol te houden. Binnen is de inrichting strak en warm. Greens is multi-inzetbaar: van 's ochtends vroeg tot 's avonds laat is dit een prima plek voor een drankje of een maaltijd. Goede salades en ontbijtgerechten.

Nonna Lina is een tentje zonder pretenties, maar met de beste pizza's van de stad. Nonna Lina blinkt uit door simpelheid met recepten uit Zuid-Italië. Zomeravonden zijn altijd druk, reserveer dan een tafeltje op het terras waar je de stad voorbij ziet komen. Ertegenover ligt het filmhuis Labia Theatre.

Melissa's is een instituut in Kaapstad en de producten uit haar deli zijn in het hele land in supermarkt en speciaalzaak te koop. De vestiging op Kloof Street is de eerste en blijft de beste. Ga hier naartoe voor ontbijt of lunch: je kunt iets van de kaart kiezen of van het buffet, waarna je bord gewogen wordt. Alles is ook om mee te nemen en de vitrines liggen vol met heerlijkheden. Goed adres om een (prijzige) picknick samen te stellen.

ℹ️ MANNA EPICURE. Tel. 021 4262413, 151 Kloof Street, Gardens. Geopend: di.–za. 8–20, zo. 9–16 uur.

MANOLO. Tel. 021 4224747, 30 Kloof Street, Tamboerskloof. Geopend: dag. voor diner. www.manolo.co.za

GREENS ON PARK. Tel. 021 4224415, 5 Park Road, Tamboerskloof. Geopend: dag. 7–23 uur, op ma. avond gesloten voor diner.

NONNA LINA. Tel. 021 4244966, 64 Orange Street, Gardens.

MELISSA'S FOOD SHOP. Tel. 021 4245540, 94 Kloof Street.

Late night

Het mooie uitzicht op de Tafelberg en de verzameling picknickbanken op het grote terras maken van **Café Vespa** een geliefd terras op warme zomeravonden. Dan zit het hier vol met mensen uit de buurt, die cocktails drinken en ondertussen plannen maken voor de rest van de avond. Op vrijdag en zaterdag is er vaak een dj. Om middernacht sluit het.

De mooiste bar van de stad bevindt zich in het chique oud-Engelse Mount Nelson Hotel. **The Planet Bar** is een ode aan de sterrenhemel (kijk daarvoor even naar boven) en is super ingericht. Het terras kijkt uit over de mooie tuinen van het hotel. Dé plek voor een drankje voor of na een diner. Vrijdagavond is het spitsuur. Deze bar is een goed voorbeeld van de belangrijke rol die hotelbars in het uitgaansleven in Kaapstad spelen.

Voor wie na een etentje op Kloof Street nog een drankje wil drinken of zin heeft om te dansen, is **Asoka, Son of Dharma** een goede keuze. De naam impliceert nogal wat, maar Asoka is 'gewoon' een kruising tussen café en club waar veel dertigers komen. Niet te groot en op de menukaart staan naast ontelbare cocktails ook lekkere late night-snacks. Achterin staat midden in de zaak een oude boom waarvan de stam door het dak heen steekt.

Het grootste balkon van Kaapstad, met de hele dag de zon erop en uitzicht op het kruispunt van Kloof Nek Road en New Church Street, is **Rafiki's**. Relaxte sfeer, vaak livemuziek. Je kunt er ook eten (*pub grub* en goede garnalen), wat alleen aan te raden is als je geen haast hebt. Wat dan weer past in de relaxte sfeer.

ℹ️ CAFÉ VESPA. Tel. 021 4265042, Kloof Street.

PLANET BAR@THE MOUNT NELSON HOTEL. Tel. 021 4831927, Orange Street. Geopend: dag. v.a. 17 uur.

ASOKA, SON OF DHARMA. Tel. 021 4220909, 68 Kloof Street.

RAFIKI'S. Tel. 021 4264731, 13B Kloofnek Road.

V&A WATERFRONT

De Waterfront is het toeristisch centrum van de stad. Wat in San Francisco en Sydney werkt, lukt ook in Kaapstad: het havengebied omtoveren tot een lifestyle omgeving, waar winkels, restaurants, bioscopen, hotels en dure appartementen het tot een plaats maken waar mensen graag hun vrije tijd doorbrengen en hun geld uitgeven. Nelson Mandela was groot voorstander van het creëren van de Waterfront zoals het nu is. In de laatste jaren van zijn gevangenschap bedacht hij al dat het havengebied een belangrijke toeristenattractie zou kunnen worden. Voor Zuid-Afrikanen die hier op vakantie zijn én voor inwoners van Kaapstad is de Waterfront ook een geliefde plek. Je kunt er een dag doorbrengen zonder je te vervelen. Er is iedere dag wel

V&A Waterfront

iets te doen, in de zomer zijn er festivals en concerten, bijna altijd in de buitenlucht en gratis toegankelijk. De haven is nog gewoon in gebruik, de vissersboten liggen in de haven samen met de rondvaartboten. Je logeert hier in een comfortabele omgeving, waar alle vermaak binnen handbereik ligt.

Slapen

Cape Grace is een nieuw, elegant hotel, misschien wel het mooiste van de stad. Het ligt midden in de Waterfront en het is gebouwd op een pier, met water aan alle kanten. Vanuit de kamers kijk je over de Waterfront en de zee, of over de stad en naar de Tafelberg. Moeilijk te zeggen welk uitzicht mooier is. Alle luxe die je van een vijfsterrenhotel mag verwachten, is aanwezig in de Cape Grace. Het goede, beroemde onewaterfront Restaurant, de Bascule Bar die een geliefde plek is voor sundowners, de Spa: deze extra's maken Cape Grace een mooie keuze om te logeren.

Waterfront Village bestaat uit superdeluxe, gloednieuwe vijfsterrenappartementen, ter waarde van miljoenen randen: te huur voor korte of langere tijd voor toeristen. De dagelijkse service is als in een hotel, maar je moet zelf je ontbijt verzorgen. Er zijn grote (65m²) studio's, maar ook penthouses (tot 350 m² met vier slaapkamers en privézwembad). Alle appartementen hebben een zonneterras en zijn stijlvol, licht en comfortabel ingericht. Luxe badkamers en keukens. Centrale receptie, beveiliging, twee zwembaden.

Het **Radisson SAS Hotel Waterfront** is het mooist gelegen hotel van de stad. Het hotel ligt direct aan zee en heeft een eigen jachthaven. De ongelooflijke uitzichten en het restaurant, terras en rim-flow zwembad vormen een klein paradijsje op een prachtige locatie; dat is het geheim van het Radisson Sas. Steeds meer Capetonians ontdekken het, waardoor dit hotel een kosmopolitische sfeer krijgt en veel meer is dan een vijfsterrenhotel. De buffetten die Restaurant Tobago's serveert zijn een dagelijks terugkerend evenement, met koks die in de spray van de golven de gamba's staan te roosteren. De kamers zijn voorzien van alle luxe. Gasten kunnen gratis gebruikmaken van wireless internet, een shuttlebus naar de Waterfront (of 5 min. lopen), een dagpas bij Virgin Active Gym en aangepaste prijzen bij de Metropolitan Golf Club die aan de overkant van de straat ligt.

ℹ️ CAPE GRACE. www.capegrace.co.za
WATERFRONT VILLAGE. Tel. 021 4215040, West Quay Road, V&A Waterfront (naast Cape Grace). www.waterfrontvillage.info
RADISSON SAS HOTEL WATERFRONT. Tel. 021 4413000, Beach Road, Granger Bay. E-mail: capetown.info@radissonsas.co.za, www.radissonsas.com.

Eten

Een fantastisch uitzicht op de Tafelberg heb je vanaf het terras van **Baía**, op de eerste verdieping van Victoria Wharf, het winkelcentrum. Baía serveert visgerechten op Portugese wijze en heeft ook goede steaks. Er is geen betere plek om (bijvoorbeeld) je eerste avond in Kaapstad te vieren dan hier. De service is perfect maar wees op tijd met reserveren voor een tafel op het terras, anders zit je binnen op rode pluchen bankjes.

Belthazar bevindt zich naast de ingang van Victoria Wharf aan de kant van het water. Een favoriet restaurant in de Waterfront, omdat het eten erg goed is, het terras zulke lekkere stoelen heeft, de obers hun vak verstaan, de wijnkaart de grootste van het land is en de sommelier zich daarom geweldig uitleeft als hij je adviseert. Wijnliefhebbers moeten zeker naar Belthazar toe om de Vinotheque te bewonderen, een goed concept omdat ze gebruikmaken van nitrogen-technologie en daardoor 178 wijnen per glas kunnen aanbie-

den. Binnen zit je net zo leuk als buiten (dat kom je niet vaak tegen) en is de sfeer bruisend en vrolijk. Belthazar won prijzen voor het beste steakhouse, binnen kun je het vlees zien als je daar behoefte aan hebt. Op tijd reserveren, vooral in de zomer. Wachtend tot er een tafel vrij is, kun je je vermaken met wijn proeven.

Binnen in het winkelcentrum zit het favoriete adres van de Kaapse sushiliefhebber: Willoughby & Co. Favoriet is de 'hot rock 'n roll', een maki roll met tonijn of zalm, avocado, sesamolie en zeven kruiden en geschaafd zeewier. De locatie is niet alles, maar voor een snelle, zeer bevredigende maaltijd is **Willoughby & Co** een goed adres. De vis is super vers, de curries en salades zijn aan te raden. De vibe van de mall, vriendelijke bediening en goed eten maken dit een prima adres.

In de haven, letterlijk tussen de containers en de scheepsladingen in, staat **Panama Jack's**. Vroeger een goed bewaard geheim onder scheepslui, nu durven ook locals en toeristen (per taxi) dit restaurant te bezoeken (ga in geen geval lopend). Hier eet je (natuurlijk) vis, een geweldig adres om kreeft te eten of een andere versgevangen vis. Het restaurant heeft de uitstraling van een kantine, buiten zitten kan niet dus alle aandacht gaat naar het eten.

ℹ️ BAIA SEAFOOD RESTAURANT. Tel. 021 4210935, Shop 62 Upper Level, Victoria Wharf, V&A Waterfront. Geopend: dag. voor lunch en diner.
BELTHAZAR. Tel. 021 4213753, Shop 153 V&A Waterfront. www.belthazar.co.za
WILLOUGHBY & CO. Tel. 021 4186115, Shop 6132, Lower Level, Victoria Wharf. Geopend: dag. voor lunch en diner.
PANAMA JACK'S. Tel. 021 4473992, 2de straat links na Royal Cape Yacht Club in Cape Town Harbour. Geopend: dag. voor lunch en diner (op za. geen lunch). Reserveren aanbevolen.

WATERKANT

Een van de leukste plaatsen om te logeren

Cape Quarter, het pleintje met restaurants in de Waterkant

in Kaapstad is de Waterkant. De Waterkant geeft het gevoel van een dorp, compleet met stille straatjes en bloeiende bomen. Het stadse wordt ingegeven door de grote keuze aan restaurantjes, het uitgaansleven, bijzondere winkels en galeries. In de 18de eeuw reikte de zee tot aan deze wijk, vandaar de naam. In Loader Street werden de schepen gelost. In de huizen woonden slaven en ze dienden als pakhuis. De Waterkant is ook de verzamelplaats van de homoscene in super gayvriendelijk Kaapstad. Huur een huisje, kamer of appartementje in deze wijk en heb voor een paar nachten het gevoel dat je hier woont. Bij veel accommodatie heb je je eigen voordeur en bijna alles is persoonlijk ingericht.

Slapen

The Village Lodge heeft verschillende accommodatietypes, met veel smaak en luxe details ingerichte kamers en cottages, zwembad op het dak met superuitzicht.

Cottages verspreid over de wijk, ieder met hun eigen charme variërend van dakterras tot zwembadje en open haard.

Cedric's heeft twee monumentale panden, met in totaal negen kamers. In iedere lodge zijn een centrale keuken en lounge. Je kunt dus zelf je ontbijt maken of kiezen voor een ontbijtvoucher, te besteden in verschillende restaurantjes in de buurt. Mooi gerestaureerde huisjes verdeeld over Waterkant, Loader, Napier en Dixon Street vormen samen de **Waterkant Village**. Ze zijn te huur in hun geheel met een, twee of drie slaapkamers of als studio's (*crash pads* genoemd). De individuele architectuur en inrichting zijn geweldig. Vraag of je een paar huisjes mag zien. De dakterrassen, uitzichten en kunstwerken variëren. Binnenplaatsen, garages en open haarden zijn er ook. **De Waterkant House** is een groot pand met negen kamers en een gezamenlijke keuken en woonkamer. Er zijn een klein zwembad en een zonnig terras met uitzicht over de Waterfront. Voor het

Waterkant

ontbijt krijg je een voucher, in te wisselen bij Village Café, een gezellig cafeetje op de hoek van de straat. Het dorpsgevoel is dan compleet.

ℹ THE VILLAGE LODGE. Tel. 021 4211106, 49 Napier Street, De Waterkant.
www.thevillagelodge.com
CEDRIC'S LODGE. Tel. 083 3273203 (Inga)/083 3264438 (Jutta), Loader Street, De Waterkant.
www.cedricslodge.com
DE WATERKANT VILLAGE AND HOUSE. Tel. 021 4222721, receptie 1 Loader Street.
www.dewaterkant.com

Eten

Alles is even mooi en gestroomlijnd in **Tank**, van de sushi en de cliëntèle tot het interieur. De blikvanger is een gigantisch aquarium, dat zo uit het Two Oceans Aquarium lijkt te komen. Naast het restaurantgedeelte is de bar een bekende ontmoetingsplaats voor de hippe Capetonian.

Op de kaart staan vis- en vleesgerechten met Aziatische touch, heel modern gepresenteerd.

Andiamo is een levendig Italiaans restaurant met deli. Het grote terras op de binnenplaats van Cape Quarter is op koude avonden afgeschermd met doeken en de heaters branden, de gezellige warme sfeer doet het goed bij lekkere pasta's en pizza's. Bij de deli kun je allerlei lekkers afhalen, een enorme selectie met Italiaanse en Zuid-Afrikaanse gerechten en hapjes. Fungeert als een luxe buurtwinkel voor de selfcatering toerist die in de Waterkant logeert.

The Nose is gespecialiseerd in wijn en biedt advies én veel wijnen per glas. Iedere maand zijn er tien bijzondere wijnen geselecteerd. Eten is hier een feest, een gezonde mix van Zuid-Afrikaanse en Franse gerechten. Relaxte sfeer en dito publiek, waaronder veel locals die blij zijn met deze eerste *wine bar* in de stad. Binnen is het gezellig, buiten zit je erg leuk op het pleintje van Cape Quarter.

Restaurant **Dutch** heeft Kaapstad geleerd wat erwtensoep, kroketten en uitsmijters zijn. Mocht je daar geen heimwee naar hebben, dan kun je altijd nog een Hollands krantje lezen bij je Appletiser of rooibosthee. Een leuk adres waar je heerlijk buiten kunt zitten, met uitzicht op het straatleven in De Waterkant.

Een heerlijk plekje om te lunchen of een kopje thee te drinken met een bijzonder taarte is **La Petite Tarte**. De basis van alles hier is Frans: van de Mariages Frères-thee tot de (super) Croque Monsieur en de dagelijks wisselende quiches. Op het kleine terras aan de buitenkant van Cape Quarter is het echt genieten.

In het Turks/Koerdisch restaurant **Anatoli** zit je op de lage kussens in een gezellige sfeer. Legendarische schotels met kleine hapjes kunnen je de hele avond vermaken, maar houd een plekje over voor het buffet. Fantastisch eten, super service en Turkse koffie en muziek maken een avond bij Anatoli een gegarandeerd succes.

ℹ️ TANK. Tel. 021 4190007, Cape Quarter, De Waterkant Street. Geopend: ma.–za. voor lunch en diner

ANDIAMO. Tel. 021 4213687, Cape Quarter, De Waterkant Street. Geopend: dag. 9–23 uur.

THE NOSE RESTAURANT AND WINE BAR. Tel. 021 4252200, Cape Quarter, Dixon Street. Geopend: dag. 11–22.30 uur. www.thenose.co.za

DUTCH. Geopend: tot 17 uur van ma.–vr., tot 14.30 op za.

LA PETITE TARTE. Tel. 021 4259077, Dixon Street, Cape Quarter. Geopend: ma.–di. 8–17, wo.–vr. 8–laat, za. 8–14 uur.

ANATOLI. Tel. 021 4192501, 24 Napier Street. Geopend voor diner van di.–zo.

Late night

De Waterkant is de hipste buurt van Kaapstad. Hier vind je ook de meeste gaybars.

De gayscene in Kaapstad is enorm, dus het is er bijna altijd druk. Als je een avond echt wilt uitgaan, is de Waterkant 'the place to be'. Ook leuk aan de Waterkant is dat alle restaurantjes om de hoek van de clubs zitten, en je dus van je tafel direct naar de dansvloer kunt.

Opium is waarschijnlijk de meest bezochte club van Kaapstad. Hier vind je elke vrijdag en zaterdag 'hip and happening' Kaapstad. Terecht, want er draaien regelmatig bekende dj's, en er is veel werk besteed aan het design.

Pulse is de beste plek om te zijn voor studenten op de woensdagavond. Dames gratis, dus de heren volgen... Het trekt een redelijk jong publiek door de grote drukte en lage prijzen.

Sliver is een van de vele gayclubs in de Waterkant. Je vindt er ook veel hetero's, dit mede omdat ze als enige na vieren hun deuren nog open houden. Sliver heeft twee verdiepingen en een binnenplaats.

Cruz is een echte party place, geliefd bij de gayscene en andere hippe types. Er zijn altijd dansers, en de sfeer is er goed. De 'kunststukken' aan de wand en het plafond zijn het bekijken waard.

ℹ️ OPIUM. Tel. 021 421451, 6 Dixon Street.

PULSE. Tel. 021 4254010, 23 Somerset Road.

SLIVER. 27 Somerset Road.

CRUZ. Tel. 021 4215401, 21b Somerset Road.

KAAPS SCHIEREILAND

De gouden combinatie van de nabijheid van de natuur, terwijl je toch maar 20 of 30 minuten van de stad verwijderd bent: dat betekent logeren in Hout Bay of Simon's Town. Het autoritje voert over de prachtige kustweg en Hout Bay zelf heeft de haven en het strand als attracties. Simon's Town is echt een dorp, maar wel een leuk dorp dat aan zee ligt en bekend is vanwege de pinguïnkolonie op Boulders Beach. Vanuit Simon's Town ben je in een klein half uur in Kaapstad. Om 's avonds

Haven Hout Bay

op zee. Dit guesthouse ligt bijna op het strand, wat het vakantiegevoel vergroot. **The Beach House** is een lichte, moderne bed & breakfast met tien ruime kamers. De patio is zonnig en heeft uitzicht op zee, er is een zwembad en snel internet. The Beach House ligt aan het strand en vlak bij de vissershaven en Mariner's Wharf. **Monkey Valley** ligt in Noordhoek (aan de andere kant van Chapman's Peak Drive vanuit Hout Bay) en kijkt uit over het brede strand. Het prachtige complex is best groot, maar alle gebouwen liggen verspreid en verborgen tussen de milkwood bomen waardoor de huisjes redelijk wat privacy hebben. De huisjes met rieten daken en ander natuurlijk materiaal zijn luxe ingericht voor 4–8 mensen met twee of drie slaapkamers. Ze hebben ieder een balkon met uitzicht over dat mooie strand en de oceaan, waar je zo naartoe loopt. Wie zich met dit uitzicht installeert, hoeft voorlopig nergens meer naar toe. Er zijn een zwembad en sauna en het restaurant van Monkey Valley is al een aanrader op zichzelf. Op zondag komen families hier uitgebreid lunchen.

uit eten te gaan zijn er genoeg gelegenheden in deze dorpjes op het schiereiland.

Hout Bay

Slapen
Hoog in de bergen, tussen de bomen en met fantastisch uitzicht over het woud en de bergen erachter, ligt het luxe **Sunbird Mountain Retreat**. Er zijn drie selfcatering appartementen en een guesthouse (4 sterren) met drie kamers en een familiekamer. In het guesthouse wordt een heerlijk ontbijt geserveerd. In het grote zwembad kun je baantjes trekken met uitzicht. Midden in de natuur en toch zo dicht bij de stadse dingen.
Boven op de duinen van Hout Bay staat de **Dune Lodge**. De zes kamers, waarvan een familiekamer, hebben een mooi uitzicht

ℹ SUNBIRD MOUNTAIN RETREAT. Tel. 021 7907758, Boskykloof Road, Hout Bay. www.sunbirdlodge.co.za
DUNE LODGE. Tel. 021 7905847, hoek Northshore Drive en Victoria Avenue, Hout Bay. www.dunelodge.co.za
THE BEACH HOUSE. Tel. 021 7904228, Princess Street, Hout Bay. www.wk.co.za/beachhouse
MONKEY VALLEY. Tel. 021 7891391, Mountain Road, Noordhoek. www.monkeyvalleyresort.com

Eten

Helemaal aan het einde van de haven, voorbij de visverwerkingsbedrijven, staat de beste fish&chipstent van Hout Bay, **Fish on the Rocks**. Het leuke is dat je de vis kunt opeten aan zee, bij de kanonnen die Hout Bay vroeger moesten verdedigen. Op de weg naar het strand, helemaal aan het einde, staat **Dunes**. Een groot beachhouse waar je buiten fantastisch zit met je voeten in het zand. Reserveer een tafel voor buiten. Vooral goed voor een drankje of een simpele hap, want het is de locatie die Dunes zo leuk maakt.

Simon's Town

Slapen

Bijna op het strand en daarom bijna tussen de pinguïns slapen, dat kan in **Boulders Beach Lodge**. Een heel vriendelijke en goed verzorgde bed & breakfast, met twaalf kamers en twee selfcatering appartementen (voor 4–6 personen). Het restaurant is goed en gezellig en heeft een zonnige veranda. In een groot wit oud huis aan zee vind je de **Whale View Manor**. Een heel mooi guesthouse, dat met veel smaak is ingericht en een touch heeft van Afrika maar ook van de zee. De pinguïns lopen soms gewoon door de tuin. Heel ontspannen sfeer en als er walvissen zijn, heb je vanuit Whale View Manor een perfect uitzicht.

Tudor House by the Sea bestaat uit zes luxe selfcatering appartementen aan de hoofdstraat, dagelijkse service en van alle gemakken voorzien. De appartementen zijn verschillend qua maat en hebben 1, 2 of 3 slaapkamers.

ℹ️ BOULDERS BEACH LODGE & RESTAURANT. Tel. 021 7861758, 4 Boulders Place, Boulders Beach, Simon's Town. www.bouldersbeach.co.za

WHALE VIEW MANOR. Tel. 021 7863291, 402 Main Road, Murdock Valley, Simon's Town. www.whaleviewmanor.co.za

TUDOR HOUSE BY THE SEA. Tel. 021 7826238, 43 Simon's Town Road, Simon's Town. www.tudorhouse.co.za

Eten

Een van de meest spectaculaire settings in de Kaap is **Harbour House**. Het pand staat gedeeltelijk op palen die rusten op de rotsen van Kalk Bay. Met als gevolg dat de golven bijna over je bord slaan. En als er dolfijnen in de baai zijn, reken er dan op dat je eten koud wordt. In het geval van walvissen kom je waarschijnlijk niet eens aan bestellen toe. Je zit achter ramen, die helemaal weggeschoven kunnen worden bij mooi weer, maar als ze dicht zijn zit je hier ook eerste rang tijdens een storm. Wat het eten betreft, er kan niet veel misgaan zolang je van vis houdt: de vissers van Kalk Bay brengen iedere dag hun vangst naar de keuken. De gerechten zijn van hoge kwaliteit en de service is goed. Wel reserveren voor een tafel aan het raam.

Een lunch in de zon (vooral op zaterdag) bij **Kalky's** zou wel eens het hoogtepunt van de dag kunnen zijn: fish and chips, simpel maar perfect (kijk ook naar de mixed platters). Hier zitten de gezinnen van de vissers, de mensen uit het dorp, het is gezellig en iedereen geniet.

Olympia is het hoogtepunt van alle leuke tentjes in de Kaap: erg goede ontbijtjes, brood en ander lekkers wordt ter plekke gebakken (ook om mee te nemen!) maar kom ook voor het diner: de allerbeste tonijn, vers uit zee, eet je hier. Hun ciabatta is wereldberoemd aan het worden. De hele dag door zijn de tafeltjes bezet door locals van jong tot oud, maar ook toeristen weten dit café wel te vinden. Reserveren kan niet, maar wachten is de moeite waard.

ℹ️ HARBOUR HOUSE. Tel. 021 7884133, Haven Kalk Bay. www.harbourhouse.co.za

KALKY'S. Haven Kalk Bay. Dag. open tot 19 uur.

OLYMPIA CAFE AND DELI. Tel. 021 7886396, 134 Main Road, Kalk Bay. Keuken open dag. 7–21 uur.

CAPE TOWN-PICKNICK

En picknick klinkt altijd goed, het bete-kent gezelligheid, een vrije dag en mooi weer. Op je rug in het gras, een dutje in de zon of een wandeling erna. Hoe goed het ook klinkt, in Nederland doen we het maar zelden. Ook al heeft bijna iedereen onder-tussen zo'n rotan picknickmand vermomd als kerstpakket ontvangen. Nee, dan de Zuid-Afrikaan. Iedere gelegenheid wordt aangegrepen voor een picknick. Het is hier natuurlijk ook heel vaak mooi weer en je struikelt over de mooie plekjes waar je je kleed kunt uitspreiden. Hier maken ze zich er niet vanaf met een paar boterhammetjes in een zakje en een appel. Uit de koelboxen komen de mooiste maaltijden, gerechten en hapjes. Vrouwen rangschikken de geroos-terde kippen, taartjes en pastei op mooi ser-

vies en serveren vruchtenbowl, terwijl de mannen de koele flessen wijn ontkurken. Dit is het picknickgedrag van de mensen met genoeg geld en genoeg tijd. Het pick-nickgedrag van de minder rijken bestaat uit 2 liter ananaslimonade, een sixpack bier, een gegrilde kip en een paar zakken chips. Nie-mand maakt zich er bij een picknick of een gelijksoortige gelegenheid vanaf met één drankje en één hapje. De gemakspicknicker (tot wie de gemiddelde toerist ook behoort), rijdt langs de Woolworths of anders langs Pick 'n Pay, en vult zijn mandje met artikelen die gemaakt zijn voor het gemakkelijke bui-tenleven waar de Capetonian zo dol op is: ka-zen van Fairview, brood, gedroogd fruit, smeersels zoals tzatziki of feta-paprikadip, koude vishapjes, vruchtensap en natuurlijk wijn. Maak je niet druk over plastic bestek en servetten: bij de kassa's liggen die klaar.

Dit zijn de toplocaties voor een picknickje.

In en om Kaapstad

- **Kirstenbosch**. In de botanische tuinen is het echt genieten. De *Sunday Times* erbij en je bent een echte Capetonian. Vooral op zondagmiddag in de zomer, tijdens de concerten.
- **Oudekraal**. Aan de kustweg van Camps Bay richting Llandudno ligt het natuur-gebied van Oudekraal. Je kunt hier ook braaien, er staan braais op de picknick-plekken. Tussen de rotsen en het fyn-bos, een heel mooie plek met uitzicht op Camps Bay en Lion's Head. Geopend tot 19 uur, toegang R10 voor de auto.
- **Tafelberg Road**. Rijd voorbij het Lower

Massaal picknicken tijdens een concert in Kirstenbosch

Cableway Station over de weg langs de Tafelberg, voor magisch uitzicht over de stad. Er zijn genoeg mooie plekjes waar je in het gras kunt zitten of op een bankje.

- **Llandudno**. Een paradijselijk strandje in het dorp waar Madonna en Elton John een huis hebben. Ze hebben smaak, die twee. Behalve de villa's vind je in Llandudno niets commercieels, nog geen winkeltje. Dit opmerkelijke feit terzijde, want het gaat om het strand waar je zo goed kunt picknicken. Kom tegen zonsondergang (dan heb je ook meer kans op een parkeerplekje).
- **Bloubergstrand**. Alleen als het niet te hard waait. Hoewel je ook dan het klassieke plaatje van de Tafelberg met de baai op de voorgrond hebt. Voor een picknick met een view en misschien net iets te veel zand tussen je tanden.

Wijnlanden

- Verzorgde picknick, met allerlei hapjes en luxe aangekleed bij een van de wijnhuizen. De picknick wordt aan tafel gegeten, als je liever in het gras wilt zitten op een rustig plekje kijken ze daar niet raar van op. Aanraders zijn: Boschendal (Le Pique Nique), Delaire, Buitenverwachting (Constantia, tel. 021 7945190). Zie ook hoofdstuk 9, Wijnlanden.
- Je eigen picknick. Veel wijnestates geven hun gasten de mogelijkheid te genieten van de mooie omgeving. Sommigen hebben de regel dat je je picknickspullen bij hun deli moet kopen (wat meestal geen straf is) zoals bij Spier. Andere, zoals Waterford, zijn lekker gemakkelijk en daar mag iedereen die er zin in heeft verblijven tussen de sinaasappelbomen en aan de waterkant in het gras.

Basisuitrusting voor achter in de huurauto: een kurkentrekker, zakmes, glazen en een plaid om op te liggen. Als je er veel op uit trekt en liever niet op de grond zit, kun je voor een paar euro een opvouwbaar stoeltje kopen.

7

Stadswandelingen

Kaapstad leent zich perfect voor wandelen in het centrum. Het centrum is compact en er zijn veel voetgangers. Het Central Business District (CBD) ligt nog wat verder richting de Table Bay, onderstaande wandelingen leiden niet zo ver die kant op. Het is handig de term CBD te onthouden, je zult hem vaak horen. Maak deze tochten op een werkdag; op zaterdag sluiten de winkels om 13 uur, daarna is de stad uitgestorven tot maandagochtend. Omdat de kantoren in ieder geval gesloten zijn, is de sfeer dan ook veel minder levendig. Zondag is geen goede dag om in het centrum te zijn, er is niemand en dat maakt het minder veilig. 's Avonds eten of uitgaan in Long Street is veilig, zolang je niet de steegjes en zijstraten inslaat. Zoals in iedere stad, is het verstandig een aantal regels aan te houden voor de veiligheid van je spullen. Exposeer je rijkdom niet, dus houd sieraden heel bescheiden (doe liever als de locals en draag veel kralen kettingen en houten armbanden!) en stop je camera terug in je tas als de foto gemaakt is. Neem niet teveel contant geld mee (houd wel rekening met shoppen op Greenmarket Square).

WANDELING 1:
HISTORISCH MAAR SPRINGLEVEND

Deze wandelroute brengt de belangrijkste historische plekken samen. Het mooie aan geschiedenis is dat ze af en toe springlevend is. Hier in Zuid-Afrika wordt nog iedere dag geschiedenis geschreven. Deze wandeling geeft er een indruk van: historische gebouwen, musea, belangrijke straten, het park, de markt. Al deze plekken hebben vandaag de dag weer, of nog

◀ *Grand parade*   ▲ *Long Street met restaurant Mama Africa*

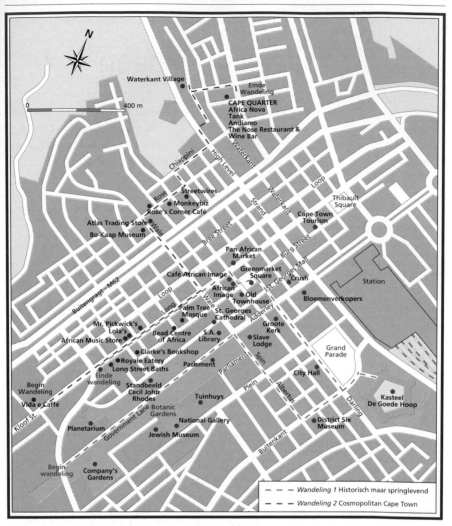

Stadswandelingen

steeds, hun rol in de historie van Kaapstad. Reken een hele dag om de het stadscentrum te verkennen: de musea (een selectie ervan) bekijken, het Kasteel bezoeken, lunchen, shoppen op Greenmarket Square en Long Street verkennen.

🚶 Afstand ongeveer 4 km, 1,5 uur lopen.

Company's Gardens
Start: **Company's Gardens**. Ingang aan de kant van de Tafelberg, tegenover het Mount Nelson Hotel. De groene long van

Kaapstad bestaat uit mooie tuinen en lanen, waarin talrijke (brutale) eekhoorntjes leven die dol zijn op de eikenbomen. Dit is de plek waar de voc in 1652 een groentetuin liet aanleggen, waardoor Jan van Riebeeck van de Kaap een bevoorradingsstation kon maken voor passerende schepen. Nu zetelt hier het **parlement** van Zuid-Afrika. Ook is hier het **Tuinhuys**, de residentie van de president als hij in Kaapstad is.

Drie musea zijn er maar liefst in de Gar-

Kasteel de Goede Hoop en het Central Business District

dens: het **South African Museum** met het **Planetarium**, de **South African National Gallery** en het **Jewish Museum**. Het standbeeld van **Cecil John Rhodes** maakt van de Gardens een geschiedenisboek in een notendop. Aan het einde van het park ligt aan je linkerhand de **National Library of South Africa**. Daarnaast staat **St. Georges Cathedra**, de kerk van aartsbisschop Desmond Tutu. Er worden vaak klassieke concerten gegeven, deze staan buiten aangegeven op een bord.

ℹ️ SOUTH AFRICAN MUSEUM AND PLANETARIUM.
Geopend: dag. 10–17 uur. Op zo. gratis.
www.iziko.org.za
SOUTH AFRICAN NATIONAL GALLERY. Geopend:
di.–zo. 10–17 uur. Op zo. gratis. www.iziko.org.za
SOUTH AFRICAN JEWISH MUSEUM. Geopend:
zo.–do. 10–17, vr. 10–14 uur.
www.sajewishmuseum.co.za

Slave Lodge en Groote Kerk

Rechtsaf aan het einde van de Gardens (Adderley Street) staat het gebouw waarin de voc haar slaven verhandelde. De slaven 'woonden' hier ook. Nu is de **Slave Lodge** een museum dat vertelt over de slavernij in de Kaap en de invloed ervan op de cultuur en op de bewoners van vandaag. Het museum geeft ook een algemeen beeld van slavernij. De eerste straat rechts is Bureau Street, op de hoek staat de **Groote Kerk**, de belangrijkste en oudste kerk van de Nederduits Gereformeerde Kerk waarvan de oudste delen nog stammen uit het jaar 1704. Je kunt hier binnenlopen op werkdagen van 10–14 uur. Bureau Street gaat over in Spin Street. Steek Plein Street over en vervolg de weg in Mostert Street. Aan het einde rechtsaf, Corporation Street in. Steek schuin over naar Albertus Street (eerste straat links).

ℹ️ SLAVE LODGE. Geopend: ma.–vr. 8.30–16.30, za.
9–13 uur. www.iziko.org.za
GROOTE KERK. Geopend: ma.–vr. 9.30–16.30,
diensten: zo. 10 en 19 uur.

District Six en Kasteel

Aan het einde loop je tegen het **District Six Museum** aan. Als je maar één museum

Bloemenverkopers in Adderley Street

Mandela na zijn vrijlating op 11 februari 1990 een juichende menigte toe. Het plein is niet het bruisende geheel dat je zou verwachten op zo'n centraal gelegen plek. Kijk hier uit voor zakkenrollers. Het busstation is aan de overkant van het plein, dit is een beruchte plek. Momenteel beraadt de gemeente zich over een nieuwe indeling en functie van het plein. De Grand Parade gaat over in Shortmarket Street, die na twee blokken uitkomt op Adderley Street.

ⓘ DISTRICT SIX MUSEUM. Geopend: ma.–do. 9–15, vr. 9–16 uur. www.districtsix.co.za KASTEEL DE GOEDE HOOP. Tel. 021 7871200. Geopend: dag. 9–16, tours: ma.–vr. 11, 12 en 14 uur. www.castleofgoodhope.co.za

kiest om te bezoeken in Kaapstad, kies dan dit. Het is een museum als geen ander. Redelijk surrealistisch is de overgang van het District Six Museum naar Kasteel de Goede Hoop. Je hoeft alleen maar drie blokken naar rechts te lopen in Buitenkant Street vanuit het District Six Museum, zo dichtbij ligt het Kasteel.

Kasteel de Goede Hoop is in 1666, een paar jaar na de aankomst van de VOC in de Kaap, gebouwd om de nederzetting te verdedigen. Het geel gepleisterde gebouw heeft veel Hollandse resten, en als je hier rondloopt, wordt duidelijk hoe groot de rol van de VOC was. De ingang (en uitgang) van het Kasteel liggen aan de **Grand Parade**. Op woensdag en zaterdag is hier een markt. Loop via de linkerkant van het plein (vanaf het Kasteel gezien) langs de **City Hall**. Vanaf het bordes sprak Nelson

Adderley Street

Deze drukke straat is het centrum van zakelijk Kaapstad, hoewel hier voornamelijk winkels zijn. De kantoren vind je nog iets verder richting de haven. Ga in Adderley Street rechtsaf, tot je bij de beroemde **bloemenverkopers** bent. Deze mannen en vrouwen, afkomstig uit de Bo-Kaap, verkopen hun product met veel zwier en charme. De bloemen zijn prachtig en niet duur. Vergeef het de verkopers als ze zweren dat hun bos wel twee weken mooi zal blijven, dat is onderdeel van het spel. Steek de straat over, ga Castle Street in. Je komt uit in **St. George's Mall**, sla links af en loop drie blokken tot Longmarket Street. St. George's Mall is een winkelstraat voor voetgangers. Het is hier vaak gezellig, er zijn fruitverkopers en muzikanten. De winkels zijn meestal ketens.

Hier is het eerste van de lunchadressen, meteen ook een van de betere in het centrum: **Crush**, 100 St. George's Mall, verkoopt verse, gezonde broodjes, soep en smoothies. Veel bankmedewerkers uit de buurt lunchen hier onder de parasols. Via Longmarket Street kom je op Greenmarket Square.

Greenmarket Square

Dit is dé plek om een Afrikaans souvenir te kopen. Vergeet niet af te dingen en kijk vooral je ogen uit. De verkopers en hun handelswaar komen heel vaak niet uit Zuid-Afrika maar uit landen als Congo, Malawi en Zimbabwe. Vooral het houtsnijwerk komt uit die landen. Echt Zuid-Afrikaans handwerk zijn bijvoorbeeld de artikelen die zijn gemaakt van blikjes en de voorwerpen met geregen kralen. Over kralen gesproken, je koopt hier de mooiste kettingen en armbanden voor niet al te veel geld. De markt is open van maandag tot vrijdag, tot ongeveer 17.30 uur (in de winter ruimen ze eerder op) en op zaterdag tot ongeveer 14 uur.

Buiten deze wandelroute om, is het een goed idee om **Cape Town Tourism** te bezoeken. Een perfecte plek om ideeën op te doen voor de resterende dagen in en om Kaapstad. Cape Town Tourism vind je in Burg Street, twee blokken rechtsaf de straat in die Greenmarket Square doorkruist.

In de **Old Townhouse**, inderdaad het vroegere gemeentehuis, is nu een museum gevestigd. De Michaelis Collection is een privécollectie met veel Nederlandse en Vlaamse schilderijen uit de 16de en 17de eeuw, waaronder werken van Rembrandt en Frans Hals. De toegang is gratis. De rustige binnentuin is een goede plek om even uit te rusten van de markt.

Naast de Old Townhouse loopt Burg Street, ga hier in en neem de eerste straat rechts: **Church Street**, bekend vanwege de antiekmarkt die hier dagelijks plaatsvindt. Op de hoek zit **African Image** (tel. 021 4232385), een winkel met Afrikaanse kunst op verschillende manieren geïnterpreteerd. Koffie uit Ethiopië en Uganda, goede sandwiches en creatieve salades serveren de eigenaars van African Image bij hun **café** in Church Street. De supervriendelijke bediening en het vernieuwende decor brengen bruisende Afrikaanse sferen boven. Hier vertrekt niemand zonder glimlach. Aan het einde van het eerste blok van Church Street sla je linksaf Long Street in.

ⓘ GREENMARKET SQUARE. Geopend: ma.–vr. tot 17.30, in de winter eerder dicht; za. tot 14 uur.
CAPE TOWN TOURISM. Hier kun je o.a. terecht voor informatie, hotelboekingen, autohuur, boekingen voor National Parks. Geopend: dec.–mrt. ma.–vr. 8–19, za. 8.30–14, zo. 9–13; apr.–nov. ma.–vr. 8–18, za. 8.30–13, zo. 9–13 uur. www.tourismcapetown.co.za
OLD TOWNHOUSE (MICHAELIS COLLECTION). Geopend: ma.–vr. 10–17 uur. www.iziko.org.za

Long Street

Long Street is een leuke levendige straat: antiekzaken, boekhandels (antiquariaten), hippe koffietentjes, kledingwinkels van lokale ontwerpers, veel cafés en bars en een rijtje backpackershostels.

Twee blokken naar rechts vanuit Church Street is op nr. 76 de **Pan African Market** gevestigd. In dit gigantische pand waan je je in een andere wereld: in alle kamertjes en gangen zit een verkoper met spullen uit zijn eigen land. Uit alle hoeken klinken verschillende Afrikaanse muziekstijlen. Maskers uit Congo, stoffen uit Mali, beelden uit Ghana, giraffen uit Zimbabwe en gerecyclede blikjes uit Zuid-Afrika. Ook al koop je niets, klim een paar verdiepingen omhoog en dwaal door deze caleidoscoop van het continent. 's Avonds is Long Street een van de uitgaanscentra. Er zijn veel leuke restaurantjes, dus de wandeling

Bo-Kaap grenst aan het Central Business District

kan hier prima eindigen. Wil je terug naar het begin, ga dan aan het einde van Long Street links, volg de bocht en je staat weer tegenover het Mount Nelson en de ingang van de Company's Gardens.

WANDELING 2: COSMOPOLITAN CAPE TOWN
Kaapstad is een kosmopolitische stad in de ware betekenis van het woord. Kijk op een feestje om je heen en je ziet dat minstens de helft van de mensen hier niet is geboren. Kijk je naar de geschiedenis, dan is de invloed op de bevolking door immigranten, slaven en scheepslui uit Europa en Azië enorm. Kaapstad, meer nog dan Zuid-Afrika in het algemeen, is van oudsher een

HET RAPPORT VAN KAAPSTAD

Het is bekend: Kaapstad is een van de snelst groeiende reisbestemmingen ter wereld. Stad en omgeving bieden zoveel variatie dat verschillende doelgroepen aangesproken worden. Iemand moet wel heel buitensporige eisen stellen, wil daar in een vakantie naar Kaapstad niet aan voldaan kunnen worden. Dit is hoe de internationale reiswereld Kaapstad beoordeelt.

- Een van de tien mooiste steden ter wereld – *US Travel & Leisure Magazine*
- Beste bestemming in Afrika en Midden-Oosten – *US Travel & Leisure Magazine*
- Cape Town International beste vliegveld van Afrika – *World's Airport Award*
- Favourite Foreign City in 2004 en 2005 – *UK Telegraph*
- Ideale reisbestemming – *Sunday Times Top Brands Survey*
- Zuid-Afrika is (na Thailand) de best geprijsde vakantiebestemming ter wereld – *American Express Foreign Exchange Holiday Cost of Living comparing 12 Top Destinations*
- Voor Nederlanders is Zuid-Afrika (na USA) het tweede meest bezochte land buiten Europa

smeltkroes. Men is hier zo gewend met andere culturen om
te gaan, aan toeristen die blijven hangen en een huis kopen,
aan buitenlandse bedrijven die
zich vestigen, dat mensen in
het dagelijks leven gemakkelijk omgaan met invloeden van
buitenlanders.

Deze wandelroute start in
Kloof Street, het epicentrum
van hip Kaapstad. Maak deze
wandeling op werkdagen of
vroeg op de zaterdagochtend.
Vooral in de Bo-Kaap is de sfeer
leuk op zaterdagmorgen, maar
zorg wel dat je voor 13 uur in
de Waterkant bent.

Van de sfeer in Long Street
moet je even een vleugje meepikken, het is een mix van kleine winkeltjes, cafeetjes, bars,
backpackerhostels en eettent-
jes. De meeste zijn gevestigd in
oude victoriaanse panden met balkons
van gevlochten ijzerwerk en wit gespoten
krullen langs de gevels. De Bo-Kaap is een
uniek stukje Kaapstad, met felgekleurde
huisjes, kinderkopjes in de straten, kruide-
nierswinkels en de dertien moskeeën van
de moslimgemeenschap. Je eindigt in de
Waterkant, een supertrendy maar gemoe-
delijke wijk die bekend staat om de open
sfeer waar de gayscene zich thuis voelt. De
prachtig gerestaureerde huizen in de Waterkant staan in steile straatjes, waar tuin-
tjes, dakterrassen, oude bloeiende bomen,
kinderkopjes en de mooiste pastelkleuren
om aandacht vragen. Op het Italiaans aan-
doende pleintje van Cape Quarter – met
rond de fontein een aantal restaurants en
winkels – eindigt deze wandeling.

🏃 Deze wandeling is niet zo lang, zonder stops
doe je er ongeveer 1,5 uur over.

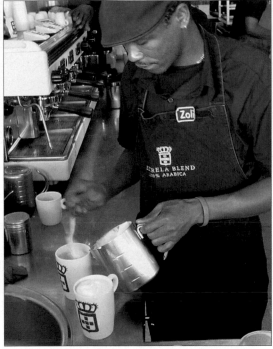

Vida e Caffé

Kloof Street

Start in Kloof Street ter hoogte van Rheede
Street. **Vida e Caffé** is dé plek om te zien
waar het in trendy Cape Town om gaat.
Vanwege de locatie van Vida – vlak bij de
televisiestudio's, modellenbureaus, de cluster van makelaarskantoren en op de route
richting het centrum vanuit de wijken
Tamboerskloof en Gardens – is dit een plek
waar zakenmensen, modellen, studenten
en mensen die creativiteit nodig hebben,
samenkomen. Het mooiste is, de koffie is
fantastisch en waarschijnlijk écht de beste
van de stad. De Mozambikaanse *barristas*
(coffee masters) maken al swingend je bestelling klaar en roepen je bonnummer
door de zaak als die klaar is. Na de koffie
loop je naar links Kloof Street uit, met je
rug naar de Tafelberg. De winkeltjes naast
Vida e Caffé zijn het werk van onafhankelijke, jonge ontwerpers. Aan het einde van
de straat steek je over, naar Long Street.

Authentiek: Rose's Corner Cafe in de Bo-Kaap

Long Street

Rechts op de hoek zijn de **Long Street Baths**, een overblijfsel uit de tijd dat Long Street nog bij de moslimwijk hoorde. Verderop staat ook de **Palm Tree Mosque**, een ander overblijfsel uit die tijd, met een eenzame palmboom voor de deur. In Long Street vormen de cafés, boekhandels, antiekzaken en bijzondere kledingwinkels een lange kleurige ketting. Het is hier overdag en 's avonds druk, vooral aan het einde van de week als het uitgaansleven losbarst. In de zomermaanden is het bijna elke avond feest in de vele bars en clubs. Let op de volgende adresjes: **African Music Store**, nr. 134, muziekspeciaalzaak, goed advies; **Royale Eatery**, nr. 279, gourmetburgers, favoriet bij filmsterren en locals; **Lola's**, nr. 228 leuk en goed vegetarisch café met terras; **Clarke's Bookshop**, nr. 211, heeft veel boeken over Zuid-Afrika en het continent plus tweedehands boeken; **Bead Centre of Africa**, nr. 207, kralenspeciaalzaak, dient ook als groothandel en heeft enorm assortiment; **Mr. Pickwick's**, nr. 158, milkshakes en goede broodjes.

Bo-Kaap

Ga bij het kruispunt met Wale Street (de eerste drukke straat), linksaf. Volg Wale Street en steek Loop Street, Bree Street en Buitengragt over, tot je in de Bo-Kaap bent. De straat is hier breder en de auto's staan opvallend nonchalant geparkeerd. Dit is de Bo-Kaap, een wereldje op zichzelf. Lees voor de achtergrond over deze wijk hoofdstuk 3, Het Afrikagevoel. Wale Street is de hoofdstraat met het **Bo-Kaap Museum** en daar tegenover de groothandel in kruiden **Atlas Trading Store** en het adres voor een samoosa-snack, **Rose's Corner Cafe**.
Loop een stukje naar boven Wale Street tot je aan je rechterhand een van de mooiere straten ziet: Chiappini Street. Loop

hierin en ga na drie blokken rechtsaf Longmarket Street in. Ga een blok naar beneden tot je uitkomt in Rose Street, hier ga je links. Op nr. 43 zit **Monkeybiz**, ontstaan als een sociaal project. De poppen en dierfiguren van Monkeybiz, gemaakt met kleine kralen, zijn beroemd aan het worden en worden inmiddels ook in Europa door een paar winkels verkocht. Eén blok verder zit rechts om de hoek, in Shortmarket

Waterkant

Street, een soortgelijk project: **Streetwires** werkt ook met kralen maar ze maken heel andere dingen. Je kunt een rondleiding krijgen waarbij uitgebreid verteld wordt hoe Streetwires werkt. De winkel op de eerste verdieping is erg de moeite waard.

Waterkant

Na Streetwires loop je terug naar boven, je blijft in Shortmarket Street. In Chiappini Street ga je rechtsaf. Op High Level Road, een drukke verkeersader, ga je links. Steek schuin over en ga Vos Street in. Dit is de Waterkant. Op de hoek van Vos Street en Loader Street zit de centrale receptie van de **Waterkant Village**, een verzameling panden die je geheel of gedeeltelijk kunt huren als vakantieverblijf. Een fantastisch concept met heel verschillende accommodatiemogelijkheden, in alle prijsklassen. Overeenkomst is dat je bijna altijd je eigen voordeur hebt, waardoor het lijkt alsof je hier eventjes woont.

Loader Street is een ansichtkaartstraatje, in de unieke Waterkant-stijl. Het voelt als een klein dorpje waar smaak en stijl de boventoon voeren. Toch is de sfeer heel ontspannen, een bijzondere combinatie. Aan het einde van Loader Street leidt de straat

naar rechts, De Smids Street in. Ga direct weer rechts, Waterkant Street in (deze loopt parallel aan Loader Street). De huizen die je in deze straten ziet, zijn voor 60 procent in handen van buitenlanders, die het huis hebben ingericht en het af en toe zelf gebruiken. Ze verhuren hun pand via Waterkant Village. Dit betekent een logeeradres in een prachtig gerestaureerd pand dat goed en gerieflijk is ingericht. Waterkant Street komt uit op Dixon Street, waar de **Cape Quarter** is gevestigd. De Cape Quarter is een groep gerestaureerde pakhuizen, waar nu kleinschalige kantoren, restaurants en winkeltjes gevestigd zijn. Let op **Africa Nova**, de mooiste Afrikaanse voorwerpen voor in huis, oud en nieuw door elkaar. Op het binnenplein is een aantal restaurants om de fontein gegroepeerd. **Tank** (hip, vis, sushi), **Andiamo** (Italiaan met deli om mee te nemen) en **The Nose Wine Bar** (gericht op de combinatie van wijn met lekker eten, goede bediening) zijn alle drie goed, zij het heel verschillend. De wandeling eindigt hier, maar het genieten waarschijnlijk nog niet.

ⓘ BO-KAAP MUSEUM. 71, Wale Street. Geopend: ma.–za 9–16 uur.

DE KAAP VOOR KIDS

Kaapstad is ideaal om met kinderen naar toe te gaan. Het klimaat is aangenaam, er is heel veel te doen wat kinderen leuk vinden, het eten is goed en, niet onbelangrijk: Zuid-Afrikanen zijn dol op kinderen. Toegangsprijzen zijn erg laag of kids hebben gratis entree. De natuur zorgt voor veel ruimte voor kinderen om te spelen en te ontdekken.

Topattracties

De topattracties van de Kaap zijn net zo leuk en indrukwekkend voor kinderen als voor volwassenen: met de kabelbaan naar de top van de Tafelberg, de haven van de Waterfront, de botanische tuinen van Kirstenbosch (om eindeloos te rennen en te spelen), de stranden, Kaap de Goede Hoop voor de uitzichten en natuurlijk de scheepswrakken en de pinguïns op Boulders Beach. Een rondvaart vanuit de Waterfront over Table Bay en wandelen langs de Twelve Apostles boven Camps Bay zijn echte gezinsactiviteiten. Robbeneiland is zeker te begrijpen en te bevatten voor geïnteresseerde kinderen vanaf een jaar of 9.

Het **Two Oceans Aquarium** in de Waterfront (tel. 021 4183823, Dock Road, V&A Waterfront) is de moeite waard voor volwassenen, maar kinderen zullen het helemaal mooi vinden. Geopend: dag. 9.30–18; voedertijden: haaien 15.30, pinguïns 12 en 15, zeeleeuwen 14.30 uur. www.aquarium.co.za

Het **Planetarium** bij het South African Na-

Gek op kinderen

Simon en Joppe hebben een pinguïnvriendje.

Walk, het gigantische winkelcentrum aan de N2. Compleet met heftige achtbaan en wildwaterbaan, is dit een echt attractiepark in Afrikaanse stijl. Zuid-Afrikaanse families vinden dit het toppunt en kinderen in het hele land dromen van een bezoek aan Ratanga Junction. Tel. 021 5508504, richting het vliegveld vanaf de N2, bij Canal Walk. Ratanga Junction staat

tional Museum (25 Queen Victoria Street, Company's Gardens) heeft speciale interactieve tentoonstellingen die erg leuk zijn voor kinderen die de sterrenhemel fascinerend vinden. Veel items in het museum hebben te maken met de Afrikaanse dierenwereld. Geopend: dag. 10–17, shows in het Planetarium ma.–vr. 14, extra di. 20, za. 12, 13 en 14.30 uur. www.museums.org.za/sam. Voor de ontdekkende types is het **MTN Sciencentre** (tel. 021 5298100, Century City, Entrance 5, Canal Walk Mall) een spannend geheel: de wetenschap laat zich hier van verschillende kanten zien door proefjes, spelletjes, filmpjes en laboratoria op interactieve wijze. Te bereiken via de N1, afrit Sable Way. Geopend: ma.–do. 9.30–18, vr.–za 9.30–20, zo. 10–18 uur. www.mtnsciencentre.org.za Speciale kinderattracties zijn er niet echt in de Kaap. Veel dingen in dit land zijn wel echt op gezinnen ingericht. Zo is in de Waterfront meestal van alles te doen en te zien voor kinderen, variërend van theater tot muziek en springkussens. Het wijnhuis **Spier** is ook een plek om kinderen mee naar toe te nemen: ze kunnen er cheeta's aaien, ponyritjes maken en lekker rondwandelen bij het buffetrestaurant Moyo. **Ratanga Junction** is een pretpark bij Canal

aangegeven. In ieder geval geopend van nov.–mei, bel in de overige maanden om te checken. www.ratanga.co.za **Tygerberg Zoo** is eerder een safaripark dan een dierentuin: de dieren lopen rond in grote afgezette gebieden en zitten niet in kooien. Er zijn leeuwen, luipaarden, cheeta's, antilopen, krokodillen, apen en vogels. Tel. 021 8844494, richting Paarl vanaf de N1. Tygerberg Zoo staat aangegeven.

Uit eten en logeren

Bij de meeste guesthouses en selfcatering accommodatie zijn kinderen welkom, maar vraag het voor de zekerheid na. Het plaatsen van een kinderbedje is vaak mogelijk. Kinderstoelen zie je nergens, behalve in een familierestaurant als Spurs. Spurs is een steakhouseketen met een ver doorgevoerd indianenthema, waar kinderen helemaal in de watten gelegd worden terwijl je er als ouders prima eet. Je vindt Spurs in alle winkelcentra en vele andere plaatsen. Uit eten gaan in het prijswinnende restaurant Reuben's in Franschhoek zullen veel kinderen heel bijzonder vinden, vooral omdat hier een kindermenu is dat behoorlijk culinair uit de hoek komt. Reuben vindt het in ieder geval leuk om kinderen in zijn restaurant te hebben.

8

Actie! Sport en andere kicks

'Cape Town is the world's adventure playground.' Met deze slogan kreeg het bedrijf All Africa Adventures bekendheid. Voor extreme sporten zoals skydiven, sandboarden of kitesurfen biedt Kaapstad perfecte omstandigheden. Onder golfers staat de Kaap bekend om de tientallen prachtige banen. Surfers uit de hele wereld komen hier trainen en profiteren van de unieke surf. Mountainbiken, wandelen, rotsklimmen en abseilen zijn sporten waarvoor de bergen zich prima lenen. Zeilen op de Atlantische Oceaan met de Tafelberg aan de horizon is een sportieve uitdaging. Het water heeft nog wat verrassingen in petto: met een kajak Kaap de Goede Hoop ronden of duiken met de *great white sharks*... in en rondom Kaapstad kan dit allemaal. En in vergelijking met Europa (als daar zoiets al bestaat) of Australië en Nieuw-Zeeland, adventure en extreme sports-landen bij uitstek, liggen de prijzen hier een stuk lager.

🛈 ALL AFRICA ADVENTURES. Onafhankelijke informatie, werken alleen met de beste aanbieders in iedere sport of activiteit, online reserveren. www.allafricaadventures.com

Veel Capetonians zijn behoorlijk sportief en ze trekken er in het weekend massaal op uit. Er zijn in de Kaap ongeveer 80 wandelclubs en een veelvoud aan fietsclubs. Bedenk dat het landschap hier allesbehalve vlak is, dus dat maakt een fietstocht al snel erg sportief. Op een zonnige dag in het weekend rijdt op Chapman's Peak Drive een lange slinger van wielrenners en langs de zee in Sea Point of Camps Bay zijn meer mensen aan het hardlopen dan aan het wandelen. Ook golf is heel populair.

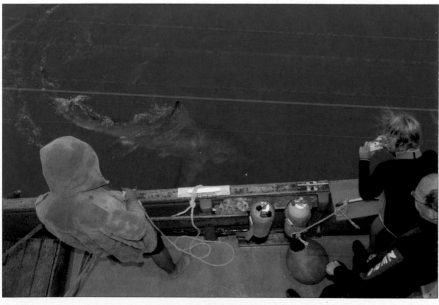

▲ *Cagediving*

Llandudno

SPORT: VAN GOLF TOT SKYDIVING

Surfen (golf/wind/kite)

Vanuit de hele wereld komen surfers naar de droombestemming Kaapstad. De golven komen vanuit Antarctica en de Kaapse stranden zijn de eerste kust die ze tegenkomen. Dat levert spectaculaire rollers op. Het mooie is dat het schiereiland aan alle kanten omgeven is door zee, dus bij alle windrichtingen is er een geschikte locatie.

Muizenberg (aan de False Baykust) is het meest beschutte strand en daarom geschikt voor beginners en long boarders. Short boarders zullen bij Big Bay (Blouberg) aan hun trekken komen. Llandudno is perfect als de wind uit het zuiden of zuidwesten komt. Een geweldige plek is Langebaan, aan de westkust (125 km via de R27). Hier is het strand extreem breed en heeft de wind vrij spel. Ook perfect voor kitesurfen. Ook Dolphin Beach bij Blouberg is populair bij kitesurfers. De Tafelberg op de achtergrond maakt het extra mooi. Kijk voor een weer- en windbericht (daily surf report) op www.wavescape.co.za.

ⓘ BLOUBERG WINDSURF AND LEISURE. Tel. 021 5541663. Materiaalverhuur, verkoop en advies. Accommodatie beschikbaar.

WINDSWEPT. Bloubergstrand. Tel. 082 9613070. Lessen in kitesurfen en windsurfen en verhuur. Accommodatie beschikbaar.

SURF ZONE. Victoria Road (boven Engen tankstation), Camps Bay. Golfsurfen.

GARY'S SURF SCHOOL, Surfer's Corner, Muizenberg. Tel. 021 7889839. www.garysurf.co.za Golfsurfen. Voor lessen, verhuur van wetsuits en boards.

CAPE SPORT CENTRE. Langebaan. Tel. 022 7721114. Voor kitesurfen en windsurfen, lessen en materiaalverhuur. Ook mountainbikes te huur. www.capesport.co.za

Duiken

Duiken bij Kaapstad is fantastisch maar heeft weinig te maken met gekleurde vissen, wuivende koralen of met aangename watertemperaturen. De Atlantische kust biedt iets anders: kelp en meerdere

Jachthaven van de Royal Cape Yacht Club

scheepswrakken zorgen voor een unieke duik. Bijzonder is ook duiken met de zeeleeuwen bij de kolonie die in Hout Bay leeft. Je zwemt in het midden van de kolonie en de seals zullen je vermaken met hun spel. Haaien en walvissen kunnen ook voorbij komen!

ⓘ TABLE BAY DIVING. V&A Waterfront, bij de aanlegplaatsen van de rondvaartboten tegenover Quay Four. Tel. 021 4198822. PADI gecertificeerd. www.tablebaydiving.com
SCUBA SHACK. 289 Long Street, Cape Town. Tel. 021 4249368. Glencairn (False Bay Coast) shop 2, Glencairn Shopping Centre. Tel. 021 7827358. PADI five star gecertificeerd. www.scubashack.co.za

Zeilen

Zeilen op de oceaan: die kans krijg je niet zomaar. Een boot huren is niet voor ieder een een optie: je moet een goede zeiler zijn maar vooral de extreem wisselende winden 'begrijpen' die in en om de Table Bay waaien. Een andere mogelijkheid is meezeilen met een lid van de Royal Cape Yacht Club: iedere woensdag aan het einde van de middag (aanwezig zijn om 16.30 uur, start 18 uur) is er een wedstrijd. Hiervoor kun je je aanmelden als gast, er is namelijk altijd bemanning te kort. Breng een sixpack bier mee voor de schipper en geef aan dat je hem wilt helpen, dan is hij tevreden. Of je ook inderdaad de handen uit de mouwen zult steken, hangt van de schipper af. Tegen 20 uur ben je weer in de haven, waar in het clubhuis een gezellige avond van Capetonian zeilers onder elkaar begint. Wil je weten of de Vliegende Hollander echt bestaat? Blijf dan hangen in de bar...

ⓘ ROYAL CAPE YACHT CLUB. Duncan Road, Foreshore. Tel. 021 4211354. Bel om te checken of de wedstrijd doorgaat. www.rcyc.co.za
OCEAN SAILING ACADEMY. West Quay Building, 327 West Quay Road, Waterfront. Tel. 021 4257837 (Zandra Dixon). Zeilschool, verhuur en meevaren met een schipper. www.oceansailing.co.za

Kajak

Kajakken is heel populair in Kaapstad. Je

ziet veel auto's rijden met een kajak op het dak en langs de kust zie je altijd wel een paar mensen in zo'n klein bootje. Een 'gewoon' tochtje vanaf het strand is al erg leuk, maar wel erg bijzonder is het om te kajakken bij de pinguïnkolonie in Simon's Town of bij de zeeleeuwen in Hout Bay. Je zit zo dicht bij het water dat je de dieren kunt aanraken. Deze tochten zijn bij kalm weer heel geschikt voor mensen die nog nooit een kajak van dichtbij hebben gezien. Beginners die durven, kunnen in Hermanus per kajak naar de walvissen gaan. Kajaks hebben permissie om zo dicht bij de walvissen te komen omdat ze geen geluid maken of afvalstoffen afscheiden. Alle tochten vinden plaats onder begeleiding. Voor peddelaars met lef (maar ervaring schijnt niet nodig te zijn) is er de mogelijkheid om Kaap de Goede Hoop te kajakken. Deze extreme tocht kan logischerwijs niet onder alle weersomstandigheden doorgaan.

ℹ️ REAL CAPE ADVENTURES. Tel. 021 7905611. De beste aanbieder. Tochten rondom Kaaps Schiereiland. www.seakayak.co.za
SEA KAYAK SIMON'S TOWN. Tegenover Bertha's Restaurant in het dorp. Iedere ochtend twee uur durende tocht langs de pinguïns. Ook naar Cape Point. Tel. 082 5018930.
www.kayakcapetown.co.za

Paardrijden

Paardrijden kan (bijna) overal maar er is een locatie op het Kaaps schiereiland waar ruiters van dromen: het strand van Noordhoek. Dit strand is ruig, het stormt er (bijna) altijd, het is 7 km lang en zo'n 500 m breed. Vlak bij het strand zijn maneges die ritten organiseren. Een rit maken in de wijnlanden bij Franschhoek is uniek vanwege het landschap en de wijnestates waar je langs komt. Bijvoorbeeld bij Mont Rochelle Equestrian Centre, waar je tijdens de tocht door de wijngaarden kunt proeven bij de estates of een tocht maken

door de Franschhoekvallei; zowel voor beginnende en gevorderde ruiters.

ℹ️ SLEEPY HOLLOW HORSE RIDING. Noordhoek. Tel. 021 7891202/083 3210196. Overnachtingen en lessen mogelijk.
MONT ROCHELLE EQUESTRIAN CENTRE. Franschhoek. Tel. 083 3004368.

Quad

Quads zijn meer dan lawaaiige snelheidsmonsters. In de Kaap worden ze ingezet als avontuurlijk vervoermiddel op een ontdekkingstocht door de natuur. Vanuit de Elgin Valley (een uur van Kaapstad verwijderd, net over Sir Lowry's Pass op de N2) vertrek je vanaf een appelboerderij de omgeving in. Die appelboerderij is geen toeval, deze regio is bekend door de appels die vanwege de superieure kwaliteit vooral naar Europa worden geëxporteerd. Het oer-Zuid-Afrikaanse (fris)drankje Appletiser komt ook uit de Elgin Valley. De eigenaar van Nature Discovery Tours heeft hier het biologisch telen van appels ingevoerd. Hij weet heel veel van de flora en fauna, de geologie en het landschap. De tocht is mooi en leerzaam en rijden op de quad is leuk. Lunchen doe je bij een 'geheime' waterval in de bossen. De tours zijn samengesteld in nauwe samenwerking met Cape Nature Conservation.

ℹ️ NATURE DISCOVERY TOURS. Brian Pickering, Grabouw-Elgin Valley. Tel. 021 8591989/083 4614567. www.naturediscovery.co.za

Golf

Golfers hebben een luxeprobleem in de Kaap. Er zijn 60 18-holesbanen, de talrijke 9 holes buiten beschouwing gelaten. Daarvan staan er 25 in de top 100 van de mooiste banen van het land. De Kaap is echt een golfparadijs. Nieuwe golfestates, waar buitenlanders (slim) investeren door een vakantiehuis te kopen, ontstaan steeds vaker in de Kaap en richting de Garden Route. Als speler kun je alleen

Ontdekkingstocht door de natuur per quad

maar je voordeel doen door te spelen op banen die ontworpen zijn door golfcracks als Ernie Els en Gary Player. Bezoek de grootste golfwinkel van Zuid-Afrika, waar je als Europeaan vrolijk wordt van de prijzen.

 THE PRO SHOP. 1 Joe Simon Street, N1 City (winkelcentrum), Goodwood. Tel. 021 5954555. Geopend: ma.–vr. 9–18, za. 9–17, zo. 9.30–13 uur. www.proshop.co.za

Websites over golf
www.tourismcapetown.co.za
www.golfersinformation.co.za
www.golfersworld.co.za

Mooie banen in Kaapstad

Metropolitan Golf Course, Kaapstad centrum. Deze 9-holesbaan ligt bij Green Point, tegen de zee aan en vlak bij de Waterfront. Uitzicht op zee en de Tafelberg maakt dat je vergeet dat je midden in de stad bent. De centrale ligging maakt dit een ideale baan om te spelen als je niet de hele dag de tijd hebt.

 METROPOLITAN GOLF COURSE. Fritz Sonnenberg Road, Mouille Point. Tel 021 4347808.

Milnerton Golf Club. De 18-holesbaan biedt het klassieke zicht op de Tafelberg: de oceaan met daarachter de berg. Hier met de green op de voorgrond. De ligging aan zee betekent een extra grote uitdaging als de zuidooster waait. Aan de andere kant wordt de baan begrensd door een lagune.

 MILNERTON GOLF CLUB. Wood Bridge Island, Milnerton. Tel. 021 5521047.

Royal Cape Golf Club. De koninklijke club is vanzelfsprekend de chicste. Mooi gelegen aan de westelijke kant van de Tafelberg, uitzicht op de hellingen van Kirstenbosch en Constantia. De club is gesticht in 1895 en was toen gevestigd waar nu de Metropolitan ligt, in de stad. 18 holes.

ℹ️ ROYAL CAPE GOLF CLUB. 174, Ottery Road, Wynberg. Tel. 021 7616551.

Steenberg. Ontwerper Peter Matkovich heeft zich uitgeleefd op deze 18-holesbaan, die in 2004 geopend werd. Tijdens het spelen kijk je naar Constantia, de bergen en de wijngaarden.

ℹ️ STEENBERG ESTATE. Tokai Road, Tokai. Tel. 021 7132233.

Logical Golf Academy. Ideaal om les te nemen of in een paar dagen je GVB te halen. Twee verdiepingen driving range en 9-holesbaan, goede pro's en op 20 minuten van het stadscentrum. Voor beginners en gevorderden.

ℹ️ LOGICAL GOLF ACADEMY. The River Club, Observatory Road, Liesbeek Parkway. Tel. 021 4486358, e-mail: academy@logicalgolf.co.za www.logicalgolf.co.za

Mooie banen in de wijnlanden

Pearl Valley. Deze 18-holesbaan, prachtig gelegen tussen Franschhoek en Paarl, is ontworpen door Jack Nicklaus en wordt beschouwd als een van de beste van het land. Onderdeel van een grote succesvolle projectontwikkeling.

ℹ️ PEARL VALLEY SIGNATURE GOLF ESTATE AND SPA. R301 tussen Paarl en Franschhoek. Tel. 021 8670761. www.pearlvalley.co.za

Spier/De Zalze Country Club. Midden in de wijngaarden golfen, dat kan op deze 18-holesbaan, ontworpen door Peter Matkovich. Uitzicht op de bergen rondom Stellenbosch.

ℹ️ SPIER/DE ZALZE COUNTRY CLUB. R44 (Strand Road), Stellenbosch. Tel. 021 880669. www.spier.co.za

SPANNEND VERVOER

Zonder wielen red je het niet in Kaapstad. In de stad kan een taxi prima voldoen, maar denk ook eens aan een scooter hu-

ren. Fietsen wordt niet gedaan, hoewel je af en toe wel iemand zijn leven ziet wagen. Dat is dan niet zelden een Nederlander. Zodra je de stad uitgaat, is een auto de beste keus. Hieronder een aantal opties om het vervoer spannend te houden, zodat het een avontuur op zichzelf wordt.

Huur een Cobra

Een Cobra? Het komt aan op je kennis van klassiekers, maar we hebben het hier over een klassieke open sportwagen, met veel chroom, ronde vormen en een lekkere 'grom'. Het maximum van genieten om met zo'n wagen over Chapman's Peak te rijden. Doet het ook goed op Victoria Road in Camps Bay.

ℹ️ CAPE COBRA HIRE. Dean Gillatt. Tel. 083 3219193. Minimumleeftijd 25 jaar. www.capecobrahire.co.za

Huur een Harley

Op een gloednieuwe Harley Davidson door de wijnlanden cruisen of over de kustwegen, daar beleef je toch meer plezier aan dan in een huurauto rijden. In Kaapstad hebben ze dat begrepen, dus kun je er zonder veel gedoe een huren. De mannen van de Harleyshop kijken niet gek op als je de huurperiode van een dag toch verlengt, dat zijn ze wel gewend.

ℹ️ HARLEY DAVIDSON CAPE TOWN. Tel. 021 4243990, 45 Buitengragt. www.harley-davidson-capetown.com

Huur een Vespa

Nieuwe Vespa's staan keurig op een rijtje (als je geluk hebt en ze niet allemaal verhuurd zijn) bij Café Vespa boven in Kloof Street; hier ook lekkere koffie, cocktails en lunch met de Tafelberg heel dichtbij. Deze tweepersoons scooters zijn een ideaal vervoermiddel in Kaapstad, waar parkeren niet altijd gemakkelijk is (en helemaal niet bij de stranden) en het verkeer druk kan zijn. Dat los je op met de scooter, daar-

Harley Davidson in rust

minuten. Veel andere mogelijkheden. www.nacmakana.com

HEFTIGE ADRENALINEKICKS

Adventuresporten zijn hot in de Kaap. Even buiten de stad of zelfs er binnen kun je heftige adrenalinekicks beleven. Alles is spectaculair en heel betaalbaar. Zuid-Afrikanen hebben hoge veiligheidsstandaarden en werken zeer professioneel. Kijk op de websites en laat je verrassen.

naast hoor je er helemaal bij in deze hippe stad. Nadeel is dat ze 150 cc vermogen hebben en volgens de lokale wet moet je een motorrijbewijs hebben om ze te rijden. Scooters van 125 cc mag je rijden met een gewoon rijbewijs (categorie B). Even handig en snel, maar niet zo mooi als de Vespa.

ℹ CAFE VESPA. Tel. 021 4265042, 108 Kloof Street, Cape Town.
LDV BIKING. Tel. 083 5280897, 13D Kloof Nek Road, kruispunt met Buitengragt. Goede deals voor 125 cc scooters en motoren. Erg klantvriendelijk www.ldvbiking.co.za

Huur een heli

Misschien niet direct als vervoermiddel van A naar B, hoewel dat ook geregeld kan worden (alles kan in Kaapstad!). Wel erg mooi om vanuit een helikopter te kijken naar het Kaaps schiereiland. De prijzen zijn gunstig, dat maakt het zeker de moeite waard een helikoptervlucht te overwegen. De spannendste vorm is in een ex-Vietnam US Marine Corps heli; met de deuren open wordt de rondvlucht gemaakt.

ℹ HUEY XTREME CLUB. Helibase, Waterfront. Tel. 021 4180207. NAC MAKANA. East Pier Road, Waterfront. Tel. 021 4253868. Tours van 15, 30 of 60

Abseilen en kloofing

Abseilen van de Tafelberg? Ja dat kan, je hoeft niet eens te reserveren want het team van Abseil Africa staat iedere dag boven aan de berg (naar rechts vanaf de kabelbaan) klaar om mensen naar beneden te helpen. Deze abseil is de langste (commerciële) ter wereld: 112 meter. Kloofing is een typisch Zuid-Afrikaans woord. Hierbij daal je af in een ravijn (kloof) door naast lopen af en toe te springen en vervolgens te zwemmen. Je springt dan in een diepe waterpoel of rivier. Er zijn ook stukken waar je abseilt, soms langs of door een waterval. Behoorlijk spectaculair dus. In andere landen noemen ze dit canyoning.

ℹ ABSEIL AFRICA. Tel. 021 4244760.
www.abseilafrica.com
FRIXION ADVENTURES. Tel. 021 4474985.
www.frixion.co.za

Paragliding

Kaapstad is een paradijs voor paragliders. De thermiek kan erg goed zijn, natuurlijk alleen als er geen wind is. De meeste kans hierop heb je in de maanden maart tot oktober, maar natuurlijk zijn er altijd windstille dagen in de zomer. Als je wilt

De hoogste bungeejump ter wereld (260 m) is de Bloukransbrug, 400 km van Kaapstad op de Garden Route.

paragliden, informeer dan op je eerste dag al naar de mogelijkheden in verband met het weer. Een belangrijk startpunt is Lion's Head, landen wordt dan gedaan op Camps Bay Beach of op de grasvelden van de Glen Country Club in Clifton. Hier kun je meteen doorlopen naar La Med om je prestatie te vieren. Op het terras van La Med hebben de vaste gasten al heel wat spannende landingen gezien, dus als er applaus komt weet je waarom dat is. Er wordt, als de wind meewerkt, ook gevlogen vanaf Signal Hill, Llandudno, Hermanus en Sir Lowry's Pass. Dat paragliding in Kaapstad een geweldige kans is op de mooiste uitzichten, maakt het ook voor beginners aantrekkelijk. Je kunt ook een tandemvlucht doen waarbij een ervaren paraglider het werk voor je doet.

 PARA-PAX. Tel. 082 8814724. Voor tandemvluchten. www.parapax.com

PARAGLIDING CAPE TOWN. Tel. 082 7276584

(Iain Willis). Een groep samenwerkende instructeurs die o.a. tandemvluchten aanbiedt. www.paragliding.co.za

Skydiving

Een vrije val maken uit een vliegtuigje, waarbij het de kunst is jezelf in balans te houden terwijl je door de lucht raast en op tijd je parachute open te laten gaan. Het prijspeil in Zuid-Afrika, in combinatie met de hoge kwaliteit, maakt het aantrekkelijk een cursus (Accelerated Free Fall Courses) te doen. De dropzone hier is weer eens wat anders dan die van Texel.

SKYDIVE CAPE TOWN. Tel. 082 8006290. www.skydivecapetown.zanet

Sandboarden

Snowboarden op de zandduinen: een simpel idee maar erg leuk. Je doet het in korte broek en hapt zand, in plaats van sneeuw (dat laatste is prettiger). De zandduinen liggen in Atlantis en Betty's Bay. Sandboar-

Cage diving: oog in oog met de great white shark

den is snel te leren, ook als je geen snow-
boarder of surfer bent.

ⓘ DOWNHILL ADVENTURES. Shop 1, Overbeek
Building, op de hoek van Orange en Kloof Street,
Cape Town. Tel. 021 4220388. www.downhillad-
ventures.com

Cage diving

Oog in oog met een great white shark, de
haai onder de haaien. In Gansbaai, waar
veel grote witte haaien leven in de baai
(omdat ze de zeeleeuwen eten die in de kolonie van Dyer Island leven), doen onderzoekers uit de hele wereld research naar
dit dier. Cage diving veroorzaakt geen blijvende verstoring voor het leefklimaat van
de haaien. Aan de boot waarmee je de zee
op gaat, zit een grote rechthoekige stalen
kooi vast. Hier klim je vanuit de boot in, je
draagt een wetsuit, duikbril en soms een
snorkel. Je bent met je hoofd net onder water en kunt dus altijd lucht happen. De
haai wordt gelokt met levend aas. Het is
niet de bedoeling dat de haai dat eet, omdat het dan zijn eetpatroon zou verstoren.

Er is meestal een deskundige aan boord,
bijvoorbeeld een marinezoöloog. Die vertelt heel veel over de haaien, hun gedrag
en leefomgeving. Veel van die kennis
wordt opgedaan op trips als deze. Erg interessant. Tours zijn weersafhankelijk,
wacht niet met plannen tot het laatste moment. Er is geen garantie dat je haaien zult
zien.

ⓘ MARINE DYNAMICS. Gansbaai. Tel. 028
3841005/082 3803405. Zij hebben gefilmd met
National Geographic en Discovery Channel.
www.sharkwatchsouthafrica.com
SHARK LADY. Hermanus (vertrekt uit Gansbaai).
Tel. 028 3123287. www.sharklady.co.za

Walvissen kijken

Hermanus is een van de beste en meest be-
reikbare plaatsen ter wereld om de southern right whale goed te kunnen zien.
Vanaf de kust, die hoog ligt, kun je kijken
in de baai waar de walvissen zich beschermd voelen in de tijd dat ze kalven en
hun kleintjes nog jong zijn. Nog beter te
zien zijn ze vanaf een boot. De natuurbe-

schermingswetten zijn zodanig opgesteld dat één bedrijf mag varen in een afgebakend gebied. De walvissen mogen ook niet dichterbij dan 300 m benaderd worden. Het grappige is dat walvissen nieuwsgierig zijn (hierin lijken ze op dolfijnen) en zelf letterlijk naast de boot gaan liggen. Dan besef je pas echt hoe groot ze zijn. En dat ze met een zwiep met hun staart de boot kunnen omgooien. Hoewel dit een boottocht is waar je zelf weinig hoeft te doen, valt deze daarom toch onder de categorie 'adrenaline'. De overtreffende trap is walvissen kijken per kajak. Het seizoen waarin er walvissen zijn is behoorlijk lang; in ieder geval van augustus tot november, maar in juli en december kun je geluk hebben. Bel het toeristenbureau om te vragen of 'ze' er (nog) zijn (iedereen weet wie je bedoelt!).

ⓘ COASTAL KAYAK TRAILS. Hermanus. Tel. 028 3410404. Verschillende routes mogelijk, met gids. www.kayak.co.za
DYER ISLAND CRUISES. Gansbaai. Tel. 028 3840406. De beste organisatie voor een walvistour. www.whalewatchsouthafrica.com
HERMANUS TOURISM BUREAU. Mitchell Street, Hermanus. Tel. 028 3122629.
www.hermanus.co.za

CREATIEVE WORKSHOPS

In Zuid-Afrika vind je een overdaad aan kunst en cultuur. Voor toeristen zijn er allerlei manieren om een workshop of korte cursus te doen, zodat je daar iets van leert. Veel mensen vinden het ook leuk om hun hobby van thuis ook eens in een ander land toe te passen. Andulela biedt creatieve workshops, die gegeven worden door lokale artiesten en die vaak gesitueerd zijn in de townships. Kijk op hun site voor meer informatie. www.andulela.com

Kralen en sieraden

Etnische modetrends hebben hun oorsprong in Afrika. Tijdloze schoonheid is van toepassing op Afrika, kijk bijvoorbeeld naar het vele hout dat wordt gebruikt. Het is dan ook geen wonder dat veel vrouwen (en mannen) met tassen vol Afrikaanse sieraden naar huis gaan. Maak zelf iets moois van de enorme keus in natuurlijke materialen, glazen kralen en ornamentjes.

Bij de African Beading and Township workshop leer je van een *beadingmaster* de fijne kneepjes van de Afrikaanse kralenkunst. Voorafgaand aan de workshop is er een wandeling in de township Kayamandi, bij Stellenbosch: een erg leuke tour.

Bij Streetwires kun je een workshop volgen en zelf met ijzerdraad en kralen aan de slag. In principe bepaal je zelf wat je maakt, maar waarschijnlijk is het eerder een sleutelhanger dan een sieraad.

ⓘ ANDULELA EXPERIENCE. Tel. 021 7902592 (Monique le Roux). www.andulela.com
STREETWIRES. 77 Shortmarket Street, Bo-Kaap. Tel. 021 4262475. www.streetwires.co.za

Wijn

De Cape Wine Academy is een hooggewaardeerd officieel instituut waar speciaal opgeleide vinologen cursussen geven in Kaapse wijn. Er zijn cursussen van een dag waarin je de belangrijkste dingen leert over wijn in Zuid-Afrika; Introduction in South African Wine. Veel locals doen ook zo'n cursus, het is niet speciaal voor toeristen opgezet. Er zijn verschillende locaties, soms in saaie zaaltjes: zoek een datum uit waarop de cursus bij een wijnestate wordt gehouden. Er zijn ook opleidingen voor mensen die beroepsmatig met Kaapse wijnen werken, zoals in de horeca en wijnhandel.

ⓘ CAPE WINE ACADEMY. Tel. 021 8898844. www.capewineacademy.co.za

Afrikaans koken

In Kaapstad bestaat naast Afrikaans koken, ook het Cape Malay-koken. Van beide gebieden kun je een indruk krijgen met de tours die Andulela Experience organiseert. Let wel, koken is bijzaak, het gaat om de herkomst van de recepten, de ingrediënten, de cultuur en gebruiken die erbij horen. Hun African Cooking Safari vindt plaats in Kayamandi, de township bij Stellenbosch. De Cape Malay Cooking Safari is een combinatie met een wandeltocht door de Bo-Kaap. Deze wordt uitgebreid beschreven in hoofdstuk 3.

ⓘ ANDULELA EXPERIENCE. Tel. 021 7902592 (Monique le Roux). www.andulela.com

Fan van alle sporten

Zuid-Afrikanen houden heel erg van sport. Ze volgen alles, kennen de spelregels, zijn hartverscheurend enthousiast. Rugby, cricket en voetbal (*soccer*) zijn het grootst. In rugby en cricket behoren de nationale teams tot de wereldtop. Tijdens de apartheid deed Zuid-Afrika niet mee op het wereldtoneel. De boycots golden ook voor sport. De Zuid-Afrikanen hebben heel wat in te halen op sportief gebied: qua prestaties en deelname, maar ook als het gaat om het gevoel dat hoort bij internationale happenings als de Olympische Spelen en het WK voetbal. Sinds Zuid-Afrika zijn getalenteerde sporters aan de wereld kan laten zien, zijn golfers zoals Ernie Els en Gary Player en de zwemmer Ryk Neethling wereldberoemd.

De belangstelling voor sport is opvallend. Niet alleen in de breedte (onderzoek wees uit dat 72 procent het WK voetbal 2006 in Duitsland volgde, terwijl Zuid-Afrika niet deelnam), maar ook in de diepte: men kent spelregels en spelers van polo tot tennis, en van windsurfen tot wielrennen.

Een wedstrijd bijwonen van een van de populaire Zuid-Afrikaanse sporten is een aanrader. Op die manier maak je de cultuur van dichtbij mee. Als je de spelregels van rugby of cricket niet kent, vraag het dan gerust aan je buurman. Waarschijnlijk is hij zeer vereerd dat hij jou mag inwijden in de regels van zijn geliefde sport... en grote kans dat je later bij hem thuis mee gaat braaien!

Tickets koop je bij Computicket, op hun internetsite staat de detailinformatie over de

Cape Argus Cycle Tour

wedstrijden. Kaartjes koop je on-
line of bij een van de Computic-
ket-kantoren (tel. 083 9158000).
Kantoren o.a. in Golden Acre
Centre, Waterfront, Gardens
Centre. www.computicket.co.za

Rugby

Rugby is de nationale sport. Het
was altijd een typisch blanke
Afrikaner aangelegenheid: tot
Zuid-Afrika wereldkampioen
werd in 1995 en Nelson Mandela in een Springboks-shirt het
podium opkwam. Rugby is de
passie van het hele volk, ieder-
een heeft er een zwak voor. Bij belangrijke
wedstrijden, tussen twee steden of als het
nationale team speelt, is het stil op straat.
De Springboks is de naam van het nationale team, hun groen met gele shirts worden
hartstochtelijk gedragen door hun fans.
Provinciale, internationale en Super 12-
wedstrijden worden gespeeld in het Newlands Rugby Stadium (tel. 021 6594600,
Boundary Road, Newlands). Het is het thuis-
stadion van de Stormers.

Cricket

Zuid-Afrika heeft een van de beste teams ter
wereld in cricket. Oorspronkelijk was het
echt een sport voor Engelssprekende blanken, maar de cricketbond ging zodra hij kon
op zoek naar talentvolle spelers in de townships. In Langa is een wedstrijdveld gebouwd. In 2003 werd de Cricket World Cup
in Kaapstad gehouden.
Tijdens het seizoen (september tot maart)
worden alle internationale wedstrijden gespeeld in het Newlands Cricket Ground (tel.
021 6573300, Camp Ground Road, Newlands).

Voetbal

Voetbal is populair. De teams zijn geen internationale toppers, het nationale team Bafana Bafana ('de jongens') presteert matig.
Nu Zuid-Afrika in 2010 gastland is van het
wereldkampioenschap voetbal, is de hou
ding wel aan het veranderen. De algemene
gedachte is dat de Nederlandse coach Guus
Hiddink het nationale team moet komen
redden. Voetbal is een stuk interessanter geworden voor veel mensen, al is hun belangstelling vooral op het buitenland geconcen-
treerd.
Ajax Cape Town is de belangrijkste club in
Kaapstad. De zusterclub van Ajax Amsterdam biedt plaats aan talent uit de townships, waar voetballen op straat het leukste
is wat de jongens zich kunnen voorstellen.
Zoals in zoveel Afrikaanse landen, is onder
hen veel talent. Benny McCarthy en Quin-
ton Fortune kwamen beiden vanuit Ajax
Cape Town bij Europese topclubs terecht.
De meest geliefde clubs komen uit Soweto:
Kaizer Chiefs en Orlando Pirates. Deze clubs
zijn heel groot en als zij in Cape Town tegen
Ajax spelen, zijn dat echte derby's.
De bekendste voetbalstadions zijn Green
Point Stadium (Beach Road), Athlone Stadi-
um (Klipfontein Road), Newlands Rugby
Stadium (Boundary Road). Het voetbalsei-
zoen loopt van augustus tot mei.

9

De wijnlanden

Of je nu vier dagen of drie weken in Kaapstad bent, het is zeker de moeite waard om een dag (of meer...) de auto te pakken en de wijnlanden in te trekken. Denk niet, ik heb in Frankrijk al genoeg gezien, want hier is het anders. Vol overgave storten de wijnhuizen zich op de kunst van het genieten en het zo mooi mogelijk maken van het leven.

In de eerste plaats maken ze bijna zonder uitzondering goede wijn tegen een eerlijke prijs. Er wordt gezegd dat een wijnboer in de Kaap wel erg rare sprongen moet maken om een slecht product voort te brengen, omdat de omstandigheden (klimaat, grond) zo perfect zijn. In de tweede plaats

zijn de meeste wijnestates een lust voor het oog. Het witte pleisterwerk van de oude Kaap-Hollandse boerderijen, het knallende groen van de grasvelden, prachtige tuinen en oprijlanen met imposante bomenrijen zorgen voor fotomomenten te over.

Daarnaast word je als bezoeker overal vriendelijk ontvangen en is er veel aandacht voor service. Vaak kun je de gebouwen bekijken, die bij een paar grote wijnhuizen als museum zijn ingericht. Op sommige plaatsen kun je een tour door de wijnkelder maken en overal kun je wijn proeven. Bijna altijd krijg je daar een korte toelichting bij, zodat je weet wat je proeft.

◀ *Vanaf maart kleuren de wijnstokken in herfsttinten.* ▲ *Wijnkelder*

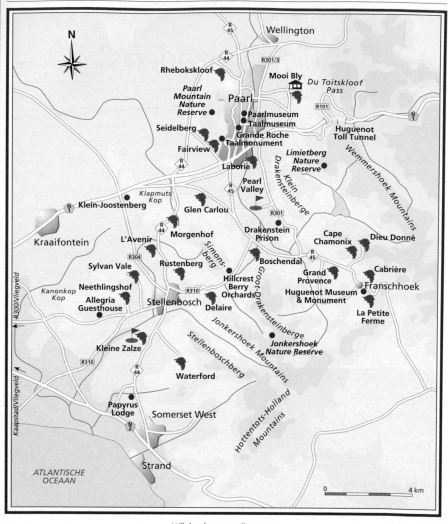

Wijnlanden met wijnestates

Dat is heel normaal, want de meeste wijnproevers zijn geen professionals: ze weten wat ze lekker vinden maar veel meer kennis is er niet. Het wordt je allemaal met plezier uitgelegd.

Last but not least kun je bij veel wijnhuizen heerlijk eten. De grote huizen hebben vaak meerdere restaurants, een voor de relaxte lunch of voor een kop koffie, het andere voor formele lunches en diners. De kwaliteit is hoog en de gerechten zijn vaak creatief. Een prima gelegenheid om te testen hoe de wijn smaakt bij het eten. Een dagje wijnlanden is eigenlijk een kwestie van proeven, eten, uitbuiken en je vergapen aan de mooie landschappen. Het enige nadeel is dat je keuzes moet maken in de wijnhuizen die je gaat bezoeken én dat een persoon uit je gezelschap de Bob zal moeten zijn...

WIJNPROEVEN

Het idee achter wijnproeven is natuurlijk dat het je helpt om te besluiten of en wat

je wilt kopen. Hoewel veel mensen wat flessen kopen, hoef je je absoluut niet verplicht te voelen. De douane laat je slechts drie flessen per persoon meenemen, dus dat schiet niet op. Wel is proeven een mooie gelegenheid om het een en ander aan kennis op te doen en dit te projecteren op je keuze van wijn in restaurants. En een flesje koud zetten in de minibar van je hotel of om in je picknickmand te stoppen, is ook geen slecht plan.

Bij aankomst in de proefruimte krijg je een lijst met daarop de wijnen die beschikbaar zijn om te proeven. Meestal kun je er vier, vijf of zes kiezen. Hier komt het karakter van het wijnhuis om de hoek kijken. De commerciëlen laten je er vier proeven tegen betaling van R20. Waarbij je nog R1 moet betalen voor wat crackertjes. Dit in tegenstelling tot de wijnhuizen in de regio Robertson en sommige in Durbanville en Stellenbosch, waar proeven gratis is en de flessen soms in hun geheel op tafel komen. 'Schenk zelf maar', zeggen ze, 'dit is hoe proeven ooit bedoeld is en

wij zijn niet van plan om commercieel te gaan.' De meeste wijnhuizen vinden het midden tussen deze uitersten en vragen R10 of R15 voor een proeverij, waarbij je voorzien wordt van een flink gevuld proefglas, crackers, water én uitleg. Sommige mensen kopen het proefglas (met logo) bij ieder wijnhuis waar ze zijn geweest als souvenir.

In het Cape Town Visitors Information Centre bij The Clocktower in Waterfront heeft Cape Wine Master Ligia de Coito haar passie voor wijn en de wijnlanden omgezet in de Wine Desk. Haar missie is het wijntoerisme te perfectioneren. Dat doet ze door tours aan te bieden, waar je met maximaal zeven personen onder leiding van een gids die opgeleid is aan de Cape Wine Academy een paar bijzondere wijnestates bezoekt. Op iedere dag van de week is er een vaste tour. De Wine Desk adviseert ook als je zelf op pad wilt, maar niet goed weet waar te beginnen. Ze weten ook alles te vertellen over eten en logeren in de wijnlanden. Laat je informeren en doe je voordeel met de kennis en het enthousiasme van de mensen van de Wine Desk.

Als je op een professionele manier meer wilt leren over wijn, kun je bij de Cape Wine Academy een introductiecursus volgen. In een hele dag of in drie avonden leer je over de geschiedenis van de wijncultuur, over wijn in combinatie met eten, viticultuur en wijn maken. Natuurlijk wordt er ook veel geproefd. De cursus wordt afgerond met een theorie-examen.

ⓘ WINE DESK AT THE WATERFRONT. Tel. 021 4054550. www.winedeskwaterfront.co.za CAPE WINE ACADEMY. Tel. 021 8898844. www.capewineacademy.co.za

STELLENBOSCH

Stellenbosch heeft de grandeur en het stille van de tweede oudste stad van het land en combineert dat met de levendige sfeer

JOHN PLATTER SOUTH AFRICAN WINE GUIDE

John Platter South African Wine Guide

Dit is het naslagwerk en de koopgids van de Zuid-Afrikaanse wijngoeroe. Ieder jaar in november ligt de nieuwe gids hoog opgestapeld in de winkels. Platter werkt met een snel te doorgronden ster-rensysteem. Van de wijnestates ver-meldt hij ook de openingstijden, of er een restaurant, keldertour en dergelijke zijn. Handig dus tijdens het ontdekken van de wijnlanden en een mooi souvenir, waarvan je heel wat op kunt steken. Het kan ook helpen je keuze te bepalen als je worstelt met die enorme wijnkaarten in de restaurants. Ook prettig dit boek door te nemen als je twijfelt over welke drie flessen wijn de moeite waard zijn om mee naar huis te nemen. Platter is echt compleet: ook de literpakken en de private labels van de supermarkten beoordeelt hij. En let op de spotgoedkope prijzen.

De *John Platter South African Wine Guide* is te koop bij boekwinkels en bij veel wijnestates, uitgever Newsome McDowell. www.platterwineguide.com

en de joie de vivre van een studentenstad. De Universiteit van Stellenbosch, gesticht in 1918, heeft zo'n 17.000 studenten die het kalme stadje flink doen opleven. Niet dat het hier altijd feest is, maar de jonge, internationale groep mensen drukt zeker een stempel op de plaats.

Gouverneur Simon van der Stel had geen idee dat de plaats waar hij zijn naam aan gaf, zou uitgroeien tot zo'n belangrijke plaats. Hij was degene die de eiken liet planten die nog steeds langs de wegen en op de pleinen staan. Eikestad, de tweede naam van Stellenbosch, zie je terug in na-men van winkels, restaurants, de lokale Mercedes-garage en als titel van het lokale weekblad. De eiken, de Kaap-Hollandse huizen, de vele blanke Afrikaners, de aan-geharkte straten – ze geven je het gevoel dat je in Nederland bent.

Afrika kan niet verder weg zijn dan in Stel-lenbosch. Wat misschien niet is waarnaar je op zoek bent, maar dat maakt het niet minder interessant. Afrika wegwerken,

dat was precies wat de stichters van het apartheidsregime voor ogen hadden. Dr. Hendrik Verwoerd, uit wiens brein de meest vergaande onderdelen van de apart-heid ontsproten, is hier geboren en geto-gen. Veel van zijn stadsgenoten waren ook zijn partijgenoten. Hoewel je dat de stad en de inwoners niet mag aanrekenen, valt er toch niet te ontkomen aan een bepaalde sfeer. In sommige dingen is Stellenbosch nog ouderwets.

Al met al is Stellenbosch een aardig stadje om doorheen te wandelen of te verblijven. Er zijn leuke winkels en terrasjes en de ge-bouwen en eikenbomen van 300 jaar oud maken het tot een aangename omgeving. 's Avonds kun je veilig rondlopen, met in-achtneming van de 'gezond verstand'-re-gels. Het grote grasveld met Kaap-Holland-se huizen eromheen, 'Die Braak', is het hart van de stad en was vroeger het centra-le plein. Tussen Die Braak en de universi-teit, die naar het oosten ligt, ligt Dorp Street. In Dorp Street en in de zijstraatjes

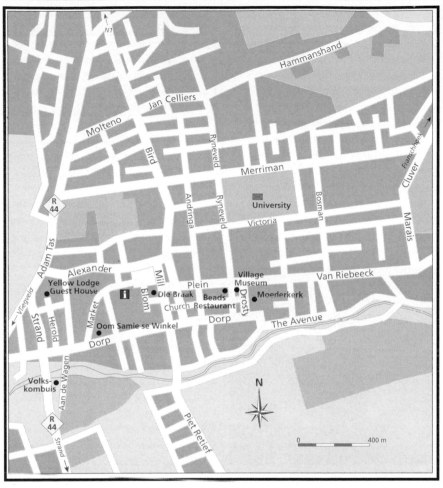

Stellenbosch

vind je de meeste winkeltjes en restaurants.

Stellenbosch heeft 75.000 inwoners, maar heeft de sfeer van een dorp. De mensen lijken niet al te veel haast te hebben en verplaatsen zich soms zelfs per fiets. Dit is ongeveer de enige plek in het land waar je fietsen ziet, mede omdat er weinig criminaliteit in de stad is vergeleken met Kaapstad. Lopen is de beste manier om het centrum te bekijken. De leukste straten zijn Church Street, Plein Street en Andringa Street. Je ziet overal kleine gangetjes en doorkijkjes met binnenplaatsen tussen de huizen, het is echt een oud stadje. De lokale ondernemers zorgen dat er veel te genieten valt in de vele restaurants en winkeltjes. Er zijn meer dan genoeg plekken om lekker te eten of koffie te drinken, dus dat wordt kiezen.

Een rondje Stellenbosch

Het toeristenbureau (Publicity Association) als vertrekpunt nemen is, zoals op veel plaatsen, ook hier een goed idee. Er is een handig plattegrondje verkrijgbaar en men is behulpzaam bij bijvoorbeeld het regelen van accommodatie. Vanaf deze

plek loop je via Marketstreet richting Dorp Street, een van de oudste en mooiste straten. Hier staat een van de trekpleisters: Oom Samie se Winkel. Een ouderwetse kruidenier/dorpswinkel waar 'alles' te koop is, zo is deze winkel ongeveer 200 jaar geleden begonnen. Verwacht niet teveel van deze onvolprezen *tourist trap*, dan kan het ook niet tegenvallen.
Vanuit Dorp Street richting het westen kun je links afslaan naar Mill Street (Meul Street) of Andringa Street. Beide zijn een toonbeeld van 'modern' Stellenbosch, Andringa Street is misschien net iets sfeervoller. Je passeert Church Street (Kerk Street) en Plein Street waar vandaan je weer terug

Kaap-Hollands huis in Stellenbosch

kunt komen op Die Braak, het vertrekpunt van dit rondje Stellenbosch. Wil je de universiteitsgebouwen zien, loop dan Ryneveld Street in (parallel aan Andringa Street) en sla twee blokken later rechtsaf Victoria Street in. Afhankelijk van waar je stopt en hoe lang, duurt deze wandeling ongeveer 1,5 uur, inclusief een ommetje naar de universiteit.

Village Museum
Dit museum is de moeite van het bezoeken waard, omdat je er een goede indruk krijgt van de huizen tussen 1709 en 1850 en de functies van de verschillende ruimten. Vier verschillende huizen zijn mooi gerestaureerd en ingericht met bijbehorend meubilair. Je loopt door de tuinen van het ene huis naar het andere. Bij aankomst betreed je eerst het Schreuderhuis, het oudste gebouw met een cottageachtige stijl en een tuin met kruiden en pergola's. Het Blettermanshuis (1789) werd gebouwd voor een VOC-magistraat en is een typisch voorbeeld van de Kaap Hollandse bouwstijl. Het Grosvenor House uit 1803 is beïnvloed door de populaire Engelse smaak, die groeide door de Engelse bezetting van de Kaap tegen het einde van de 18de eeuw. Aan de overkant van de straat staat het O.M. Bergh House, een typisch victoriaans gebouw.

VILLAGE MUSEUM. Tel. 021 8872902, Ryneveld Street. Geopend: ma.–za. 9.30–17 uur, zo. en feestdagen 14–17 uur.

LET OP DE STOEPRAND

Als je in Stellenbosch om je heen kijkt op zoek naar straatnaamborden, is het handig dit te weten: hier staan de straatnamen op de stoepranden vermeld en dat is best onopvallend. Vooral als je zelf op die stoep staat of je auto er naast staat.

Slapen
Midden in de wijnlanden vind je de driesterren waterchalets van Papyrus Lodge. Zwevend boven het water van een meertje waar je kunt zwemmen en roeien, vormen de vijf tweepersoonshuisjes een vernieuwende vorm van slapen in de regio Stellenbosch. Voorzien van kitchenette en Weberbarbecue, zodat je op je eigen terras kunt eten. In het main house kun je slapen in een van de vier suites, elk met vier bedden en kitchenette en prachtig uitzicht op de bergen. De badkamers zijn in chalets en suites aan de kleine kant. De grote, parkachtige tuin is een bonus. Vanwege de centrale ligging, redelijk veel privacy, de aan-

Groot Constantia

korting op hun rekening en een gratis transfer van en naar Yellow Lodge. Erg goed ontbijt.

ⓘ YELLOW LODGE. Tel. 021 8879660, 32 Herold Street, Stellenbosch 7600. www.yellow-lodge.com

Een korte wandeling vanaf Jonkershuis Guesthouse brengt je in het centrum van Stellenbosch. Dichtbij is ook Jonkershoek Nature Reserve, waar je mooie wandelingen kunt maken. Jonkershuis (vier sterren) heeft vier tweepersoonskamers en een huisje voor families (met tweepersoonsbed, stapelbed, keuken en terrasje). Er is een zwembad en golfliefhebbers zitten hier goed: de gastheer en zijn zoon zijn fervente spelers en wijzen je de mooiste banen.

ⓘ JONKERSHUIS. Tel. 021 8866000, Bart en Joke IJssel de Schepper (Nederlands), 50 Jonkershoek Road, Stellenbosch. www.jonkershuis.co.za

wezigheid van de kitchenette en de mogelijkheid om heerlijk te relaxen is dit een prima plek om een week te verblijven en van hieruit de Kaap te ontdekken. Tegenover Papyrus Lodge kun je heerlijk eten bij het bekende restaurant 96 Winery Road.

ⓘ PAPYRUS LODGE. Tel. 021 8423606, Stefan en Kristin Heusser (Zwitsers). Firgrove Winery Road (afslag vanaf de R44), tussen Somerset West en Stellenbosch. www.papyruslodge.co.za

Aan een zijstraatje van Dorp Street in het centrum van Stellenbosch ligt Yellow Lodge; een B&B met acht kamers, een zwembad en omgeven door grote oude bomen. De kamers zijn licht en ruim, met gloednieuwe badkamers. Wijnestate Neethlingshof is de eigenaar en geeft gasten in restaurant The Lord Neethling 10 procent

Allegria Guesthouse ligt buiten de stad, tussen de wijngaarden en je hebt er prachtig uitzicht op de bergen. Dit is echt een plek waar je tot rust kunt komen en kunt genieten van een welverdiende vakantie. Blikvanger is het zwembad, lang genoeg om baantjes te kunnen trekken. Er zijn zes tweepersoonskamers. De inrichting is luxe en warm met een Afrika-touch, maar toch strak. Vanaf Allegria Guesthouse rijd je in 30 minuten naar Kaapstad, in 7 minuten naar Stellenbosch en in 20 minuten naar het vliegveld. Een goed idee om vanuit hier de streek te ontdekken!

ⓘ ALLEGRIA GUESTHOUSE. Tel. 021 8813389, Jan en Annemarie Zevenbergen (Nederlands), Cairngorm Road (afslag op de M12, Stellenbosch Hills Wine Route), Stellenbosch. www.allegria.co.za

Wijnranken bij Allegria Guesthouse

Eten

Hillcrest Berries is een begrip in de Kaap: hier worden alle soorten bessen, bramen, aardbeien en frambozen gekweekt. Je kunt hier dus genieten van het mooiste verse fruit, verwerkt in een spannend gebakje of simpel met room of vanille-ijs. Hartig lunchen kan ook: salades, broodjes en lichte maaltijden staan op het menu. Terras met magnifiek uitzicht op de hoogste bergtoppen (meer dan 1600 m) in de omgeving. Ook voor jam en verse berries om mee te nemen.

ℹ HILLCREST BERRIES. Tel. 021 8851629. Op de R310, Helshoogtepas, vanuit Stellenbosch aan de linkerkant. Je rijdt er zo voorbij! Geopend: dag. 9–17.30 uur. www.hillcrestberries.co.za

In een leuk stukje van Andringa Street zit het knusse restaurantje Cafe Lafayette, met terras op de stoep waar voornamelijk locals komen. Je kunt er een 'snel' hoofdgerecht nemen maar ook een hele avond tafelen. Er is een dagelijks wisselende kaart, maar wat daar in ieder geval steeds op staat zijn huisgemaakte pasta's in aller-lei heerlijke variaties. Ondanks de Franse naam is de keuken dat niet speciaal: er staat onder andere lamskebab met tabouleh en Marokkaanse kip op het menu.

ℹ CAFE LAFAYETTE. Tel. 021 8866777, 1 Andringa Street (hoek Dorp Street).

Beads en Voila! zijn twee verschillende restaurants, grenzend aan elkaar en van dezelfde eigenaar. Voila! is een espresso-bar/deli, is goed ingericht en er is een heel relaxed terras. De kaart is uitgebreid, er is een binnentuin waar je kunt zitten en de sfeer is levendig. Beads is gericht op dineren: de kaart is uitgevoerd in wit leder en daarop staan verschillende gerechten waarmee je je menu samenstelt. Dagelijks open voor lunch en diner.

ℹ BEADS/VOILA! Tel. 021 8868734, Hoek Church Street en Ryneveld Street, Stellenbosch. Geopend: 7–23 uur.

96 Winery Road ligt aan de Winery Road (niet op nummer 96, dit slaat op het openingsjaar), een kleine tien minuten buiten Stellenbosch. Dit restaurant staat bekend

als het beste steakhouse in de wijnlanden. Het vlees wordt in het restaurant grillrijp gemaakt. Een van de eigenaars is Ken Forrester van het gelijknamige wijnhuis, die zijn liefde voor de wijn heeft omgezet in een enorme wijnkaart. Gelukkig kan de bediening je helpen een keuze te maken. Reserveren aanbevolen.

ℹ 96 WINERY ROAD. Tel. 021 8422020, Firgrove Winery Road (afslag vanaf de R44), tussen Somerset West en Stellenbosch. Geopend: voor lunch dag. v.a. 12, diner ma.–za vanaf 19 uur. www.96wineryroad.co.za

Terug in de tijd qua sfeer ga je in de Volkskombuis: echte Afrikaanse gerechten in een monumentaal Kaap-Hollands pand, met hier en daar meubelen uit die tijd die aangevuld zijn met modern donker hout en lederen fauteuils. Een plek om 's avonds te dineren en de klassieke Cape Malay-gerechten als bobotie, malvapudding of waterblommetjiebredie te proberen. Zakenlui uit Stellenbosch gaan hier lunchen.

ℹ VOLKSKOMBUIS. Tel. 021 887 2121, aan de Wagenweg, zijstraat van Dorp Street. Geopend: dag. voor lunch en diner, in de winter op zo. alleen lunch. www.volkskombuis.co.za

Wijn in Stellenbosch
Stellenbosch vormt samen met de plaatsen Franschhoek en Paarl het Boland de belangrijkste regio voor Zuid-Afrikaanse wijn. Van deze plaatsen is Stellenbosch de oudste, de bekendste, de grootste en de meest prestigieuze (hoewel Franschhoek wat chiquer, duurder en daarmee exclusiever is). Wijn uit Stellenbosch is over de hele wereld bekend.

Wijnestates om te bezoeken
In de regio zijn een kleine honderd wijnestates te bezoeken. Hieronder de aanraders in Stellenbosch.

Kleinere, minder bekende estates
Een mooie route over een rustig zijweggetje van rode aarde leidt tot de wijnestate van Waterford. Lange rijen citrusbomen en geurende lavendelhagen geven Waterford een Provençaals uiterlijk. Hier is het rustig, er heerst een andere sfeer dan op de meeste wijnestates. Je proeft hun heerlijke (rode!) wijn in de binnentuin of op de grote leren banken bij het vuur, die binnen staan. Waterford biedt een interessante combinatie aan voor liefhebbers van chocolade: de fantastische, handgemaakte chocolade (onder andere in variaties met lavendel, zeezout en kardamom) van Von Geusau uit Greyton wordt hier bij het proeven gecombineerd met wijn. Je zult verrast zijn! Lunchen kan hier niet. Je kunt wel je eigen picknick meebrengen en die op het gras bij het water opeten.

ℹ WATERFORD ESTATE. Tel. 021 880496, Blaauwklippen Road, Stellenbosch. Geopend: ma.–vr. 9–17, za. 10–15 uur. Gesloten Goede Vrijdag, 25 dec, 1 jan. www.waterfordestate.co.za

'Vineyards in the sky', zo betitelt Delaire Winery zijn ligging. Daar is niets te veel aan gezegd, want vanaf de Helshoogtepas tussen Franschhoek en Stellenbosch klimt een pad omhoog naar Delaire. Het uitzicht hier is een van de mooiste in de wijnlanden. Je kijkt op de Helderbergen, die bedekt zijn met een lappendeken van wijngaarden. Het terras van de proefkamer en dat van het restaurant delen dit uitzicht. Bij Delaire kun je een picknickmand reserveren bij wijze van lunch. Deze is gevuld met een overdaad aan creatieve culinaire verrassingen, je kunt aan een tafeltje zitten of je (eigen) dekentje uitspreiden in het gras en je overgeven aan een middagje genieten van het mooie leven in de wijnlanden.

ℹ DELAIRE. Tel. 021 8851756. Op de R310, Helshoogtepas, tussen Stellenbosch en Franschhoek. Geopend: ma.–vr. 9–17, za. en zo. 10–17 uur. Ge-

Delaire: wijnhuis met het mooiste uitzicht

sloten Goede Vrijdag, 25/26 dec. en 1 jan.
www.delairewinery.co.za

Morgenhof is een van de vele wijnestates
die langs de mooie R44 liggen, een belangrijke route in de wijnlanden. Wijn proeven is hier een goed verzorgde aangelegenheid, onder leiding van ter zake kundig
personeel. Het is een mooie plek om te
lunchen, onder de grote bomen en op het
gras smaakt alles nu eenmaal goed. In de
mooie tuin kun je wat wandelen en kunnen kids rondrennen om hun energie te
lozen.

ℹ MORGENHOF. Tel. 021 8895510. Op de R44 richting Stellenbosch.
Geopend: nov.–apr. ma.–vr. 9–17.30, za./zo.
10–17 uur. Mei–okt. ma.–vr. 9–16.30, za./zo.
10–15 uur. Gesloten op 25 dec.
www.morgenhof.com

Op het terras van Protea Hotel Devon Valley, uitkijkend over de Devon Valley, proef
je de wijnen van SylvanVale terwijl de
winemaster uitlegt wat je proeft en vertelt
over de druiven. De SylvanVale-wijnen

zijn niet heel bekend maar zijn wel geres-
pecteerd: hier krijg je een betaalbare wijn
van erg goede kwaliteit. Hun Cabernet
Sauvignon Rosé is een van de weinige
roséwijnen die je op de menukaarten in de
Kaap terugziet. De mooie rit vanaf de M12
de Devon Valley in is al reden genoeg om
SylvanVale te bezoeken.

ℹ SYLVANVALE. Tel. 021 8652012, Devon Valley
Road, Stellenbosch.
Geopend: dag. 11–19 uur. www.sylvanvale.com

Grote wijnhuizen

Spier is zo'n beetje het Disneyland onder
de wijnhuizen. Jong en oud kunnen hier
rustig een dag doorbrengen zonder zich te
vervelen. Spier wil haar gasten de ultieme
beleving laten ervaren door een combinatie van wijn, eten, kunst en cultuur op een
unieke, Afrikaanse manier te brengen.
Restaurant Moyo biedt een bijzondere
vorm van Afrikaans eten (in buffetvorm),
fantastische decoratie, zang en dans en
boomhutten waar je in zit te eten. Op tijd
reserveren. Als je in de maanden december
tot en met maart in de Kaap bent, houd

dan het programma van het gerenommeerde Spier Arts Season in de gaten. Het beste van Zuid-Afrikaanse en internationale dans, muziek, cabaret en opera wordt dan opgevoerd in het amfitheater. Spier biedt kinderen (en hun ouders) veel activiteiten: er zijn cheeta's om te aaien, roofvogels die op je arm landen, pony's om op te rijden (in het zadel of in een koetsje), leer drummen in een workshop of luister naar een echte verhalenverteller die Afrika tot leven brengt. Veel families strijken hier iedere zondag neer met krant en kinderen en halen een picknick bij de deli. Er zijn vijf restaurants, een 18 holesgolfbaan, een spa, een bijzonder leuk hotel met 155 kamers en verschillende winkeltjes. Wijn proeven kan ook in Spier. Vooral het Private Collection-label is de moeite waard.

ⓘ SPIER. Tel. 021 8091984 (Information Centre). Op de R310, tussen Stellenbosch en de N2. Geopend: dag. 9–17 uur. www.spier.co.za

Een oprijlaan van 1 km lang met hoge oude pijnbomen verzorgt een prachtig welkom tot het estate Neethlingshof, gevestigd in ruim 300 jaar oude gebouwen in uiteraard Kaap-Hollandse stijl. Ondanks de vele groepen toeristen die hiernaartoe komen, is de sfeer ook aangenaam als je met een klein gezelschap bent. Niet voor niets is het een van de meest bezochte wijnestates.

ⓘ NEETHLINGSHOF. Tel. 021 8838988. Aan de M12 vanuit Stellenbosch
Geopend: mrt.–nov. ma.–vr. 9–17, za./zo. en feestdagen 10–16, dec.–feb. ma.–vr. 9–19, za./zo. en feestdagen 10–18 uur. Gesloten op 25 dec. en Goede Vrijdag. www.neethlingshof.co.za

FRANSCHHOEK

Een groep van 200 hugenoten, op de vlucht voor de godsdienstvervolging in Frankrijk, kwam met een VOC-schip mee naar Kaapstad. In de Kaap werd hun land toegewezen: een idyllische vallei, aan drie kanten omgeven door bergen. De Fransen, hoewel ze onder leiding stonden van de VOC, gingen voortvarend te werk en brachten hun kennis van landbouw en met name wijnbouw ten uitvoer. Binnen vijftien jaar hadden ze de oorspronkelijke Khoikhoi-bewoners weggejaagd, dan wel ingelijfd om te werken op hun boerderijen. De regio stond in het begin van de 17de eeuw al bekend als 'de France hoek'. Vanzelfsprekend gaven de Fransen hun boerderijen Franse namen, maar de Franse taal hield het maar een generatie vol. De overmacht van de Hollandse gouverneurs zorgde ervoor dat het gebied Afrikaanstalig werd. Frans spreken was verboden. De Franse namen van de wijnestates bleven in veel gevallen wel bestaan. De Franse cultuur wordt hoog gehouden tijdens de Bastille-feesten, gehouden in het weekend van 14 juli. Dan zijn er jeu de boules-wedstrijden en draagt het hele dorp een alpino.

Franschhoek is nu hét dorp waar mensen van het goede leven genieten. Het dorp ademt luxe en goede smaak en is de culinaire hoofdstad van Zuid-Afrika geworden. Sterrenchefs uit de hele wereld komen naar Franschhoek om te werken (of om vakantie te houden). In de hoofdstraat van het dorp liggen de beste restaurants van het land tegenover elkaar. Dit geeft een bijzondere ambiance: het leven wordt al snel decadent in dit dorp waar een glas bier naar verhouding hetzelfde kost als een glas champagne. Exclusieve guesthouses vind je op iedere straathoek en van daaruit kun je de vallei ontdekken.

Slapen

Avondrood Guesthouse is een luxe viersterren guesthouse met vriendelijke ontvangst door Lutgard en Rudi Lauryssen. Het guesthouse is mooi gerenoveerd met veel oog voor detail. De sfeer is warm en het ontbijt heerlijk, met verse verrassin-

Boland

gen uit de keuken. Centraal in het dorp gelegen, met 's avonds inderdaad roodgekleurde bergen in de achtertuin. Warm aanbevolen adres.

 AVONDROOD GUESTHOUSE. Tel. 021 8762881, gsm 082 547 9844, 39 Huguenotstreet, Franschhoek. www.avondrood.com

Op wijnestate Chamonix zijn zes cottages te huur. De cottages staan in de mooie tuinen naast een riviertje en hebben een veranda, haard, braai en tv. Comfortabel ingericht, maar niet luxe. De vierpersoonshuisjes zijn het leukst (qua uitzicht en sfeer). De tweepersoonshuisjes zijn functioneel, bijna karig ingericht en hebben iets minder uitzicht. Op de boerderij is van alles te beleven: naast de wijn wordt er mineraalwater geproduceerd, dat hier uit de bron komt. Het restaurant heeft een klassieke Fransgetinte kaart. Locals vullen het terras in het weekend. Mooi uitzicht. De vroegere naam van Chamonix, Uitkyk, was niet slecht gekozen. De Chamonix Cottages liggen 2 km van het dorp Franschhoek. Ge-

schikt om met kinderen naar toe te gaan.

 CHAMONIX COTTAGES. Tel. 021 8762494, Uitkyk Street, Franschhoek. Restaurant geopend: dag. voor lunch, vr. en za. voor diner. www.chamonix.co.za

Résidence Klein Oliphantshoek is misschien wel het mooiste guesthouse van Franschhoek, en dat zegt heel wat. In dit dorp is geen middelmaat te vinden. Een aantal heel bijzondere suites, met eigen splashpool of zelfs een jacuzzi op het dak, vormen samen met de luxe kamers een oase van rust en natuurschoon. Centraal gelegen, je loopt zo het dorp in via de mooie tuin. Eten kan bij Bouillabaisse in het dorp, een champagne/oesterbar en seafooddeli waar je heerlijk eet terwijl kok Camil en zijn team aan het werk zijn in de open keuken midden in de zaak.

 RESIDENCE KLEIN OLIPHANTSHOEK. Tel. 021 8762566, 14 Akademie Street. BOUILLABAISSE. Tel. 021 8764430. www.kleinoliphantshoek.co.za

Eten

Jonge topkoks zijn er genoeg te vinden onder de bewoners van Franschhoek. Koks komen uit de hele wereld om in dit dorp, het culinaire mekka van Afrika, te werken. Reuben Riffel is hier geboren, weggeweest en weer teruggekeerd om zijn eigen restaurant te beginnen. Een zakenman die zijn talenten zag, gaf hem geld en carte blanche zodat Reuben zijn droomrestaurant kon beginnen. De investering is het waard geweest: Reuben's won in 2005 de Eat Out-award voor het beste restaurant van het land. Reuben zegt: 'Mensen komen hier eten met torenhoge verwachtingen. Maar ik heb een restaurant waarin ik zelf graag zou willen zitten. Dus het is niet chic of stijf. Je kunt hier op je slippers binnenkomen. Het gaat mij om het eten, dat moet super zijn.'

De kaart heeft twee delen: klassieke gerechten en moderne creatieve gerechten. Een kindermenu is wel de grootste verrassing, samen met de wijnkaart met prijzen vanaf R60. 'Bij mij komen veel verschillende mensen eten. Sommige gasten zijn zo rijk dat het ze niet uitmaakt hoeveel ze besteden: toch komen ze bij mij. En er komen mensen uit het dorp, die sparen om eens per jaar uit eten te gaan. Ik voel me echt vereerd dat ze dan voor mijn restaurant kiezen', vertelt Reuben.

ℹ REUBEN'S. Tel. 021 876 3772, Oude Stallen Centre, 19 Huguenot Road, Franschhoek. Reserveren is noodzakelijk, een paar dagen tevoren. Geopend: dag. voor lunch en diner.

Iedere dag viert Topsi Venter een eetfeestje. Samen met huisvriend dr. Arnoldus Pannevis (een papegaai, genoemd naar de oprichter van het Genootschap van Regte Afrikaners) is Topsi de lieveling van Franschhoek, om de heerlijke sfeer die ze creëert en om de goede maaltijd die je er eet. Topsi is een oudere dame, een van de eersten die in Franschhoek begon met koken; ze legt zich toe op traditionele Kaapse gerechten.

ℹ TOPSI & CO. Tel. 021 8762952, 7 Reservoir Street West. Loop het paadje in tegenover Reuben's, richting de library. Geopend: dag. lunch en diner, op di. gesloten.

In 2004 was de Nederlandse kok Margot Janse de chef van het jaar in Zuid-Afrika. The Tasting Room is een van de drie restaurants die horen bij het geweldige Le Quartier Français (best small hotel of the world), samen met het naastgelegen Ici, een bistro, en Bread and Wine, waar de pure smaken van charcuterie en brood de hoofdrol spelen (bij Moreson Winefarm, buiten het dorp). Eten in The Tasting Room gaat om het proeven van verschillende smaken. De gerechtjes zijn uniek vanwege de combinaties. Kies vier of zes gangen en blijf je verbazen. De sfeer is formeel, met live pianomuziek. Toch is het niet al te stijf door het vriendelijke personeel en de eters die enthousiaster worden bij iedere hap die ze nemen. Gekozen tot een van de 50 beste restaurants ter wereld in 2005.

ℹ LE QUARTIER FRANCAIS. Tel. 021 8762151. www.lqf.co.za

Wijn

Boschendal is een van de mooiste wijnhuizen in de regio. Het is daarom ook een van de meest bezochte. Hier vind je de perfecte combinatie van goede wijn, een glimmend witte Kaap-Hollandse boerderij uit 1685 (!) met alle bijgebouwen, lommerrijke tuinen en heerlijk eten (zie de foto van de gevel van Boschendal op de voorkant van dit boek). Dit alles met de grijze bergtoppen van de Simonsberg op de achtergrond. Beroemd is Le Pique Nique, een picknick onder de bomen (okt.–mei). Dit moet je echt een paar dagen van tevoren reserveren, vooral voor de weekends.

ℹ BOSCHENDAL. Tel. 021 8704272. Gelegen aan de R310, Helshoogtepas, tussen Franschhoek en Stellenbosch. Geopend: dag. 8.30–16.30 uur. Gesloten op Goede Vrijdag, 1 mei, 16 juni en 25 dec. www.boschendal.com

Cabrière is gelegen tegen de hellingen van de Franschhoek pas, buiten het dorp. Het is hier niet bijzonder sfeervol: proeven gebeurt in een donkere kelder, gehouwen uit de berg. Wat je daarentegen proeft is wel bijzonder: de Haute Cabrière en Pierre Jourdan (Methode Cap Classique) labels krijgen steevast veel sterren van beoordelaar John Platter. Cap Classique is champagne, maar dan uit de Kaap. Wijnmaker Achim von Arnim doet op zaterdagochtend de Methode Sabrage: ontkurken van de Cap Classique met een sabel. Niet te missen! De tour door de kelders is erg goed: vader en zoon Von Arnim weten hoe ze hun publiek enthousiast moeten krij-

gen. Het restaurant biedt een wisselend menu (waar je kunt kiezen voor hele of halve porties), met gerechten die speciaal zijn afgestemd op de wijnen van Cabrière. Onlangs gekozen tot het beste restaurant bij een wijnestate in Zuid-Afrika door Great Wine Capitals Global Network. Kok Matthew Gordon is een van de prijswinnende vijfsterrenchefs van het dorp (hij kookt ook in The French Connection, een leuke bistro in het dorp). Het restaurant is ook in de donkere grot gelegen, maar er zijn twee tafeltjes aan het raam waar je op tijd voor moet reserveren (tel. 021 876 3688).

ℹ️ CABRIÈRE ESTATE. Tel. 021 8768500, Franschhoek Pass Road. Geopend: ma.–vr. 8.30–16.30, za. en feestdagen 10.30–16; tours ma.–vr. 11 en 15, Achim von Arnim tour za. 11 uur. Gesloten op Goede Vrijdag, 25 dec. en 1 jan. www.cabriere.co.za

Het mooiste uitzicht van de Franschhoek-vallei, dat is de voornaamste trekker van Dieu Donné. De wijnmaker zal de gedachtegang niet zo op prijs stellen, maar als je toch wijn gaat proeven kan je het maar beter op een prachtige plek doen. De wijnen van Dieu Donné zijn bijzonder goed: de hoogte zorgt voor 'arme' grond, wat de druiven extra krachtig maakt en de hitte van de zon wordt hier een beetje getemperd. 's Nachts koelt het goed af: het lijkt hier wel een alpenweide. Geniet van een overvloedig kaasplankje of van een twee-persoons picknick (alleen bij reservering!).

ℹ️ DIEU DONNÉ VINEYARDS. Tel. 021 762493, Uit-kyk Street (voorbij Chamonix). Geopend: dag. tot 16 uur. www.dieudonnevineyards.com

PAARL

Paarl is het minst mooie dorp van de bekende wijnregio. Gezegd moet worden dat de wedstrijd niet helemaal eerlijk is; Stellenbosch en Franschhoek zijn wel érg goed bedeeld... In Paarl geen universiteit of cluster van sterrenrestaurants, hier wordt hard gewerkt in de agrarische industrie. Het beïnvloedt de skyline in negatieve zin, maar je kunt gemakkelijk over de graansilo's heen kijken en dan zie je de Paarlberg. De grote, witte, granieten steen, rond afgetopt als een soort megakiezel, die bij volle maan oplicht en in de regen glimmend afsteekt tegen de omringende bergen: als een parel, vonden de VOC'ers. De hoofdstraat van Paarl is heel lang, wat ongezellig is. Een gedeelte in het midden is sfeervol, met victoriaanse huizen en mooie tuinen.

Slapen

De vijf suites van Perle du Cap Private Suite Estate zijn echte pronkstukken, waar de luxe je tegemoet straalt. Het zwembad is gehouwen uit het graniet van de Paarlberg en al dobberend kijk je uit over de Paarlvallei. Het ontbijt wordt geserveerd met de Belgische smaak voor gastronomie van de gastvrouw, die eerder een restaurant bij Brussel had. Naast het huis stroomt een waterval met veel kracht naar beneden (met name in de winter) en de begroeiing is tropisch. Perle du Cap is een heerlijk adres voor wie de privacy en de uitzichten weet te waarderen. Je moet wel de auto nemen om ergens naar toe te gaan.

ℹ️ PERLE DU CAP PRIVATE SUITE ESTATE. Tel. 021 8720399, 10 Tarryn Close, Paarl 7646. Gastvrouw Kristien de Kinder. www.perle-du-cap.com

Mooi Bly Landgoed is een heerlijke combinatie van een wijnestate en luxe selfcatering huisjes. De huizen hebben slaapkamers met badkamer en suite en worden dagelijks schoongemaakt. Vier huizen hebben drie tweepersoonskamers, het vijfde huis is voor vier personen. Op verzoek en tegen betaling wordt het ontbijt geserveerd. De luxe van een guesthouse met de vrijheid en ruimte van een huisje maakt een verblijf op Mooi Bly Landgoed voor de gasten tot een succes. Je hebt privacy, een braai in de tuin en het drinkwater komt van de bron op het landgoed. De uitzichten zijn prachtig. Wijn van Mooi Bly won in 2005 en 2006 zijn eerste prijzen, een fantastische prestatie als je nog maar pas begonnen bent. De wijn moet je natuurlijk proeven, maar doe ook mee aan de rondleiding door de wijngaarden want deze wordt gegeven door wijnmaker Erik zelf. Deze 'Vine to Wine' tour is uniek.

ℹ️ MOOI BLY LANDGOED. Tel. 021 8682808, Bodal Pad, Dal Josafat, Paarl, familie Wouters (Belgisch). www.mooibly.com

De Wingerd Wijnland Lodge is een vriendelijke lodge met vijf kamers. Mooi uitzicht over de bergen in de verte, vanuit de groene tuin waarin ook het zwembad ligt. Gastvrij onthaal door Pierre en Mieke Ryckaert, die zorgen dat de dag stralend begint met een lekker ontbijt.

ℹ️ DE WINGERD WIJNLAND LODGE. Tel. 021 8631994, 7 Waltham Cross Street, Paarl. www.wingerd.co.za

Eten

Warme geuren en kleuren komen je tegemoet bij Marc's Mediterrean Cuisine and Garden. De kaart heeft Griekse en Spaanse invloeden, de tuin staat vol met lavendel en citrusbomen, de wijn komt uit Zuid-Afrika. Een heerlijke plek voor lunch of diner, hoewel Marc's ook 's ochtends open is voor koffie en croissants. Marc's won verschillende prijzen, waaronder die van 'beste nieuwe restaurant in de regio'.

ℹ️ MARC'S. Tel. 021 8633980, 129 Main Road, Paarl. Geopend: dag. 9–laat, zomers op zo. avond gesloten, 's winters zo. hele dag gesloten.

Wijn

Fairview Estate is een instituut in de regio, eigenlijk in heel Zuid-Afrika. Men kent Fairview niet alleen van de wijn, maar nog meer vanwege de kazen. Fairview kaas vind je in het hele land in de winkels. Voor bezoekers biedt dit het beste van twee werelden: je kunt hier wijn én kaas proeven. In restaurant The Goatshed stel je je eigen kaasplankje samen uit 25 ter plekke gemaakte soorten, wat geserveerd wordt met heerlijk brood (de bakker is getraind door Olympia in Kalk Bay). Leuk is dat je heel veel soorten wijn in een kleine karaf kunt bestellen: een prettige manier van 'proeven'. In de kelder kun je ook op de traditionele manier wijnproeven. Let op het Goats do Roam label, dit is een goedkoper label dat hoog aangeschreven staat. De naam is een staaltje Afrikaanse humor: als je Goats do Roam een beetje snel en met Engels accent uitspreekt, klinkt het als Côtes du Rhône.

ℹ️ FAIRVIEW ESTATE. Tel. 021 8632450, Suid Agter Paarl Road, afslag vanaf de R44 en de R101. Proeflokaal en wijnverkoop geopend: ma.–vr. 8.30–17, za. 9–16, zo. 9.30–16 uur. Gesloten op Goede Vrijdag, 25 dec. en 1 jan.
THE GOATSHED EATERY. Geopend: dag. 9–17 uur. www.fairview.co.za

Als je door de poorten van Seidelberg Wine Estate rijdt, kom je op een kaarsrecht pad dat dwars door de wijnranken naar de heuvel leidt. Zo'n mooie entree belooft wat. Het uitzicht vanuit het restaurant is zo mogelijk nog mooier: het landschap is wijds en je ziet zelfs de Tafelberg. Seidelberg Wine Estate is een van de oudste in de regio, het werd gesticht in 1692. Dit is een mooie plek om een tour door de wijnkelders te doen (reserveren aanbevolen). Bij het proeven krijg je de nodige informatie van de medewerkers. De wijnen winnen regelmatig prijzen en worden wereldwijd geëxporteerd.

ℹ️ SEIDELBERG WINE ESTATE. Tel. 021 8635200, Suid Agter Paarl Road, afslag vanaf de R44 en de R101. Geopend: ma.–vr. 9–18, za.–zo. en feestdagen 10–18 uur. www.seidelberg.co.za

🚌 Bainskloofpass (Wellington)

Als je in Paarl bent, rijd dan 10 minuten verder naar Wellington. Daar is de afslag naar de Bainskloofpas. Deze pas is een van de mooiste in Zuid-Afrika. Het gemakkelijkst is wellicht om boven aan de pas (bij het uitzichtpunt) om te draaien en te rug te rijden. Een mooie rit, echt de moeite waard. Kost een uurtje.

CONSTANTIA

De VOC bracht de legendarische Simon van der Stel naar de Kaap. De naamgever van Stellenbosch en Simonstown kocht in 1685 een kleine 2500 ha grond achter de Tafelberg om zich daar te vestigen. Zijn boerderij noemde hij Constantia. Waarschijnlijk hoopte hij dat de naam zich waar zou maken en dat er constante kwaliteit en succes zouden zijn. Het woonhuis van deze tweede gouverneur van de Kaap is nu een museum waar een collectie van meubilair, porselein en maritieme kunst is tentoongesteld. Voor Nederlanders geen ontdekkingen: Delfts blauw en mahoniehouten dekenkisten, staande klokken en scheepsbellen. Wel een bewijs van de handelsgeest en ontdekkingsdrift van landgenoten. Op Groot Constantia kun je zeven dagen per week op ieder heel uur een keldertour doen. Heb je daar belangstelling voor, doe het dan bijvoorbeeld hier want niet alle wijnhuizen bieden dit aan (en meestal is het een keer per dag, waarbij je moet reserveren). Reserveren is ook hier aan te raden, maar mocht de tour vol zijn dan kun je een uur later mee. Bij de keldertour hoort ook een proeverij. Het Jonkershuisrestaurant is bekend vanwege de Cape Malay-keuken: een mooie gelegenheid om bobotie te eten. Simon's is een ander restaurant, modern met een gigantisch terras. Wijn kopen en proeven kan hier uiteraard ook, helaas is

Tuin bij Constantia

dit wel erg commercieel en zonder uitleg. Maar de wijn zelf maakt veel goed!

🛈 GROOT CONSTANTIA. Tel. 021 7945128. Volg Constantia Main Road, het wijnestate staat aangegeven. Geopend: ma.–zo. 9–17 (winter) en 9–18 (zomer). Gesloten op Goede Vrijdag, 25 dec. en 1 jan. www.grootconstantia.co.za

SOMERSET WEST

Vergelegen ligt inderdaad een beetje ver, ten opzichte van andere wijnestates. Maar de omweg is de moeite waard. Vergelegen is de overtreffende trap van de grote commerciële estates zoals Neethlingshof, Boschendal en Groot Constantia. Dit is niet voor niets, veel mensen vinden Vergelegen het mooiste wijnlandgoed. Toen Simon van der Stel met pensioen ging, werd zijn zoon Willem Adriaan gouverneur van de Kaap en hij ging in 1700 wonen op wat nu Vergelegen is. Je kunt hier rustig uren doorbrengen, zoveel is er te zien. Het wijnproeven is een beetje ondergesneeuwd: je betaalt per wijn die je proeft en om toelichting moet je vragen. Daarentegen is er veel aandacht voor de geschiedenis en het ontstaan van Vergelegen: de boerderij had de twijfelachtige eer de meeste slaven in dienst te hebben. Onder andere hierover gaat de expositie die is ingericht bij de ingang van het complex (Interpretative Centre). Erg de moeite waard, want hoewel het verhaal verteld wordt vanuit Vergelegen, gaat het over de geschiedenis van de hele Kaap.

Aan de achterkant van het voormalig woonhuis van Van der Stel, ingericht als museum, ligt een prachtige tuin. Aan de voorkant van het huis staan de oudste (voor zover men kan nagaan) bomen in Afrika: vijf Chinese kamferbomen, geplant tussen 1700 en 1706. Lunchen kan in het Lady Phillipsrestaurant met uitzicht op de rozentuin of onder de kamferbomen, als je een picknick hebt geboekt.

🛈 VERGELEGEN. Tel. 021 8471334, Lourensford Road, Somerset West. Geopend: ma.–zo. 9.30–16 uur. Gesloten op Goede Vrijdag, 1 aug. en 25 dec. www.vergelegen.co.za

AFRIKAANS

Afrikaanse woorden

sukkelzand	drijfzand
moltrein	metro
jammerlappie	vaatdoek
vatlappie	pannenlap
skemerkelkie	sundowner/drankje
verkleurmannetjie	kameleon
langnekpeerd	giraffe
saamrijklub	carpooling
slakkepos	post
vonkpos	e-mail
kitskos	kant-en-klaarmaaltijd
padkos	lunchpakket
hijsbakkie	lift
padstal	farmstall
bakkie	auto met laadbak
jol	feestje
spook en diesel	rum en cola
kaalgat	naakt
van kant maken	vermoorden
rekenaar	computer
baie dankie	bedankt
mooi bly	het ga je goed (bij gedag zeggen)

Een officiële taal

Dat Afrikaans afgeleid is van het Nederlands, maakt het voor Nederlanders een aantrekkelijk taal. Ondanks dat meer kleurlingen dan blanken ook vroeger al deze taal spraken, is Afrikaans ook de taal van de apartheid; laat dat geen belemmering zijn om de schoonheid van deze taal te zien. Het is een poëtische taal, met mooie woorden en uitdrukkingen die heel nadrukkelijk geen Engelse invloed hebben. Dat levert leuke woorden op, zie de lijst. Afrikaanse woorden zeggen heel letterlijk waar het over

gaat, de simplificatie ten top. Daarom lijkt het soms kinderlijk. Als je erover nadenkt, is het eigenlijk allesbehalve kinderlijk om een woord precies te laten zijn wat het betekent. Verstaan van Afrikaans zal, met een beetje opletten, geen probleem zijn voor Nederlanders. Andersom kan men ons ook verstaan (let op wat je zegt!), want de meeste mensen spreken wel een woordje Afrikaans. De krant lezen is wat moeilijker, maar het helpt als je hardop leest. Spreek je zelf Nederlands, dan zal de Afrikaan je vragen om 'stadig te praat'. Een beetje langzaam dus. Zeeuwen en West-Vlamingen kunnen hun lol op: spreek dialect en vier het feestje van de herkenbaarheid. En over herkenbaar gesproken: veel Nederlanders kennen het liedje van Sarie Marijs, dit is een Cape Malay-liedje uit de tijd van de slavernij dat in het repertoire van de oude Hollandse volksliedjes terechtkwam.

Afrikaans werd in 1925 een officiële taal. Dit was een direct gevolg van het werk van het Genootschap van Regte Afrikaners, opgericht in 1875 door Arnoldus Pannevis die leraar op het lokale gymnasium was. Het Genootschap ontwikkelde en formaliseerde de structuur en grammatica van het Afrikaans. Veel leden van het Genootschap waren, opmerkelijk genoeg, Franse hugenoten. Onder hen was Gideon Malherbe, in wiens woonhuis nu het Afrikaanse Taalmuseum is ingericht.

In de constitutie van 1994 is Afrikaans als een van de elf officiële talen vastgelegd. In Paarl staat sinds 1975 net buiten het cen-

Tweetalige straatnaamborden zie je vaak.

fenis van de slaven uit het Verre Oosten en de invloed van het Afrikaanse continent. Dat de drie pilaren niet allemaal even hoog zijn, heeft veel discussie opgeleverd omdat het een rangorde zou impliceren (met negatieve bijklank). Het was tijdens de apartheid een belangrijke plek voor Afrikaners, van dezelfde waarde als het Voortrekkermonument bij Pretoria.

Het is de derde taal van het land, met ongeveer 15 procent van de bevolking die Afrikaans als eerste taal hebben. Alleen Zulu en Xhosa zijn groter. Je zou het misschien niet verwachten, maar Engels is de eerste taal van slechts 9 procent van de bevolking en daarmee de vijfde taal van het land. De angst van veel Afrikaners dat hun taal zal uitsterven is dan ook feitelijk ongegrond, maar wordt ingegeven door de grote rol die Engels speelt in de maatschappij. Afrikaans heeft Nederlands als basis, in de afgelopen 350 jaar is dit vermengd met Duits, Frans, Engels en Cape Malay-woorden en uitdrukkingen.

Voor wie meer wil weten is er het Afrikaans Taal Museum, Pastoriestraat, Paarl. Geopend van ma.–vr. 9–17 uur.

trum het Afrikaanse Taalmonument, het enige monument in de wereld ter ere van een taal (dagelijks te bezoeken van 9–17 uur). Het monument heeft de vorm van drie vingers die naar de hemel wijzen. De drie-eenheid staat voor de manier waarop de Afrikaanse taal is ontstaan: een combinatie van de Europese beschaving, de culturele er-

10

Ontdek de West-Kaap!

Kaapstad is veel meer dan de Tafelberg, de Waterfront en Camps Bay. Dit hoofdstuk wil de bezoeker aansporen de West-Kaap te ontdekken: twee uur in de auto en je bent in een andere wereld. Krijg een indruk van Zuid-Afrika en zijn vele gezichten door een dagje (of twee, drie) de stad uit te gaan. De wegen zijn mooi, de dorpjes uitnodigend en de mensen vriendelijk. Ontdek het zelf, blijf een nachtje op een mooie plek logeren en geniet van dit mooie land. Om niet te hoeven zoeken en succes te garanderen, zijn de beste tips voor guesthouses en eetadresjes opgenomen. De plaatsen in dit hoofdstuk zijn ook als dagtocht te bezoeken, de meeste liggen op maximaal twee uur rijden van Kaapstad. Alleen De Hoop Nature Reserve is drie uur rijden.

HET BINNENLAND: VOLG DE R62

De binnenlanden van de Kaap bestaan uit bergen, wijngaarden, boerenland, rivieren en mooie dorpen. De R62 loopt min of meer tussen de grote en drukke N1 en N2 in, maar het contrast zou niet groter kunnen zijn. Dit is rijden om het rijden: de weg ernaartoe is even belangrijk als het einddoel. Het aantal mooie en leuke plekken voor een stop is legio: een foto van het uitzicht, lunch, wijnboer, monument of mooie bloemen in de berm. Wie de tijd heeft, trekt hier op z'n minst drie dagen (en twee nachten) voor uit. Maar laat je niet afschrikken als je krapper in je tijd zit.

🚗 Neem vanuit Kaapstad de N2. Na Paarl volgt de Huguenottunnel. Je kunt ook de Du Toitskloofpas nemen (11 km extra). Bij Worcester (110 km) ga je de R60 op, deze heet verderop R62. Robert-

▲ *Restaurant op het strand, typisch voor de Westkust*

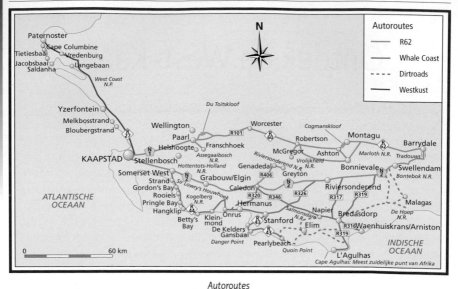

Autoroutes

son (160 km) is de eerste plaats die je tegenkomt. Hier is ook de afslag (naar rechts) naar McGregor, ruim 20 km naar het dorp. Via dezelfde weg terug naar de R62 en door naar Ashton en Montagu (30 km), door de Cogmanskloof. Je kunt naar Swellendam op twee manieren (ligt aan je tijdschema). Het snelst en heel mooi is om vanaf Ashton de R60 te nemen naar Swellendam (67 km). Je kunt ook vanaf Montagu de weg vervolgen, door golvend landschap naar Barrydale en daar naar rechts afbuigen: de Tradouwpas (R324) is spectaculair en er rijdt bijna niemand. Je komt uit op de N2, waar je nog 15 km van Swellendam verwijderd bent (totaal ca. 100 km). Vanaf Swellendam kun je via de N2 in 2,5 uur terug zijn in Kaapstad. Of steek de N2 over en rijd richting de kust. Het landschap op de R319 naar Bredasdorp is klassiek mooi. Schapen, graan, heuvels, mooie luchten en slangen op de weg. Dat laatste is optioneel. Bij Bredasdorp zijn er weer nieuwe keuzes te maken: naar Cape Agulhas (30 km) het zuidelijkste puntje van Afrika, of richting Hermanus voor de walvissen. Meer over deze plaatsen verderop in dit hoofdstuk.

Robertson Wine Valley

Bijna 50 wijnboerderijen in de omgeving van de plaatsen Robertson, McGregor,

Ashton, Montagu en Bonnievale vormen samen de Robertson Wine Valley. Hier geen touringcars of opgeklopte dikdoenerij bij de wijnestates, zoals je soms tegenkomt. Wijn proeven is meestal gratis, wat veel zegt over de attitude ten opzichte van toeristen. Er is ook lang niet altijd een restaurant bij. Kenners vermoeden dat wijnen uit deze vallei de toekomst hebben: vanwege het veranderende klimaat worden andere, lagergelegen gebieden volgens hen te warm. Op dit moment zijn shiraz, chardonnay en cap classique (als champagne maar dan van hier) de belangrijkste producten. Hoe het ook zij, de Robertson Wine Valley heeft beroemdheden op haar grondgebied: Graham Beck (heel goede bubbels volgens de Methode Cap Classique), De Wetshof (hun chardonnay met en zonder eikenhout is ieder jaar weer een topper), Van Loveren (shiraz en blanc de noir).

ℹ THE ROBERTSON WINE VALLEY. Tel. 023 6263167, hoek Reitz en Voortrekker Street. Op zo. zijn alle wijnhuizen gesloten. www.robertson-winevalley.com

Robertson

Bij het naderen van deze plaats is er al geen ontkomen meer aan: de wijnboerderijen van Robertson Wine Valley liggen te pronken langs de weg. Robertson zelf is een typisch Zuid-Afrikaans plattelandsdorp, hoewel het niet zo heel klein is. Het is wel een rijk dorp, naast wijn maken worden hier renpaarden gefokt en rozen geteeld. Je kunt je voorstellen dat deze vorm van handel de omgeving goed doet, alles ziet er mooi uit en de natuur wordt gekoesterd. De R60 loopt dwars door het dorp, de mooie straten en tuinen liggen hierachter. Een aantal accommodaties springt eruit.

Ballinderry Guesthouse is een viersterren verwenadres, waar Vlaamse gastvrijheid en luxe precies in balans zijn. Dit wordt geïllustreerd met een glas cap classique bij het ontbijt. Vijf kamers.

In de **Fraai Uitzicht Wine & Guest Farm** kun je logeren en eten, allebei heerlijk, mooi en verzorgd. Er zijn vier cottages (2x tweepersoons, 2x vierpersoons met queensize bedden), alle met haard, cd-speler en kitchenette. Huisje Sauvignon is het mooist vanwege het uitzicht over de hele vallei. In de tuin zijn nog vier tweepersoons suites met kingsize bedden en, inderdaad, fraai uitzicht. Het restaurant, ook met dat fraaie uitzicht, is een prachtige plek en het is gelukkig ook open voor niet-gasten. Er is een degustatiemenu, à la carte eten (simpel of chic) kan ook. De rit erheen is al een feest en je zult moeite hebben om hier op te staan en weer verder te rijden.

In de lokale plantenkwekerij is **Café Rosa** gevestigd: de beste plek in Robertson voor koffie of lunch. Vriendelijke service.

In **Bourbon Street** ligt de nadruk op vleesgerechten (logisch in deze regio), maar er is ook dagelijks verse vis verkrijgbaar. Een goed bistroadres, waar je ook leuk buiten kunt zitten.

ℹ ROBERTSON TOURISM BUREAU. Tel. 023 6264437, hoek Reitz en Voortrekker Street.

Geopend: ma.–vr. 9–17 uur, za.–zo. 9–14 uur. www.robertsonr62.com
BALLINDERRY GUESTHOUSE. Tel. 023 6265365, 8 Le Roux Street, Robertson. www.ballinderryguesthouse.com
FRAAI UITZICHT WINE & GUEST FARM. Tel. 023 6266156, afslag Klaas Voogds East vanaf de R62 tussen Robertson en Montagu. Geopend: dag., gesloten jun.–jul. www.fraaiuitzicht.com
CAFÉ ROSA. Tel. 023 6265403, Robertson Nursery, 9 Voortrekker Street, Robertson. Geopend: ma.–za 8–17.30 (op za. tot 17 uur).
BOURBON STREET. Tel. 023 6265934, 22 Voortrekker Street, Robertson. Geopend: dag. 9.30 tot laat. In de winter op zo. avond gesloten.

McGregor

Midden in Robertson kun je rechts afslaan naar McGregor. Na een ritje van 20 km langs het Vrolijkheid Nature Reserve (een van de laatste natuurreservaten, misschien dankzij de naam, waar je het toegangsgeld in een melkbus stopt). Onderweg kom je langs McGregor Wines. McGregor ligt aan de voet van de Riviersonderend Mountains (lees als: rivier zonder einde). Het dorp is een andere wereld. Het is er héél erg stil. De paar auto's in het straatbeeld lijken totaal misplaatst. En dat klopt ook wel, want McGregor ziet er voor 90 procent nog steeds zo uit als in het midden van de 19de eeuw. Historici zeggen dat dit het best bewaarde dorp is van Zuid-Afrika; dat komt mede doordat de asfaltweg er nog geen tien jaar ligt en dat hield de commercie weg.

De kunst is om het niet saai te vinden, maar om eens goed te kijken en te zien dat een wit huisje met een rieten dak een tuin heeft met abrikozen-, walnoten-, avocado- en citroenbomen erin. Rust, mooie uitzichten (en romantiek) is wat McGregor voornamelijk biedt. Net als in alle andere kleine dorpjes heeft de makelaardij ook hier succes en veel huizen zijn veranderd in B&B's of vakantiewoningen. Maar dat

McGregor

gers Coffeeshop and Health Juice Bar.

ℹ MCGREGOR TOURISM BUREAU. Tel. 023 6251954. Halverwege Voortrekker Street aan de rechterkant (geen huisnummers hier!). Niet al te professionele, maar wel vriendelijke service. www.tourismmcgregor.co.za

GREEN GABLES COUNTRY INN AND VILLAGE PUB. Tel. 023 6251626, e-mail: grgables@telkomsa.net

MCGREGOR COUNTRY COTTAGES. Tel. 023 6251816. Voortrekker Street (aan het begin rechts). E-mail: countrycottages@lando.co.za

THE THATCHED OLIVE B&B. Tel. 023 6251463/082 9347147. Voortrekker Street (halverwege links). E-mail: info@thatchedolive.com

verandert, gek genoeg, de ouderwetse sfeer niet. Er wonen veel creatieve types, schrijvers, kunstenaars en pottenbakkers die om de beurt exposeren in Mulberry Studio.

Hier een paar tips voor de overnachting.

Green Gables Country Inn and Village Pub is een aanrader, een prettig guesthouse met mooi antiek en comfortabele stoelen en bedden. Warme, gezellige sfeer, vraagt om boeken en wijn bij het haardvuur. Daarom perfect voor najaar en winter. Het eten in de Village Pub is super en daarom is het druk in de weekends (reserveren nodig). Acht tweepersoonskamers (alle met queensize bedden).

McGregor Country Cottages bestaat uit zeven witgepleisterde cottages met rieten dak in een abrikozenboomgaard. De huisjes hebben voldoende privacy en zijn compleet ingericht. Op ieder terras staat een braai. Er is een zwembad. Huisjes voor twee, vier en zes personen en een honeymoon cottage. Een paar cottages zijn toegankelijk voor gebruikers van een rolstoel.

The Thatched Olive is een mooie B&B midden in het dorpje. Grote tuin en veranda bij iedere kamer. Vier kamers, goed ontbijt aan de overkant van de straat bij Villa-

Wijnroute naar Bonnievale

De route via de R317 is een van de mooiste wegen in de Kaap. Hier zie je de Robertson Wine Valley in volle glorie. Wijnvelden, fruitgaarden en de Langebergen en Riviersonderendbergen vormen het uitzicht. Je rijdt af en toe vlak langs de Breede Rivier. Opvallend zijn de bloemen die geplant zijn als afscheiding bij de wijngaarden: gele en rode canna's, blauwe agapanthus, witte calla's en rozen in alle kleuren. De weg voert langs een tiental wijnfarms. **Bon Courage** is een veelzijdige wijnboerderij en je kunt er prima lunchen onder de grote bomen. **Viljoensdrift** heeft ook wijn, maar is eigenlijk meer bekend om de ligging aan de rivier en de boottochten die je er op zaterdag kunt maken. Bij de deli kun je zelf een picknick samenstellen. Als je de boot mist, is het goed toeven op het gras aan de oever van de rivier. **Van Loveren**

Kaarsrechte wijnstokken

biedt de meest gastvrije proeverij: alle flessen komen op tafel en je schenkt zelf. De mooie tuin is een bonus. Hun devies is niet alleen goede wijn maken van constante kwaliteit, maar ook een betaalbare prijs aanhouden; de shiraz en blanc de noir verdienen speciale aandacht. **De Wetshof** is een bekende naam omdat ze veel exporteren, en terecht. Dit is een klassiek estate, bekend om zijn goede chardonnay.

In wijnestate **Weltevrede** hebben de wijnen iets 'aards' in de afdronk. Proef het zelf en zoek daarna een plaatsje onder de wijnranken bij het restaurant Under the vines. Het menu wisselt dagelijks, 'food/wine matchings' worden aanbevolen

Het volgende dorp is Bonnievale. Op zondag zijn alle wijnhuizen gesloten.

Tip voor de overnachting: **Jan Harmsgat Country House.** Een bijzondere locatie; dat vond ook het Engelse dagblad *Independent,* dat Jan Harmsgat uitriep tot een van de vijf beste B&B's in het luxe segment. Er zijn vier kamers in deze monumentale boerderij uit 1723, waar de muren

een meter dik zijn en het oorspronkelijke geelhout hier en daar nog te zien is. De boerderij staat vol met fruitgaarden, noten- en olijfbomen en daartussen kun je zomaar een springbokje tegenkomen die een abrikoos pikt. Het diner is een viergangenmenu dat voor een belangrijk deel bestaat uit ingrediënten uit de tuin. Jan Harmsgat House is sinds 2005 aangesloten bij Fair Trade in Tourism.

ⓘ BON COURAGE. Tel. 023 6264178. Geopend: ma.–vr. 9–17, za. 9–15 uur.
www.boncourage.co.za

VILJOENSDRIFT. Tel. 023 6151901. Geopend: wijnproeven in de kelder ma.–vr. 8.30–17; wijnproeven bij de rivier za. 10–14, zo.–wo. 11–14; boottochten za., zo. en wo. 12 uur; zo. opening alleen de 1ste zo. van de maand, iedere zo. in dec.
www.viljoensdrift.co.za

VAN LOVEREN. Tel. 023 6151505. Geopend: ma.–vr. 8.30–17, za. 9–13 uur.
www.vanloveren.co.za

DE WETSHOF. Tel. 023 6151853. Geopend: ma.–vr. 8.30–16.30, za. 9.30–12.30 uur.
www.dewetshof.co.za

WELTEVREDE. Tel. 023 6162141. Geopend: ma.–vr. 8.30–17, za. 9–15.30. Restaurant: geopend: di.–za 9–15 uur. www.weltevrede.com JAN HARMSGAT COUNTRY HOUSE. Tel. 023 6163407. Op de R60, tussen Ashton, Bonnievale en Swellendam (20 min van Montagu). Restaurant dag. geopend voor diner (reserveren). www.jhghouse.com

Montagu

De Langebergen bestaan uit grillige rotsformaties, die deze regio tot een paradijs voor rotsklimmers maken. Het gebergte omsluit Montagu volledig. Na het dorp Ashton rijd je door de uit de rotsen gehakte tunnel: de Cogmanskloof. Talloze foto's zijn gemaakt bij deze mooie plek, waar bovenop een oud Brits fort staat dat werd gebouwd tijdens de Boerenoorlog. Net na de tunnel is aan de rechterkant een parkeerplaats. Je kunt boven op de rotsen klimmen, naar het fort om van het uitzicht te genieten. Montagu heeft veel monumenten: voornamelijk woonhuizen die stammen uit de periode rond 1850. De meeste huizen zijn gewoon in gebruik, onder meer als guesthouse of restaurant.

Het **Joubert House** is het oudste huis, uit 1853 en gerestaureerd in victoriaanse stijl. Het is nu onderdeel van een museum. De gevels geven een indruk van hoe het er hier in de 19de eeuw uitzag, het museum geeft je een beeld van de inrichting van zo'n huis. De sfeer is die van een Karoo-dorp: stil, kalm, platteland. Maar er zijn genoeg stadse invloeden meegebracht door (voormalige) stadsbewoners, er zijn leuke, goede eethuisjes en B&B's. Montagu is ook bekend vanwege de warmwaterbronnen, 3 km buiten het dorp. Het water is radioactief en heeft een constante temperatuur van 43 graden. De helende en ontspannende werking van het water wordt al honderden jaren gewaardeerd. Om de bronnen is het resort **Avalon Springs** gebouwd, een geliefd vakantieoord. Het resort biedt luxe

suites, hotelkamers en selfcatering appartementen. De bronnen zijn verdeeld over zes zwembaden (binnen en buiten) en spabaden. Sommige baden zijn alleen toegankelijk voor hotelgasten.

ℹ️ MONTAGU TOURISM BUREAU. Tel. 023 6142471, 24 Bath Street. Geopend: ma.–vr. 8.45–16.45, za. 9–17, zo. 9.30–12.30 uur. www.montagu.org.za JOUBERT HOUSE. Tel. 023 6141774, 25 Long Street. Geopend: ma.–vr. 9–13 en 14–16.30, za. 10.30–12.30, zo. 10–12 uur. AVALON SPRINGS. Tel. 023 6141150. www.avalonsprings.co.za

Hier in de buurt vinden we ook **Die Stal**, ontbijt, lunch en koffie op de boerderij. De ingrediënten zijn puur natuur en komen uit de omgeving. Een superadres, de moeite van het omrijden waard. Na Avalon Springs is het de tweede weg naar links. De bergen rondom Montagu zijn fantastisch om te wandelen of te mountainbiken. Het **MontEco Nature Reserve** is een privé-natuurreservaat van 6400 ha, in de Klein Karoo en gelegen op de hooglanden tussen Anysberg en de Langebergen. Het is een indrukwekkend gebied omdat de vlaktes zo uitgestrekt en divers zijn. Rivierbeddingen en hoogvlaktes vormen het landschap. Hier lijkt het of je diep in Afrika bent. Verken het gebied per 4x4 (de trails behoren tot de mooiste van het land), mountainbike (hier te huur!) of te voet. Je kunt hier ook logeren (kamperen of een huisje huren). De sterrenhemel is bijzonder mooi, er zijn 160 vogelsoorten en 40 diersoorten en meer dan 1000 verschillende planten. Genoeg te bewonderen voor liefhebbers en rustzoekers. 's Avonds zijn er genoeg lekkere restaurantjes in het dorp om je een paar avonden te vermaken. Zoals **Josephine's** en **Jessica's**, beide in Bath Street. Bij Josephine's vormen de warme kleuren en een bloeiende pergola een goede combinatie met de kruidige geuren uit de keuken. De gerechten zijn modern met Aziatische toets. Jessica's biedt

heel goed eten, de (lokale) meningen zijn verdeeld over wie beter is: Jessica's of Mimosa (zie hieronder). Dan zit er maar één ding op... Hier eet je een heerlijke springbok- of struisvogelsteak met een saus die klasse verraadt. Let niet op het interieur, het is erg tuttig. Alle foto's en beeldjes van honden zijn gerelateerd aan de naamgever van dit restaurant; de hond van de kok.

ℹ️ DIE STAL. Tel. 082 3244318, Kruis Farm. Gesloten op maandag.

MONTECO NATURE RESERVE. Tel. 028 5721922 of 0800 628873 (gratis). www.monteco-nature-reserve.com

JOSEPHINE'S. Tel. 023 6143939, 63 Bath Street. Geopend: voor lunch ma.–vr., diner ma.–zo.

JESSICA'S. Tel. 023 6141805, 47 Bath Street. Geopend: dag. voor diner, gesloten op zo. van mei–sept.

Slapen

Ook qua accommodaties is er genoeg keuze. **Malherbe Guesthouse** is een heerlijk, warm aanbevolen, adres waar de oude houten vloeren kraken onder je voeten en de deuren en luiken nog stammen uit het bouwjaar: 1859. Het pand is in Kaap-Hollandse stijl, maar met victoriaanse en edwardiaanse invloeden. De zes kamers zijn mooi ingericht en 's ochtends is het heerlijk wakker worden met zelfgebakken brood en verse jus. Malherbe heeft een prachtige tuin met hoekjes waar je lekker kunt zitten lezen. Achter in de tuin ligt het zwembad waar de Langebergen je uitzicht vormen.

De **Mimosa Lodge** heeft zestien kamers en suites, ingericht met felle, warme kleuren. Sommige kamers zijn licht, andere juist niet. Het zwembad en de tuin zijn heerlijk en ruim. Mimosa Lodge is bekend om de goede keuken, die ook open is voor niet-gasten. Er wordt een viergangenmenu geserveerd, met wijnarrangement. Reserveren is noodzakelijk.

ℹ️ MALHERBE GUESTHOUSE. Tel. 023 6143617, 17 Long Street. www.malherbe-guesthouse.com
MIMOSA LODGE. Tel. 023 6142351, Church Street. www.mimosa.co.za

Via Barrydale en Tradouwpas

De R62 leidt vanuit Montagu verder naar het hart van de Klein Karoo, Barrydale. Hier verlaat je de weg en ga je de Lange bergen over via de Tradouwpas naar Swellendam. De R62 gaat verder naar Oudtshoorn, het struisvogelcentrum van Zuid-Afrika. Barrydale is een dorp, waar het ritme langzaam is en alle bewoners elkaar kennen. Als de zon achter de bergen ondergaat, trekken de mensen zich terug achter de dikke muren van hun huizen waar de rode wijn van de Barrydale Cellars wordt geschonken. Er zijn hier niet veel toeristen.

Een spannend, funky logeeradres is **The Barrydale Karoo Hotel**. Een erg heterovriendelijk homohotel, dat betekent in dit geval een goede sfeer, lekker eten en een mooi modern interieur (veertien kamers). Als je het dorp binnenrijdt, staan er verschillende farmstalls langs de weg. Bij een ervan kun je zo goed eten dat mensen er uit de hele regio naar toe gaan: **Clarke of the Karoo**. Hier serveren ze eten zonder gedoe: stevige soepen, flinke lappen vlees, groente van het land en desserts waarvan je de calorieën beter niet telt. Ook salades, sandwiches en omeletten.

Een leuk adres is de wijnboerderij **Joubert-Tradauw**. Hun R62 Unplugged is een merlot/shiraz blend, typisch een wijn waarvan je graag een doosje zou inslaan. Je kunt er heerlijk lunchen in de tuin (o.a. met tapas) en blijven slapen kan ook (er is een schattig huisje te huur en ook een paar gastenkamers). Zwembad, fruitbomen en heerlijke rust is wat je hier vindt.

In de **Barrydale Wine Cellars** kun je lokale wijnen proeven en kopen. De chardonnay is bijzonder goed. Een rondleiding door de kelders is mogelijk op afspraak, bel van tevoren.

🚗 Je moet rechts afslaan, het dorp in, om naar de Tradouwpas te gaan (R324). De pas is spectaculair mooi en je hebt de weg meestal voor jezelf. Dat kan gevaarlijke situaties opleveren met locals die deze pas op de automatische piloot rijden, maar laat dat je niet tegenhouden. Houd na de pas rechts aan zodat je uitkomt op de N2, vanaf dat punt is het nog 11 km naar Swellendam (totaal vanaf Barrydale 45 km, vanaf Montagu 65 km).

ℹ️ BARRYDALE INFORMATION OFFICE. Tel. 028 5721572, 1 Van Riebeeck Street.
www.barrydale.co.za
THE BARRYDALE KAROO HOTEL. Tel. 028 5721226, 30 Van Riebeeck Street.
www.thebarrydale.co.za
CLARKE OF THE KAROO Tel. 028 5721017, aan de R62 in het dorp. Geopend: dag. v.a. 8, wo.–za tot 20.30, zo.–di. tot 17 uur.
JOUBERT-TRADAUW. Tel. 028 5721619, aan de R62. Geopend: ma.–vr. 9–16.30, za. 9–14 uur.
www.joubert-tradauw.co.za Bel voor de B&B met Helena Joubert, tel. 028 5721636.
www.lentelus.co.za

BARRYDALE WINE CELLARS. Tel. 028 5721012, aan de R62. Geopend: ma.–vr. 9–17, za. 9–13 uur.
www.barrydalewines.co.za

Swellendam

Een van de mooiste dorpen in de Kaap is Swellendam, na Kaapstad en Stellenbosch de derde plaats waar de kolonisten zich vestigden in 1775. Gouverneur Hendrik Swellengrebel en zijn vrouw Ten Damme waren de naamgevers van Swellendam. Het dorp bestaat uit de langgerekte (daar is ie weer) Voortrek Street. De Nederlands Gereformeerde Kerk is het bekijken waard.

Ga in ieder geval naar het **Drostdy Museum**. Ook al vertelt dit museum over Swellendam, het geeft een goed beeld over de gang van zaken in de gehele Kaap. De *drostdy* (1776) was het woonhuis van de landdrost. De tuinen zijn er nog, net als de slavenhuizen en stallen. Aan de overkant van de straat is The Old Gaol, hier was de gevangenis gevestigd, samen met het postkantoor en het kantoor van de magistraat. In de binnentuin zijn oude ambachten te zien. De **Utamaduni Gallery** is een winkel met Afrikaanse kunst en originele handgemaakte souvenirs. Waardevolle antieke stukken uit Zuidelijk Afrika staan naast vrolijk gekleurde township-art in deze galerie. Hier zie je dingen die je niet in iedere 'souvenir'winkel tegenkomt. In de binnentuin is ook een erg goed koffiehuis/lunchgelegenheid ondergebracht. De **Old Gaol Coffeeshop** biedt Zuid-Afrikaanse specialiteiten zoals melktert, roosterkoek, springbokcarpaccio en citroenlimonade voor de lunch. Binnen en buiten zit je leuk, ook veel locals komen hier binnenlopen.

De hoofdstraat is bijna een openluchtmuseum, met al die oude gevels en mooie tuinen. Op 6 km van Swellendam ligt het **Bontebok National Park**. Het kleine maar mooie park is oorspronkelijk opgezet om de bontebok voor uitsterving te behoeden.

Old Gaol, onderdeel van Drostdy Museum en lunchadres

Dat is goed gelukt, je ziet de bontebokken in het veld samen met o.a. Red Hartebeest, Grey Rhebok en de Cape Mountain Zebra. Het lage fynbos zorgt dat je de dieren goed kunt zien. Geen echte safari in dit park, maar het is mooi en de moeite waard om een paar uur rond te rijden. Aan de oever van de rivier is kampeergelegenheid en je kunt er picknicken en zwemmen. Vanaf deze plek vertrekken ook twee korte wandelingen (van 1,5 en 2 km).

ℹ SWELLENDAM TOURISM. Tel. 028 5142770, Oefeninghuis, Voortrek Street. Geopend: ma.–vr. 9–13 en 14–17, za. 9–12 uur.
www.swellendamtourism.co.za
DROSTDY MUSEUM. Tel. 028 5141138, 18 Swellengrebel Street. Geopend: ma.–vr. 9–16.45, za.–zo. en feestdagen 9–15.45 uur.
www.drostdymuseum.com
OLD GAOL COFFEESHOP. Tel. 028 5143847, Old Gaol Complex, 26 Swellengrebel Street. Geopend: dag.
UTAMADUNI GALLERY. Tel. 028 5143847, Old Gaol Complex, 26 Swellengrebel Street.
BONTEBOK NATIONAL PARK. Tel. 028 5142735, langs de N2, 6 km buiten het dorp. Geopend: okt.–apr. 7–19, mei–sept. 7–18 uur.
www.sanparks.org

Swellendam heeft geen gebrek aan mooie accommodatie en goede restaurants. De **Swellendam Country Lodge** (viersterren) biedt alles wat je zoekt: mooie, comfortabele kamers met rustige inrichting en eigen veranda, verspreid over een tuin die vol staat met geurige bloemen, een zwembad waar je (korte) baantjes kunt trekken en een ontbijt dat er mooi genoeg uitziet voor een foto. De zes kamers zijn verschillend, die zonder bad en zonder minibar zijn goedkoper. De lodge ligt helemaal aan het eind van de hoofdstraat, het is nog een flinke wandeling (of een korte autorit) naar de meeste restaurants en het museum. Het aanbevolen restaurant Old Mill Restaurant ligt er direct naast. De centrale ligging (naast Drostdy Museum en vlak bij de meeste restaurants) is een belangrijke bonus van de B&B **African Shades**. De zes kamers (er is ook een familiekamer) zijn ingericht met Afrikaanse touch. Het bijbehorende restaurant met uitnodigend terras heeft een gezellige sfeer.

De zes kamers in het met vijf sterren gewaardeerde **De Kloof Luxury Estate** zijn natuurlijk van alle gemakken voorzien. Het zijn de golf driving range, wijnproeven bij aankomst, de gym en de kunstwerken die De Kloof bijzonder maken. Het pand stamt uit 1801 en veel is er nog origineel. Het ligt rustig in een beschutte vallei met prachtig uitzicht op de bergen en toch op loopafstand van het dorp en de restaurants. Gastechtpaar Roy en Marjolein van Mourik doet er alles aan om het hun gasten naar de zin te maken.

Op ieder moment van de dag is het **Old Mill Restaurant & Tea Garden** een prima keuze. De kaart bestaat uit Hollandse pannenkoeken en Belgisch huisgemaakt ijs, maar de kok is ook thuis in de Zuid-Afrikaanse keuken. Perfecte struisvogelbiefstukjes en dagelijkse specialiteiten, in de setting van kaarslicht in de tuin of in de oude molenaarswoning maken dit een fijn restaurant onder Belgische leiding.

De **Herberg Roosje van de Kaap** is volgens locals de beste plaats om te eten, vanwege de goed klaargemaakte klassieke Kaapse gerechten. Roosje van de Kaap doet de naam 'herberg' eer aan wat betreft de sfeer, hoewel de eetkamer wel erg donker is.

ℹ️ SWELLENDAM COUNTRY LODGE. Tel. 028 5143629, 237 Voortrek Street. www.swellendamlodge.com
AFRICAN SHADES. Tel. 028 5142944, 13 Swellengrebel Street. www.africanshades.co.za
DE KLOOF LUXURY ESTATE. Tel. 028 5141303, 8 Weltevrede Street. www.dekloof.co.za
OLD MILL RESTAURANT & TEA GARDEN. Tel. 028 5142790, 241 Voortrek Street. Geopend: dag. de hele dag. www.oldmill.co.za
HERBERG ROOSJE VAN DE KAAP. Tel. 028 5143001, 5 Drostdy Street. Geopend: di.–zo. ontbijt 8–10, diner 19–21.30 uur.

WHALE COAST

De Whale (walvis) Coast loopt van Gordon's Bay via Hermanus (het walvisdorp) en Cape Agulhas (zuidelijkste punt van Afrika) tot De Hoop Nature Reserve. Met uitzondering van Hermanus is er niet veel toeristische of stedelijke ontwikkeling. De natuur heeft de hoofdrol. De kuststrook doet zijn naam eer aan van juli tot november, als de southern right whales in de warmere wateren van de Atlantische Oceaan verblijven om te kalven en hun kleintjes te laten groeien. Vanaf oktober vertrekken de moeders met hun kleintjes, die nu groot genoeg zijn, weer naar het koude water richting Antarctica. De walvissen zijn vaak dicht bij de kust, omdat het water wat warmer is maar tegelijk ook diep genoeg. Dit zorgt ervoor dat de walvissen vanaf de rotsen perfect te observeren zijn. De Whale Coast is een van de beste plekken ter wereld om deze indrukwekkende dieren te zien. Vanaf een boot kijken geeft een extra dimensie, maar het is ook heel bijzonder om op een rots te zitten en naar walvissen te kijken. Bij sommige hotels met zeezicht kun je ze vanuit je bed zien. Een verrekijker is onmisbaar, want de walvissen zijn niet altijd dichtbij.

Buiten het walvissenseizoen is het net zo goed de moeite waard deze kant op te gaan. Je zult niet zoveel toeristen tegenkomen, de kustplaatsen zijn rustig (buiten de schoolvakanties en weekenden). De kust is op de meeste plaatsen rotsachtig, met hoge kliffen en hier en daar een strand. Golven komen vanuit Antarctica aanrollen en slaan met veel geweld kapot. Onderweg zijn er eethuisjes waar je verse vis eet, op een zonnig terras of bij een haardvuur. Net als overal in Zuid-Afrika is de accommodatie bijna altijd goed verzorgd. De standaard ligt zo hoog dat je zelden teleurgesteld wordt. Wie doorrijdt naar De Hoop Nature Reserve (ter hoogte van Swellendam, dus niet zo ver als het lijkt) wordt beloond met duinlandschappen die aan Namibië doen denken. De uitgestrekte stranden en grillige rotsformaties vormen samen met de tientallen meters hoge duinen een indrukwekkend landschap. Kenners zeggen dat dit de ultieme plek is om walvissen te zien.

Uitzicht over zee op de kustroute R44

Kustroute Cape Hangklip

🚗 R44. Gordon's Bay, aan de oostkant van False Bay, ligt tegen de hoge flanken van de Hottentots Holland Mountains aangeplakt. Je komt hier door de N2 te volgen richting Strand, vlak voor Sir Lowry's Pass is de afslag naar Gordon's Bay. Volg de kustweg rondom Cape Hangklip naar Rooiels en Betty's Bay, richting Kleinmond. De route is van hetzelfde kaliber als Chapman's Peak Drive op het schiereiland: spectaculair. Hetzelfde geldt voor de zee, er liggen meer dan 120 scheepswrakken langs deze kust.

Na Rooiels kom je bij Stony Point. Stap hier uit en loop een klein stukje naar de plek waar een kolonie pinguïns zit. De rotsen, de zee en al die pinguïns maken het tot een mooi uitzichtpunt. Betty's Bay is een klein dorpje met een handvol huizen en een botanische tuin. De **Harold Porter National Botanical Gardens** zijn de moeite waard, niet zo groot maar met een enorme verscheidenheid aan fynbossoorten. Enkele korte wandelingen zijn uitgezet door dit mooie gebied, ingeklemd tussen zee en bergen. De disa, een zeldzame wilde orchidee, bloeit hier van eind december tot eind januari. Er is ook een restaurant.

Een betere plek om mosselen te eten dan vlak aan zee in **The Whaling Station Restaurant** is er niet. Met een Belgisch biertje erbij is het feest compleet. De vriendelijke Belgische eigenaars hebben nog meer lekkere Belgische specialiteiten op het menu, zoals Brusselse wafels en tomaten crevette met speciaal ingevlogen Noordzeegarnalen.

Kleinmond is het volgende dorp. De afgelopen tijd is dit dorpje behoorlijk opgeleefd, bij de haven is nu een aantal winkeltjes, galeries en eethuisjes. Het is heel klein maar leuk om even rond te kijken. In de Shell Fish Bar **Alive Alive Oh** zijn de schelpen onder je voeten en de schelpdieren op je bord het belangrijkste. In dit simpele eethuisje in de open lucht serveren ze abalone (perlemoen in het Afrikaans), een zeldzame zeevrucht die bij de naburige Abalone Hatchery gekweekt wordt voor export. Het uitzicht is fraai.

Ten oosten van het dorp ligt de Bot River Lagoon, waar je kunt zeilen en kanoën. Er zijn veel zeevogels en een groepje wilde paarden, waarvan niemand weet waar ze eigenlijk vandaan komen. De Palmiet Rivier vormt een lagune bij de zee waar je kunt zwemmen, surfen en kanoën.

ℹ HAROLD PORTER NATIONAL BOTANICAL GARDENS. Tel. 028 2729311, langs de R44. Geopend: ma.–vr. 8–16.30, za.–zo. 8–17 uur.

THE WHALING STATION RESTAURANT. Tel. 028 2729238, langs de R44, Betty's Bay.
www.whalingstation.com

KLEINMOND TOURISM BUREAU. Tel. 028 2715657, let op het bordje langs de R44 in Kleinmond. Geopend: ma.–vr. 8–17, za. 8–13 uur.
www.ecoscape.org.za

ALIVE ALIVE OH – THE SHELL FISH BAR. Tel. 028 2713774, Harbour Road, Kleinmond.

HERMANUS

Hermanus is eigenlijk een simpel vissersdorp, maar de walvissen hebben geholpen aan een flinke vorm van schaalvergroting. De lokale middenstand en horeca hebben het walvissenlogo massaal overgenomen, en terecht. Het is uniek om vanaf een bankje bij de haven naar de walvissen te kijken die spelen in de baai. Het is indrukwekkend om voor de eerste keer een walvis te zien. Zeventien meter, de gemiddelde lengte van een volwassen southern right whale, is echt erg lang. De zee is hier diep en de kustlijn ligt verhoogd, dit betekent voor de walvissen dat ze dicht bij de (warmere) kust kunnen komen. Voor ons houdt het in dat je boven op de walvissen kijkt en beter uitzicht hebt.

Hermanus heeft iemand in dienst die de hele dag bijhoudt waar de walvissen gesignaleerd zijn en dit omroept: de *whale crier*. Telefonisch kun je op de hoogte raken van de beste plaatsen om ze te spotten via de **Whalespotters Hotline**. Het laatste weekend in september wordt het Whale Festival gehouden. Accommodatie moet je dan op tijd regelen. Een dag in Hermanus bestaat uit wandelen langs de haven en de kust, turen door je verrekijker, de camera scherpstellen, fish and chips eten en rondkijken bij de souvenirstalletjes en de winkels. Zijn er geen walvissen, dan bestaat Hermanus vooral uit winkeltjes en terrassen. Het mooie pad langs de kliffen is ook zonder walvissen een heel mooie wandeling. Er is ook een strand waar je kunt zwemmen, een van de weinige plaatsen in Zuid-Afrika waar de blauwe vlag (keurmerk voor goede, veilige, schone stranden) wappert. Kajaktochten op zee en duiken met grote witte haaien, mountainbiken en wijn proeven bij een van de wijnhuizen in de Hemel en Aarde Vallei zijn activiteiten die het hele jaar doorgaan.

ℹ HERMANUS TOURISM BUREAU. Tel. 028 3122629, Hoek Lord Roberts en Mitchell Street. Geopend: ma.–za. 9–17, in de zomer zo. 10–15 uur. www.hermanus.co.za en www.whalefestival.co.za

WHALE-SPOTTERS HOTLINE. Tel. 0800 228222.

Eten en slapen

Schulphoek Seafront Guesthouse biedt een bijzondere logeerervaring, waar al je zintuigen aan bod komen. De kamers zijn gesitueerd rond de binnentuin waar de lavendel uitbundig bloeit. 's Avonds is er een table d'hôte waarbij de gastheer kookt met groenten uit de tuin en dagverse vangsten uit zee of uit de wei. Schulphoek ligt in Sandbaai, een wijk buiten het dorp. Het ligt aan het cliff path, het wandelpad vanuit de haven van Hermanus.

45 Marine Drive biedt selfcatering appartementen aan zee. Goed en compleet ingericht, twee slaapkamers en twee badkamers. Prachtig uitzicht. Dagelijkse schoon-

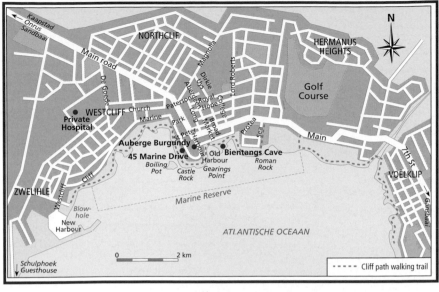

Hermanus

maak. Centrale ligging, om de hoek bij de haven.

Whale Cottage is een heerlijk guesthouse aan zee, met een zwembad en uitzicht op de walvissen. Het ligt aan het wandelpad langs de kust. Warm aanbevolen.

De **Auberge Burgundy** is een mooi guesthouse in Provençaalse stijl. Het pand is een eyecatcher. Het restaurant ligt tegenover de haven. Het ontbijt wordt geserveerd in het naastgelegen, eveneens aanbevolen, restaurant Burgundy. Er is ook

een zespersoons selfcatering penthouse. De kaart van het restaurant bestaat vooral uit visgerechten en kent mediterrane invloeden. **Restaurant Burgundy** is gevestigd in cottages uit 1875, de oudste gebouwen in Hermanus. Uitnodigend terras in de schaduw, waar je tijdens de lunch walvissen kunt spotten (als je rechtop zit).

In het visrestaurantje **Bientang's Cave** kun je natte voeten halen. Het ligt in een echte grot en het terras is op zeeniveau, dat betekent walvissen op ooghoogte. Je vergeet te eten als je dit geluk hebt! Een uniek plekje, met lekkere verse vis, schaal- en schelpdieren op het menu. Reserveren aanbevolen. De beste lunch voor het echte vissersdorpsgevoel en om in de sfeer van de walvissen te blijven, is fish and chips. De **Fish Shoppe** is het beste adres, opeten op het muurtje bij de haven.

ℹ SCHULPHOEK SEAFRONT GUESTHOUSE. Tel. 028 3162626. 44 Marine Drive, www.schulp-hoek.co.za

45 MARINE DRIVE. Tel. 028 3123610, 45 Marine Drive, Hermanus. www.45marinehermanus.com

WHALE COTTAGE. Tel. 028 3130929, 38 Westcliff Drive, Hermanus. www.whalecottage.com

AUBERGE BURGUNDY. Tel. 028 3131201, 16 Harbour Road, Hermanus. www.auberge.co.za

THE BURGUNDY RESTAURANT. Tel. 028 3122800, Marine Drive, Hermanus.

BIENTANG'S CAVE. Tel. 028 3213454, onder Marine Drive (trapje af) ter hoogte van Marine Hotel, Hermanus. www.bientangscave.com

FISH SHOPPE. Tel. 028 3131092, Main Road, Hermanus.

Grootbos Private Nature Reserve

Grootbos is een bijzondere plek: een (privé)natuurreservaat met fynbos, zeldzaam milkwood-woud, duinen en zee met daarop de beste lodge van Zuid-Afrika. Behalve deze verkiezing kreeg Grootbos ook een plek in de top zes van de beste kleine hotels ter wereld van de Britse *Sunday Times*. Als je hier logeert, weet je na afloop alles van fynbos. De zeer goed geïnformeerde *field guides* zijn enthousiast en professioneel. Datzelfde kun je zeggen van de koks, die hun ziel en zaligheid leggen in het bereiden van de mooiste maaltijden. De wandeling, paardrijtocht, picknick op het strand, sightseeing tour in de omgeving en maaltijden zijn inbegrepen in het verblijf. De uitzichten over Walker Bay vanuit het restaurant en sommige kamers (Grootbos ligt hoog boven de zee, dus het uitzicht is goed) zorgen voor walvisvermaak in het seizoen. Verblijven op Grootbos is een echte natuurervaring met heerlijk eten in een vijfsterren lodge, die een hoogtepunt van de reis kan zijn. Het is ook mogelijk een dag te verblijven op Grootbos, dan maak je de fynboswandeling, lunch en daarna volgt het strand met picknick en walvissen in het seizoen.

ⓘ GROOTBOS NATURE RESERVE. Tel. 027 3848000. Op de R43 tussen Hermanus en Gansbaai, 33 km van Hermanus. Minimumverblijf 2 nachten. www.grootbos.com

CAPE AGULHAS EN OMGEVING

De zuidelijke tegenhanger van de Noordkaap in Lapland is Cape Agulhas. Het zuidelijkste puntje van het continent Afrika ligt hier, maar de bijpassende dramatiek vind je in het landschap niet terug. Cape Point is meer spectaculair, ondanks dat is het toch een bijzondere plek. Aangezien je nu toch in de buurt bent...

🚗 Vanaf de N2 ga je bij Riviersonderend de R317 op, richting Bredasdorp. De 90 km naar Cape Agulhas voeren door een landschap met golvende graanvelden, uitgestrekte weilanden met schapen en daarachter zie je soms een glimp van de oceaan.

Bredasdorp

De regio rondom Bredasdorp is het schapencentrum van zuidelijk Afrika. In Bredasdorp kun je het **Shipwreck Museum** bezoeken, waar de voormalige predikantenwoning is ingericht met voorwerpen die van vergane schepen komen. De jut-

ters van het dorp schonken hun vondsten aan het museum. Heel gewoon bij huizen aan deze kust is dat het wrakhout van de vergane schepen werd gebruikt als raam- of deurkozijn. Het is een interessant geheel en het gevaar van de kustlijn wordt nu wel duidelijk. Er zijn hier meer dan 250 schepen vergaan. **Kapula Candles** is een communityproject, zij maken kaarsen die stuk voor stuk kleine kunstwerkjes zijn. In veel winkels in Zuid-Afrika kom je Kapula Candles tegen maar ze worden ook geëxporteerd.

ⓘ SHIPWRECK MUSEUM. Tel. 028 4241240, 6 Independent Street, Bredasdorp. Geopend: ma.–vr. 9–16.45, za.–zo. 11–16 uur.
KAPULA CANDLES. Tel. 028 4242829, hoek Petterson Road en First Avenue, Bredasdorp.
www.kapulacandles.com

Cape Agulhas

De vuurtoren van Agulhas stamt uit 1848 en is daarmee de tweede oudste (nog werkende) van het land. In Green Point, Kaapstad, staat de oudste. Het licht is erg krachtig en wordt beschreven als het equivalent van 7,5 miljoen kaarsen. In een heldere nacht is de lichtbundel tot 30 zeemijlen ver zichtbaar. Als je de 71 treden van de vuurtoren beklimt, word je beloond met een prachtig uitzicht over zee (walvissen!) en land. Dit is echt de moeite waard, daarnaast is er ook niet veel te beleven op deze zuidelijkste punt. Het land loopt af in zee, waar het de Agulhas Bank vormt. Daar komen de twee stromingen van de koude Atlantische en de warme Indische Oceaan samen.

ⓘ AGULHAS LIGHTHOUSE. Tel. 028 4356708. Geopend: dag. 8–17 uur.

Arniston

Ongeveer 20 km ten oosten van Agulhas ligt het kleine vissersdorp Arniston. Hier zwem je in de Indische Oceaan met zijn tropische azuurblauwe kleur; het water is hier inderdaad een stuk warmer dan het ijzige water van de Atlantische Oceaan. De vissers wonen in de witte cottages van Kassiesbaai, vlak aan het strand waar de houten, felgekleurde boten ook liggen. De dagelijkse attractie is het binnenslepen van de boten door een tractor. Daarna wordt de vis van boord gehaald en verkocht aan de mensen op het strand. Tussen de handelaren en restauranteigenaren staan ook genoeg toeristen en locals die de vis 's avonds op hun braai grillen. In Kassiesbaai is een restaurant dat gerund wordt door de vissersvrouwen, waar je de *catch of the day* van hun mannen kunt eten (reserveren is noodzakelijk). **Die Waenhuis** is een simpel maar goed eethuisje in de sfeer van een zeemanskroeg, natuurlijk voor vis maar men serveert ook steaks en salades.

Arniston heeft maar een paar straatnamen, dus let goed op de bordjes naar restaurants en guesthouses om je te oriënteren. **Southwinds** biedt vier lichte en ruime kamers, heerlijke bedden en een paar minuten van het strand zijn de kenmerken van deze B&B. Vriendelijke eigenaars. **Arniston Seaside Cottages** is een complex met twintig cottages midden in de duinen. De luxe selfcatering huisjes hebben een open haard en balkon en worden dagelijks schoongemaakt. Centraal gelegen en aanbevolen. Vul de koelkast met boodschappen van de Spar in Bredasdorp, aanvullen met verse vis!

ℹ️ KASSIESBAAI CRAFTSHOP & RESTAURANT. Tel. 028 4459760 (Lilian Newman).

DIE WAENHUIS. Tel. 028 4469797, Du Preez Street (het verlengde van de R316).

SOUTHWINDS. Tel. 028 4459303, Huxham Street (achter het Arniston Hotel).

ARNISTON SEASIDE COTTAGES. Tel. 028 4459772, Huxham Street (volg de bordjes).

www.arniston-online.co.za

De Hoop Nature Reserve

De Hoop Nature Reserve bereik je via de R319 vanuit Bredasdorp (57 km op gravelpad). De Hoop is een van de mooiste natuurreservaten en wordt waarschijnlijk een nationaal park. Tot die tijd blijft het er in ieder geval nog redelijk rustig en heb je de 90 m hoge zandduinen en het strand soms voor jezelf. Het reservaat is groot, 36.000 ha plus een strook van 5 km de zee op. Verschillende ecosystemen komen hier bij elkaar, het fynbos loopt over in de duinen, er zijn fossielen, 86 soorten zoogdieren, 260 verschillende vogels en 1500 plantensoorten. In het walvissenseizoen is de baai geliefd bij de southern rights, soms zwemmen ze hier met tientallen tegelijk. Je kunt hier wandelen, zwemmen en mountainbiken (niet te huur). Er is wel accommodatie: twaalf selfcatering huisjes, waaronder Lekkerwater (luxe huis aan zee voor tien personen) zijn te huur, telefonisch reserveren. De andere cottages hebben twee slaapkamers voor vier personen

ℹ️ DE HOOP NATURE RESERVE. Tel. 028 4255020.

Geopend: dag. tussen 7 en 18, vr. tot 19 uur.

www.capenature.co.za

WESTKUST

Net boven Kaapstad begint de wilde, uitgestrekte Westkust. De kust is bekend om de spectaculaire bloemenvelden, die in de lente veel bezoekers trekken. Verder is het gebied voornamelijk geliefd onder watersporters en vissers. Ook levensgenieters en rustzoekers vinden alles wat ze zoeken aan de Westkust. Uitgestrekte fynbosvelden en prachtige stranden kenmerken de kustlijn van de ijskoude Atlantische Oceaan.

🚗 Volg vanuit Kaapstad de richting van Blouberg en Milnerton. Rijd helemaal langs de kust, tot de weg overgaat naar de R27. Afstanden: Yzerfontein 75 km, Langebaan 110 km, Paternoster 150 km.

Yzerfontein

Yzerfontein is het eerste dorp van redelij-

gerichte B&B met prachtig zeezicht. De zes ruime kamers zijn voorzien van alle gemakken (vier sterren), en geen kamer is hetzelfde. **The Gulls** is een ruim, elegant guesthouse. Ze serveren een heerlijk ontbijt en zijn voorzien van alle gemakken. Geniet van het prachtige zeezicht of wandel op het prachtige strand voor de deur.

ⓘ YZERFONTEIN TOURISM BUREAU. Tel. 022 4512366, 46 Main Road, Yzerfontein, www.yzerfontein.net.

DIE STRAND KOMBUIS. Tel. 021 8735302, 16 Mile Beach Reserve, Yzerfontein. Geopend: dag. lunch om 13 uur, gesloten jun.–aug.

THE LINEN ROOM. Tel. 022 4512851. Geopend: dag. voor diner.

HARBOUR VIEW B&B. Tel. 022 4512615, 8 Arum Crescent. www.harbourviewbb.co.za

THE GULLS GUEST HOUSE. Tel. 022 4512264, 16 Pikkewyn Crescent. www.thegulls.co.za

ke grootte dat je op de R27 vanuit Kaapstad tegenkomt. Het dorp is vernoemd naar een bron die uit een formatie ijzersteen ontsprong. Van hieruit kun je op een heldere dag de Tafelberg in de verte zien liggen. Het dorpje ligt aan een beschutte baai van de Atlantische Oceaan, met in de buurt mooie stranden die uitstekend geschikt zijn voor surfen. Met een beetje geluk kun je in de baai walvissen spotten. Er zijn vele redenen om Yzerfontein een bezoek te brengen en **The Linen Room** is er een van. De chef heeft meerdere awards gewonnen en dit restaurant zet de Westkust op de culinaire kaart. Ze zijn gespecialiseerd in moderne Zuid-Afrikaanse gerechten en de Europese keuken. **Die Strand Kombuis** is een leuk restaurant op het strand van Yzerfontein. Je kunt hier genieten van heerlijk eigen gemaakt brood, jams, koekjes en goede visgerechten. **Harbour View B&B** is een romantisch in-

West Coast National Park

Het West Coast National Park beslaat 30.000 ha en loopt van Yzerfontein tot Langebaan. Het park is ontstaan om het onderwaterleven, de wetlands en de Langebaan Lagoon te beschermen. De grootste attractie is de enorme populatie vogels, die je er het hele jaar door kunt vinden.

ⓘ WEST COAST NATIONAL PARK. Tel. 022 7722144. Geopend: 24 uur per dag. Het park heeft twee ingangen: vanuit het zuiden langs de R27, of net ten zuiden van Langebaan.

Langebaan

Langebaan is de afgelopen jaren uitgegroeid tot een waar toeristenoord, dankzij de prachtige turkooizen lagune die uitstekend geschikt is voor zeilen, wind- en kitesurfen. Het strand is mooi en trekt veel Zuid-Afrikaanse families. Het water hier is het hele jaar door ijskoud en zwemmen is dus een hele uitdaging. Het strand is eindeloos lang en breed.

Langebaan heeft helaas ook te maken gehad met de keerzijde van het toenemende toerisme: er zijn enorme nieuwbouwprojecten opgezet. Met het resort Club Mykonos is getracht de sfeer van het pittoreske Griekse eiland na te bouwen. Helaas is het een ordinair vakantieoord geworden, waar de gasten zich 24 uur in het casino kunnen vermaken.

Het **Cape Sports Centre** is gespecialiseerd in watersport, en verhuurt alles wat daarmee te maken heeft. Dit is het adres om je surfboard of zeilboot te huren.

Het **Gecko Beach House** staat op het strand en biedt vijf goed verzorgde kamers en een ruime guestlounge. Het vier sterren guesthouse zit om de hoek van alle restaurantjes. Het ontbijt is goed, de service vriendelijk en de omgeving prachtig.

Voor het ultieme strandgevoel ga je in **Die Strandloper** eten. Je zit op het strand in Langebaan met een prachtig uitzicht over de lagune, terwijl je geniet van de heerlijke visgerechten. Je kunt toekijken hoe je eten wordt gemaakt op een kampvuur en in open ovens. Lunch wordt geserveerd om 12 uur, diner om 6 uur. Je krijgt een diner dat bestaat uit tien gangen (!) voor R140 per persoon. De crayfish (lokale kreeft) komt als laatste gang! Reserveren noodzakelijk.

Pearly's is een populair restaurant aan het strand met een mooi uitzicht over de lagune. Ze serveren goede visgerechten, pasta's en vlees van de grill.

ℹ️ LANGEBAAN TOURISM BUREAU. Tel. 022 7721515, Municipal Offices, Bree Street, Langebaan. www.langebaaninfo.com.

CAPE SPORTS CENTRE. Tel. 022 7721114, info@capesports.co.za

GECKO BEACH HOUSE. Tel. 022 7721586.

www.geckobeachhouse.com

DIE STRANDLOPER. Tel. 022 7722490.

www.strandloper.com

PEARLY'S. Tel. 022 7722734, Langebaan Lagoon.

Paternoster

Paternoster is een klein vissersdorpje gelegen aan de kust net boven Langebaan. Dit dorpje heeft zijn oude charme goed bewaard, met schattige witte huisjes die her en der langs het strand verspreid staan. Elke middag komen de vissersboten met hun dagelijkse vangst binnen, en voor een prikkie koop je van de vissers een heerlijke snoek of kreeft voor op de braai.

Slapen en eten

De **Blue Dolphin** ligt aan het strand en heeft vier kamers en suite die bestaan uit twee verdiepingen, met prachtig zeezicht. Er is ook een appartement voor max. zes personen. Heerlijk buiten zitten op de veranda met alle luxe binnen handbereik.

J'Aime la Mer bestaat uit een cottage (vierpersoons) en loft (tweepersoons) direct aan het strand van Paternoster. Op je eigen veranda kun je braaien, in de gezellige woonkamer kun je de haard aansteken. Het wijdse uitzicht geeft een enorm gevoel van vrijheid.

The Beach Camp is gelegen binnen het Cape Columbine Nature Reserve. Er is comfortabele accommodatie in tenten en schattige houten huisjes. Ze hebben kookfaciliteiten, maar je kunt er ook heerlijk à la carte eten. Vooral de visgerechten zijn een aanrader!

Het **Voorstrandt Restaurant** bevindt zich in een schattig 108 jaar oud vissershuisje op het strand. Nadeel is dat het tijdens de winterstormen nog wel eens letterlijk onder water staat... Je kunt hier heerlijke (hoe kan het ook anders) visgerechten krijgen. Reserveren noodzakelijk.

ℹ️ WEST COAST PENINSULA TOURISM BUREAU. Tel. 022 7151142, www.capewestcoast.org.

BLUE DOLPHIN B&B AND SELF CATERING. Tel. 022 7522001, Warrelklip Street. www.bluedolphin.co.za
J'AIME LA MER. Tel. 083 7012650 (Arita). E-mail: paternosteraccomodation@telkomsa.net.

THE BEACH CAMP. Tel. 082 9262267. www.ratrace.co.za
VOORSTRANDT RESTAURANT Tel. 022 752 2038, Strandloper Way (op het strand). Geopend: dag. 10–22 uur.

SAFARI IN DE KAAP

Op safari in Kaapstad, eigenlijk kan dat helemaal niet. Ook al waren hier een paar honderd jaar geleden nog wilde dieren in overvloed, voor de Big 5 moet je toch echt naar het Krugerpark. Een binnenlandse vlucht en een paar overnachtingen zijn gemakkelijk te regelen: met vier dagen uit en thuis heb je al een leuk tripje naar Kruger, wat niet eens zo duur is. Wie geen vier dagen over heeft en toch de aandrang heeft om de wilde dieren van Afrika te zien, wordt op zijn wenken bediend: de privéparken waar de echte safari wordt nagebootst, zijn leuke dagtrips vanuit Kaapstad. Een fantastische ervaring voor kinderen en mensen die nog nooit in een van de *game reserves* of nationale parken in zuidelijk of Oost-Afrika zijn

geweest. Zie het als een voorproefje op het echte werk.

Aquila

Midden in de Klein Karoo, een stil, droog dor landschap waar de horizon in de verte trilt van de warmte en waar het stof hoog opwaait achter de auto's: hier is privégame reserve Aquila. Het reservaat meet 4500 ha, groot genoeg om een gevoel van ruimte te creëren bij de bezoeker. In open landrovers word je onder leiding van een zeer deskundige gids rondgereden. Onderweg zie je giraffes, neushoorns, nijlpaarden, zebra's, buffels, impala's, waterbokken, wildebeesten en leeuwen. Ondanks dat de gidsen goed weten waar de dieren zijn, is het toch af-

Aquila te paard, met luxe accommodatie op de achtergrond

Met leeuw op schoot

tel. Na een rit van 2 uur kom je aan bij Aquila, waar het ontbijtbuffet klaar staat. De ochtend wordt gevuld met een game drive (onderweg koffie). Bij terugkomst is er een lunchbuffet, waarna er nog tijd is om de cheeta's te bekijken of bij het zwembad te liggen. Heb je eigen vervoer, dan kun je gaan paardrijden (wel reserveren) of quad rijden. Voor wie wordt teruggebracht naar Kaapstad

wachten of je alle dieren ziet. Ze staan niet aan een touwtje. De leeuwen verblijven in een afgezet deel van het park, anders zouden ze binnen de kortste keren de bokken, zebra's en wildebeesten uitmoorden. Dus ze worden nu gevoerd, achter het hek.

Er is een cheetaproject en als er kleintjes zijn, kun je met een klein leeuwtje spelen en op de foto. Een paardrijtocht door het game reserve is het hoogtepunt van Aquila: op een paard kom je heel dicht bij de dieren, omdat ze elkaar (her)kennen. Dat is eng bij de neushoorns, hoewel je daar niet heel dichtbij komt. Het is geweldig om (bijna) oog in oog met een giraffe te staan en omringd te worden door zebra's. Dat dit kan komt door het kunstmatige effect van dit privéreservaat, maar dat heeft dus ook zijn voordelen.

Accommodatie

De accommodatie in Aquila is erg mooi, met uitzichten over de uitgestrekte Karoo en stille nachten onder duizend sterren. Een onvergetelijke douche in de buitenlucht, voor het echte Afrikagevoel (alleen bij de cottages). Er zijn ook kamers. Een dagtrip vanuit Kaapstad start om 6 uur 's morgens, je wordt indien gewenst opgepikt bij je ho-

lukt dat niet, het busje gaat om ongeveer 15 uur weer weg en arriveert om 17 uur in de stad. Onthoud wel: dit is Afrika, misschien valt er iets te regelen. Tel. 021 4214998. Route: N1 vanuit Kaapstad, 10 km voor Touwsrivier neem je de R46 naar Ceres. De entree is na 2 km aan de linkerhand. www.aquilasafari.com

Ander game reserves

Er is een aantal soortgelijke privégame reserves in de omgeving van Kaapstad. Hun programma's en de opzet zijn vergelijkbaar met die van Aquila, hoewel ze natuurlijk ieder hun eigen karakter hebben.

Inverdoorn Game Reserve (tel. 021 4644266) ligt in de Karoo, 2,5 uur rijden van de stad. Inverdoorn heeft ook jachtluipaarden in het park, uitgezet vanuit hun Cheetah Conservation Project. www.inverdoorn.com

Fairly Glen (tel. 021 4233266, Green Market Info) ligt van deze safariparken het dichtst bij Kaapstad: het is een uur rijden naar Worcester, aan het begin van de R62. Het game reserve ligt in een gebied van 20.000 ha. www.fairyglen.co.za

Praktische informatie

ADRESSEN EN TELEFOONNUMMERS

- Nederlands consulaat-generaal, 100 Strand Street, tel. 021 4215660.
- Belgisch consulaat-generaal, Vogue House, 4de etage, Thibault Square, tel. 021 4194690.
- Zuid-Afrikaans Verkeersbureau, SA Tourism, Jozef Israëlskade 48, 1072 SB Amsterdam, tel. 0900 2020433, fax 020 6629761. www.southafrica.net

- Alarmnummer 112 vanaf mobiel, 107 vanaf vaste lijn
- Ambulance 10177 (overheid)
- Cape Town Medi Clinic 021 4645500 (privékliniek)
- Politie 10111 (hoofdbureau Caledon Square, Buitenkant Street, tel. 021 4678000, ook toeristenpolitie)
- Brandweer 021 5351100
- Sea Rescue 021 4053500
- Mountain Rescue 021 9489900
- Automobile Association (AA) emergency rescue 082 16111

GEZONDHEID

Voorzorgsmaatregelen

De standaard is in het algemeen Europees. Dit geldt voor de (privé)gezondheidszorg, maar ook in de horeca in Kaapstad. De hygiëne is op de meeste plaatsen goed in orde. Je kunt dus prima salades en ijs eten. Water uit de kraan is veilig te drinken. Malaria bestaat niet in de Kaap en er zijn geen voorzorgsmaatregelen (zoals vaccinaties) te nemen voordat je op reis gaat.

Apotheken

- Tamboerskloof Pharmacy, tel. 021 4244450, 16 Kloof Nek Road (op het kruispunt met Buitengragt en New Church Street). Geopend: ma.–za 9–21, zo. 19–23 uur.
- Glengariff Pharmacy, tel. 021 4341685, hoek Main Road en Glengariff Street, Sea Point. Geopend: ma.–za 8–23, zo. 9–23 uur.

- Lite Kem Pharmacy, tel. 021 4618040, Darling Street, City Bowl. Geopend: dag. 8–23 uur.

Ziekenhuizen

- Groote Schuur Hospital. Tel. 021 4049111, Main Road, Observatory (vanaf de N2/M3). Ga in nood direct naar de EHBO (casualty department). Dit is het grootste staatsziekenhuis.

Als toerist (met reisverzekering) kun je het beste terecht bij een van de privéziekenhuizen met goede zorg. Vermijd de staatsziekenhuizen (zoals het Somerset Hospital bij de Waterfront).

- Cape Town Medi Clinic (privé). Tel. 021 4645500, Camp Street, Gardens (zijstraat van Kloof Street).
- Christiaan Barnard Memorial Hospital (privé). Tel. 021 4806111, 181 Longmarket Street, City Bowl.
- SAA Netcare Travel Clinic. Tel. 021 4193172, Room 314 Fountain Medical Centre, Adderley Street, City Bowl. Vaccinaties en reisziektes.

KAAPSTAD OP INTERNET

- www.kaapstadmagazine.nl
- www.come2capetown.com
- www.southafrica.net (Zuid-Afrikaans Verkeersbureau)
- www.tourismcapetown.co.za (Cape Town Tourism)
- www.weathersa.co.za (goede weersvoorspellingen).

KLIMAAT EN BESTE REISPERIODE

Klimaat

Kaapstad heeft een mediterraan klimaat; warme droge zomers en koele natte winters. De uitspraak van Capetonians over hun stad die 'four seasons in one day' kan tellen, is niet uit de lucht gegrepen. Ook al kom je hartje zomer, breng altijd een windjack en trui mee. In de winter moet je zeker wat zomerse kledingstukken (inclusief bikini) inpakken. De oceanen en hun winden hebben vrij spel in de Kaap, en daarbij horen de zuid-

	jan.	feb.	mrt.	apr.	mei	jun.	jul.	aug.	sept.	okt.	nov.	dec.
max. temp. (°C)	26	27	25	23	20	18	18	18	19	21	24	25
min. temp. (°C)	16	16	14	14	9	8	7	8	9	11	13	15
regen (mm)	15	17	20	41	69	93	82	77	40	30	14	17

oosterstormen in de zomer. In de winter komt de wind eerder uit het noordwesten.

Beste reisperiode

Kaapstad is gedurende het hele jaar een mooie bestemming, ieder jaargetijde heeft voor- en nadelen. De Zuid-Afrikaanse zomer loopt van oktober tot maart, wanneer het lang licht is en de zon veel uren maakt. Van half december tot half januari is de drukste periode voor Kaapstad, wanneer de Europeanen en de Zuid-Afrikanen tegelijk kerstvakantie vieren. In deze periode moet je je hotel, huurauto en met name je vlucht op tijd regelen. Op de bonnefooi reizen (of uit eten gaan) is niet aan te raden in deze periode. De Kaap bruist in deze weken, er is altijd en overal wel iets te doen en de zomer is op zijn hoogtepunt. Oktober en november zijn een perfecte vakantieperiode: het weer is op de meeste dagen lekker en het seizoen komt op gang. De stormen zijn veelvuldig in deze maanden. Februari, de warmste maand, is iets rustiger dan januari. Van december tot maart kan het echt heet zijn, ondanks de gemiddelde temperatuur van 26 graden. In maart komen de eerste avonden waarop het ietsje afkoelt. April en mei zijn de herfstmaanden: de zon is nog warm, maar de bomen en wijngaarden krijgen herfstkleuren. De natuur en het licht zijn nu erg mooi en de grootste stroom toeristen is weg. Cape Town Tourism noemt dit 'the secret season', dat is een terechte benaming. In de wintermaanden juni, juli en augustus is het weer moeilijk te voorspellen. De winter bestaat uit frisse dagen (12–16 graden) met veel regen en storm, maar ook uit zonnige windstille dagen waarop het 25 graden wordt. Bomen worden niet kaal en de tropische bloemen blijven bloeien. Je kunt het treffen, maar wees op alles voorbereid. Centrale verwarming bestaat niet in Zuid-Afrika, sommige guesthouses hebben vloerverwarming en bij andere ligt er een kruik in je bed. Restaurants hebben vaak haardvuren. Een week lang kan het zomer lijken, dan is het ineens weer Hollands herfstweer. September kan nog een staartje van de winter krijgen maar in het algemeen is het droog en zonnig weer, net als in april en mei. De natuur is in de lentemaanden (augustus, september, oktober) op haar mooist.

REIZEN NAAR KAAPSTAD

Visum

Nederlanders en Belgen hebben een paspoort nodig dat nog minimaal zes maanden geldig is na vertrek uit Zuid-Afrika. Er moeten twee lege pagina's in je paspoort zijn voor het visum, uitgezonderd de laatste twee pagina's. Je moet een retourticket kunnen tonen. Een toeristenvisum krijg je op deze voorwaarden gratis bij aankomst, het is drie maanden geldig. Je kunt het verlengen met nog eens drie maanden: ga daarvoor een maand voor het verstrijken van de eerste drie maanden naar het Department of Home Affairs. Op vertoon van een retourticket (met een datum die binnen de volgende drie maanden valt), bewijs van voldoende financiële middelen (een print van internet waarop een saldo van 2000 euro staat) en een brief waarin je schrijft dat je je verblijf wilt verlengen om toeristische redenen, kun je dit regelen tegen betaling van een bedrag van ongeveer R400. Meestal moet je twee weken later terugkomen om de verlenging op te halen. Home Affairs (Binnenlandse Zaken) is een van de slechtst werkende ministeries, dus houd rekening met veranderingen en vertragingen.

- Department of Home Affairs. Tel. 021 4624970, 56 Barrack Street, City Bowl. Geopend: ma.–vr. 8–15.15 uur.
- Immigration du Cap. Tel. 021 5531367 (Luisa Bell), 5a Leda Close, Melkbosstrand. Luisa Bell is een betrouwbare partner om zaken op visumgebied te regelen. www.immigrationducap.com
- Global Immigration SA. Tel. 021 4190934 (Elsa van Loggerenberg), 10th Floor LG Building, Thibault Square, City Bowl. Elsa van Loggerenberg heeft zelf bij Home Affairs gewerkt en kan daarom veel regelen op het gebied van visa. www.globalimsa.com

Vliegen

KLM vliegt rechtstreeks van Amsterdam naar Kaapstad (11 uur). De andere, goedkopere, opties zijn South African Airlines (via Frankfurt) en British Airways (via Londen). De Duitse maatschappij LTU vliegt rechtstreeks naar Kaapstad vanaf Düsseldorf. Nog wat goedkoper zijn de vluchten waarbij je twee keer overstapt: ergens in Europa en in Johannesburg.

Bij aankomst

Cape Town International Airport ligt aan de N2 op 20 km van de stad. In de aankomsthal zijn desks van de autoverhuurbedrijven. Het is noodzakelijk een huurauto te reserveren. Er is geen openbaar vervoer naar Kaapstad. Neem een taxi of een shuttlebus. Een gewone taxi kost ongeveer R200 per persoon, vergeet niet een prijs af te spreken voor je instapt. Een shuttlebus kost ongeveer R150 voor de eerste persoon en R50 voor de volgende personen. Je vindt de desks van de shuttlebussen in de aankomsthal. Het is de moeite waard een hotel te kiezen waarbij een rit vanaf het vliegveld inbegrepen is.

- Airport, tel. 021 9340407.
- Legend Tours, tel. 021 9362814. Shuttleservice. www.legendtours.co.za
- Dumalisile, tel. 021 9341660. Shuttleservice.

In- en uitvoerbepalingen

Douanebepalingen zijn als volgt. 1 liter sterke drank, 2 liter wijn, 400 sigaretten zijn vrij in te voeren. De prijzen van alcohol en sigaretten liggen in Zuid-Afrika ver onder die in Nederland. Uitvoeren: drie flessen wijn (officieel is 2 liter toegestaan, maar drie flessen van 0,75 liter mag).

REIZEN IN KAAPSTAD

Auto

Het wegennet in Kaapstad zit logisch in elkaar en oriënteren is niet zo moeilijk. Dat is handig, want het links rijden zal in het begin de nodige aandacht vergen. Het verkeer is niet zo druk, uitgezonderd de spitsuren tussen 7 en 9 uur en van 16 tot 18 uur. Automobilisten zijn redelijk heetgebakerd. Ze weten heel goed waar hun claxon zit en zijn niet altijd even beleefd als een ander moet invoegen. Een beetje brutaal zijn of gewoon rustig aan doen is het devies.

Wees ondertussen wel altijd alert op capriolen van automobilisten die in Nederland van de weg zouden worden gehaald. Op kruispunten staan altijd sleepwagens klaar om onfortuinlijke auto's weg te slepen bij een ongeluk. Hier vragen ze grof geld voor, niet voor niets staat op de meeste huurauto's een sticker met 'Do not tow'. Het betekent dat je het wegslepen zelf regelt (via de verzekeraar, in dit geval de verhuurmaatschappij).

De hoofdwegen zijn herkenbaar:

- National Roads met een N (de N1 gaat via Bloemfontein en de Karoo naar Johannesburg, de N2 naar Durban via de Garden Route);
- Provincial Roads met een R;
- Motorways met een M. De Motorways gaan ook door de stad, zoals de M6 (langs de Atlantische kust vanaf V&A Waterfront via Sea Point en Camps Bay), de M62 (Kloof Nek Road) en de M3 (vanuit de City Bowl leidt deze via De Waal Drive naar Wynberg, Constantia, Kirstenbosch en Muizenberg).

Bewegwijzering is niet altijd even duidelijk. Meestal staat er maar één bord voor de afslag: bij de afslag zelf. Een wegenkaart is dus onmisbaar, je route uitstippelen ook. Een verkeerde afslag kan je in een gevaarlijke wijk brengen.

Let bij file parkeren op dat je met je neus in de rijrichting staat. Oversteken en zonder te keren file parkeren levert een boete op!

Autoverhuur

Een creditcard en international rijbewijs zijn noodzakelijk.

- Aroundaboutcars, tel. 0860 4224022. www.aroundaboutcars.com
- Avis, tel. 0861 021111. www.avis.co.za
- Budget, tel. 0861 016622. www.budget.co.za
- Europcar, tel. 0800 011344. www.europcar.co.za
- Hertz, tel. 0861 600136. www.hertz.co.za
- Imperial, tel. 0861 131000. www.imperialcarrental.co.za
- National, tel. 0800 011323. www.nationalcar.co.za
- Tempest, tel. 0860 031666. www.tempestcarhire.co.za

Cash benzine

Bij benzinestations moet je altijd contant betalen. Creditcards worden niet aangenomen. Je ziet wel vaak pinautomaten bij benzinestations, maar dit is geen vanzelfsprekendheid. Voor een liter loodvrije benzine betaal je circa R6. Een (slecht betaalde) werknemer zal je tank vullen, je ruit schoonmaken en je olie en water checken als je dat wilt. Hiervoor is het gebruikelijk een fooi van R5 te geven. Hij zal ook je geld aannemen en afrekenen bij de kassa. Je hoeft de auto niet uit om te tanken, is het principe in Zuid-Afrika.

Parkeerwachten

In het centrum is het op veel plaatsen betaald parkeren. Een parkeerwacht met een mobiel apparaat voert je aankomsttijd in. Soms moet je van tevoren betalen, maar vraag liever of je mag betalen als je terug komt. Dat is veel handiger en het werkt de oplettendheid van de parkeerwacht richting jouw auto in de hand. In het grootste deel van de stad zijn geen parkeermeters maar wel *parking attendants*: ze wijzen je een vrije plek, helpen je met inparkeren wat soms fijn is (let vooral zelf op, er zijn al heel wat velgen en achterlichten gesneuveld door blind te gaan op hun aanwijzingen) maar vooral zorgt de aanwezigheid van deze jongens voor minder ingeslagen ruitjes. Geef ze R3 als je een uur hebt geparkeerd, R5 als het de hele avond was. Betalen is niet verplicht, maar dit werkloosheidsproject is nuttig en daarom de moeite waard om te steunen.

Internationaal rijbewijs

Automobilisten moeten hun rijbewijs altijd bij zich hebben. Een Internationaal Rijbewijs is verplicht. Deze koop je bij de ANWB in Nederland, op vertoon van rijbewijs (en tegen inlevering van een pasfoto).

Taxi

Taxi's in Kaapstad zijn handig, snel en niet duur. Neem vooral 's avonds altijd een taxi, voor de veiligheid kun je beter niet lopen in het donker. Houd een telefoonnummer bij de hand om een taxi te bestellen. Bij belangrijke toeristische plaatsen zoals de Waterfront en Greenmarket Square is een standplaats. Taxi's werken met meters die gebaseerd zijn op een kilometertarief. Sommigen rekenen R8 per km, anderen R11. De prijs is het enige verschil, aan de auto's zelf zie je het niet. Die zijn meestal oud maar betrouwbaar: Toyota en Mercedes.

- Excite Taxi, tel. 021 4484444.
- Marine Taxi Hire, tel. 021 4340434.
- Sea Point Radio Taxis, tel. 021 4344444.

Rikki

Rikki's zijn een leuke en goedkope manier om je te verplaatsen in de stad. Deze kleine busjes bieden plaats aan acht personen. Neem geen rikki als je haast hebt, verder is het een handig vervoermiddel. Je kunt ze aanhouden op straat of bellen. Tel. 021 4234888.

Openbaar vervoer

Het openbaar vervoer in Kaapstad is niet betrouwbaar en veilig genoeg voor toeristen om gebruik van te maken. Vooral de stations zijn notoire gebieden voor zakkenrollers. Als je een beetje *streetwise* bent, merk je snel genoeg of je op je gemak bent in het openbaar vervoer. Er zijn wel een paar handige routes waar de Golden Arrow-bussen op rijden. Vanaf het centrale busstation, de Golden Acre Terminal, tussen het Golden Acre Shopping Centre in Adderley Street, het treinstation en de Grand Parade, vertrekt iedere 10 minuten een bus naar de Waterfront. Er zijn ook bussen naar Sea Point (ieder half uur) en Camps Bay/Hout Bay (ieder uur). De bussen rijden van ma.–za. van 6.30–18 uur.

De trein nemen (overdag!) kan een optie zijn als je naar de Southern Suburbs wilt (Rondebosch, Wynberg, etc.) en verder naar eindpunt Simon's Town. Vanaf Muizenberg rijdt de trein langs de zee. Dit is een mooie route en veel studenten nemen deze trein naar de universiteit in Rondebosch. Er is ook een trein richting Stellenbosch. Omdat de trein door de townships gaat en daar stopt, kan het ook overdag onveilig zijn.

SIGHTSEEING

De onvermijdelijke maar erg handige *hop on-hop off topless bus* bestaat ook in Kaapstad. Een rode Engelse dubbeldekker rijdt twee vaste routes: de rode route gaat door de stad, naar het Lower Cableway Station en langs de stranden. De blauwe route maakt een grotere ronde over het schiereiland (o.a. Kirstenbosch en Hout Bay). Je koopt een kaartje en kunt daarvoor de hele dag gebruikmaken van de bus en uitstappen wanneer je wilt. De bus komt ieder uur weer voorbij. De route duurt twee uur (zonder uitstappen).

City Sightseeing Cape Town, tel. 021 5111784. Vertrek (en eindpunt) vanaf V&A Waterfront (naast Ferryman's Tavern) en Cape Town Tourism, Burg Street. Tijden: ieder half uur tussen 9.30 en 15.30 uur (okt.–apr.), ieder uur tussen 9.30 en 15 uur (mei–sept.). R90 pp.

HOTELS, GUESTHOUSES EN B&B'S

Eén van de leuke dingen aan een vakantie in Zuid-Afrika is dat er tal van mooie hotels, guesthouses en Bed & Breakfasts zijn. Kaapstad biedt veel waar voor je geld en de kamers zullen je zelden tegenvallen. Prijzen worden vaak aangegeven 'per person sharing' (gebaseerd op een tweepersoonskamer die met twee personen bezet wordt) en zijn eigenlijk altijd inclusief ontbijt. Het loont de moeite om te vragen naar *specials*, die afhankelijk van het seizoen grote kortingen (tot 50%) bieden, of die langer verblijf belonen met een lagere prijs.

Het seizoen wordt prijstechnisch verdeeld in twee perioden: het laagseizoen loopt van begin mei tot eind september; het hoogseizoen van oktober tot eind april. In het hoogseizoen zijn december en januari het drukst, vanwege de lokale schoolvakanties. Het is daarom aan te raden om op tijd een accommodatie te reserveren. Tijdens de kerstvakantie is het extreem druk. Reken er in deze weken niet op dat je op de bonnefooi nog ergens terecht kunt!

De volgende accommodaties vormen een selectie uit het aanbod. De genoemde prijzen gelden voor een tweepersoonskamer met ontbijt in het hoogseizoen (okt.–apr.). In het laagseizoen (mei–sept.) dalen de prijzen 30% tot soms 50%. Zie voor een beschrijving van de accommodaties hoofdstuk 6, 9 en 10.

* onder R500
** R500-R1000
*** R1000-R1500
**** boven R1500

Camps Bay

-* Cape Rose Cottage, tel. 021 4381786, 8 Hoopoe Avenue.
*** Whale Cottage Guesthouse, tel. 021 4383840, 57 Camps Bay Drive.
*** Bay Hotel, tel. 021 4384444, Victoria Road.

Fresnaye, Sea Point, Green Point

** Maartens Guesthouse, tel. 021 4343561/082 8923342 (Maarten), 39 Avenue Normandie, Fresnaye.
** Blackheath Lodge, tel. 021 4392541/076 1306888 (Antony Trop), 6 Blackheath Road, Sea Point.
** Bluegum Hill Guest House, tel. 021 4398764/+27 82 5658865, 13 Merriman Road, Upper Green Point.

** Bickley House, tel. 021 4347424, 17 Bickley Road, Sea Point.
** The Lavender Lodge, tel. 021 4398328, Hoek Avenue Fresnaye en De Longueville.

City Bowl; in de buurt van Long Street

*-** Daddy Long Legs, tel. 021 4223074, 134 Long Street.
** Cape Heritage, tel. 021 4244646, 90 Bree Street.
** Park Inn, tel. 021 4232050, 10 Greenmarket Square.
*** Cape Town Hollow, tel. 021 4231260, 88 Queen Victoria Street.
-* Metropole Hotel, tel. 021 4247247, 38 Long Street.

City Bowl; in de buurt van Kloof Street

*-** Lady Victoria, tel. 021 4233814, 1 Kelvin Street, Gardens.
** De Tafelberg Guesthouse, tel. 021 4249159, 68 Molteno Road, Oranjezicht.
** Liberty Lodge, tel. 021 4232264, 33 De Lorentz Street, Tamboerskloof.
-* Table Mountain Lodge, tel. 021 4230042, 10a Tamboerskloof Road, Tamboerskloof.
-* An African Villa, tel. 021 4232164, 19 Carstens Street, Tamboerskloof.
*** Manolo Sleep, tel. 072 2093084, 33 Leeukloof Drive, Tamboerskloof.
-* Cape Cadogan, tel. 021 4808080, 5 Upper Union Street, Tamboerskloof.

Waterfront

**** Cape Grace, tel. 021 4107100, West Quay Road, V&A Waterfront.
**** Waterfront Village, tel. 021 4215040, West Quay Road, V&A Waterfront (naast Cape Grace).
**** Radisson Sas Hotel Waterfront, tel. 021 4413000, Beach Road, Granger Bay.

Waterkant

*-** De Waterkant Village and House, tel. 021 4222721, receptie 1 Loader Street.
-* The Village Lodge, tel. 021 4211106, 49 Napier Street, De Waterkant.
-* Cedric's Lodge, tel. +27 83 3273203 (Inga)/ +27 83 3264438 (Jutta), Loader Street, De Waterkant.

Hout Bay

* Dune Lodge, tel. 021 7905847, Hoek Northshore Drive en Victoria Avenue.
*-** Sunbird Mountain Retreat, tel. 021 7907758, Boskykloof Road.
*-** The Beach House, tel. 021 7904228, Princess Street.
-* Monkey Valley, tel. 021 7891391, Mountain Road, Noordhoek.

Simon's Town

-* Boulders Beach Lodge & Restaurant, tel. 021 7861758, 4 Boulders Place, Boulders Beach.
-* Whale View Manor, tel. 021 7863291, 402 Main Road, Murdock Valley.
-* Tudor House By The Sea, tel. 021 7826238, 43 Simon's Town Road.

Stellenbosch

** Yellow Lodge, tel. 021 8879660, 32 Herold Street.
** Jonkershuis, tel. 021 8866000, Bart en Joke IJssel de Schepper (Nederlands), 50 Jonkershoek Road.
*** Allegria Guesthouse, tel. 021 8813389, Cairngorm Road (vanaf M12).
-* Papyrus Lodge, tel. 021 8423606, Stefan en Kristin Heusser (Zwitsers), Firgrove Winery Road (afslag vanaf de R44), tussen Somerset West en Stellenbosch.

Franschhoek

** Chamonix Cottages, tel. 021 8762494, Uitkyk Street.
-* Whale Cottage, tel. 021 8763929, 11 Akademie Street.
*** Avondrood Guesthouse, tel. 021 8762881, gsm 082 547 9844, 39 Huguenotstreet.
-* Residence Klein Oliphantshoek, tel. 021 8762566, 14 Akademie Street.
**** Le Quartier Francais, tel. 021 8762151, 16 Hugenot Road.

Paarl

** Mooi Bly Landgoed, tel. 021 8682808, Bodal Pad, Dal Josafat.
** De Wingerd Wijnland Lodge, tel. 021 8631994, 7 Waltham Cross Street.

**** Perle Du Cap Private Suite Estate (5*), tel. 021 8720399, 10 Tarryn Close.

Robertson

** Ballinderry Guesthouse, tel. 023 6265365, 8 Le Roux Street.
-* Fraai Uitzicht Wine & Guest Farm, tel. +27 23 6266156, afslag Klaas Voogds East vanaf de R62 tussen Robertson en Montagu.

McGregor

* The Thatched Olive B&B, tel. 023 6251463/082 9347147, Voortrekker Street (halverwege links).
*-** Green Gables Country Inn And Village Pub, tel. 023 6251626, Voortrekker Street (halverwege rechts).
*-** McGregor Country Cottages, tel. 023 6251816, Voortrekker Street (aan het begin rechts).

Montagu

** Malherbe Guesthouse, tel. 023 6143617, 17 Long Street.
-* Avalon Springs, tel. 023 6141150.
*** Mimosa Lodge, tel. 023 6142351, Church Street.
**** Jan Harmsgat Country House, tel. 023 6163407. Op de R60, tussen Ashton, Bonnievale en Swellendam (20 min. van Montagu).

Barrydale

* The Barrydale Karoo Hotel, tel. 028 5721226, 30 Van Riebeeck Street.
*-** Joubert-Tradauw, tel. 028 5721619, aan de R62. Bel voor B&B met Helena Joubert, tel. 028 5721636.

Swellendam

*-** Swellendam Country Lodge, tel. 028 5143629, 237 Voortrek Street.
*-** African Shades, tel. 028 5142944, 13 Swellengrebel Street.
-* De Kloof Luxury Estate, tel. 028 5141303, 8 Weltevrede Street.

Hermanus

** 45 Marine Drive, tel. 028 3123610, 45 Marine Drive.
-* Auberge Burgundy, tel. 028 3131201, 16 Harbour Road.

-* Whale Cottage, tel. 028 3130929, 38 Westcliff Drive.

**** Schulphoek Seafront Guesthouse, tel. 028 3162626, 44 Marine Drive, Sandbaai (buiten het dorp).

Arniston Bay

* Southwinds, tel. 028 4459303, Huxham Street (achter het Arniston Hotel).

* Arniston Seaside Cottages, tel. 028 4459772, Huxham Street (volg de bordjes).

*-** De Hoop Nature Reserve, tel. 028 4255020.

Yzerfontein

*-** The Gulls Guest House, tel. 022 4512264, 16 Pikkewyn Crescent.

** Harbour View B&B, tel. 022 4512615, 8 Arum Crescent.

Langebaan

** Gecko Beach House, tel. 022 7721586, op het strand.

Paternoster

* The Beach Camp, tel. 082 9262267, op het strand.

*-** Blue Dolphin B&B And Self Catering, tel. 022 7522001, Warrelklip Street.

*-** J'aime La Mer, tel. 083 7012650 (Arita), op het strand.

TAAL

Met elf officiële talen erkent Zuid-Afrika de culturele waarde van de verscheidenheid aan bevolkingsgroepen in het land. De taal die het meest gesproken wordt is Engels. Hierna volgen Zulu, Xhosa, Afrikaans, Venda, Swazi, North Sotho, South Sotho, Tswana, Sindebele en Shangaan. In de Kaap is Afrikaans (na Engels) de meest gesproken taal, verrassend genoeg niet door de blanken maar door het coloured deel van de bevolking. Van de blanken in de Kaap spreekt het merendeel Engels, maar over het hele land bezien spreekt 60 procent van de blanken Afrikaans. Het zwarte deel van de bevolking in de Kaap spreekt Xhosa.

ELEKTRICITEIT

De driepuntsstekker (220/230 volt AC) die in Zuid-Afrika gebruikt wordt, zit niet op de wereldstekker. In de meeste guesthouses liggen op de kamers verdeelstekkers. Deze zijn te koop bij grote supermarkten en bij ijzerwarenzaken, gereedschapszaken en dergelijke voor minder dan R10.

OPENINGSTIJDEN

● Banken: ma.–vr. 9–15.30, za. 9–11 uur.
● Winkels: ma.–vr. 9–17, za. 9–13 uur. Winkels in de V&A Waterfront zijn 365 dagen per jaar geopend van 9–21 uur. De meeste supermarkten zijn dagelijks geopend van 8–20 uur, alleen op zondag openen sommige wat later.

TIJDVERSCHIL

In de zomer is er geen verschil, tijdens de Nederlandse wintertijd is het in Zuid-Afrika een uur later.

NATIONALE FEESTDAGEN

Op feestdagen zijn alle winkels, scholen, kantoren en banken gesloten. Grote supermarkten en de Waterfront blijven open. Als de feestdag op een zondag valt, is de maandag erna een vrije dag. Meestal is er op niet-religieuze vrije dagen een concert of ander evenement op een centrale plaats, bijvoorbeeld de Company's Gardens. Houd de krant en affiches op straat in de gaten.

1 jan.	Nieuwjaar
21 mrt.	Human Rights Day
variabel	Goede Vrijdag en Pasen
27 apr.	Freedom Day (eerste vrije verkiezingen in 1994)
1 mei	Dag van de Arbeid
16 jun.	Youth Day
9 aug.	Internationale Vrouwendag
24 sept.	Heritage Day
16 dec.	Day of Reconciliation
25/26 dec.	Kerstmis

Schoolvakanties

Lokale schoolvakanties zijn drukke perioden in het toerisme. Zuid-Afrikaanse kinderen hebben lekker veel vrij: twee weken in april (herfstvakantie), drie weken in juni/juli (wintervakantie), een week in begin oktober (voorjaarsvakantie) en acht weken van begin december tot begin februari (zomervakantie).

FESTIVALS

Hier volgen de jaarlijks terugkerende festivals en belangrijke happenings op de Kaapse kalender.

Januari

Kaapse Klopse/Cape Malay Carnaval. 2 januari, in de Bo-Kaap.

Standard Bank Cape Town Jazzathon. Begin januari wordt in de Waterfront gedurende een paar dagen een groot jazzfestival gehouden. Grote sterren en lokaal talent vullen de podia in de open lucht. www.jazzathon.co.za

Cape to Salvador Yacht Race (voorheen Rio). Deze zeilrace start het eerste weekend van januari. Iedere twee jaar, de volgende is in 2008.

J&B Met Horse Race. Groots opgezette paardenraces op de racecourse in Kenilworth. Paardenraces zijn populair en deze feestelijke, chique is de belangrijkste van het land. Laatste zaterdag van januari. www.jbmet.co.za

Spier Arts Summer Festival. Op het wijnestate Spier in Stellenbosch staan ieder jaar allerlei bijzondere dingen op het programma. Erg leuk is dat de locatie wordt aangepast aan wat wordt opgevoerd, soms zit je in het openlucht amfitheater, dan weer op een grasveld langs de rivier of bij de wijngaarden. Van januari tot maart, tel. 021 8091177. www.spier.co.za

Maart

Cape Town Festival. Dit twee weken durende festival vindt plaats in de hele stad maar het festivalhart is Long Street, waar iedere dag iets te doen is: comedy, toneel, muziek en film. www.capetownfestival.co.za

Cape Argus Pick 'n Pay Cycle Tour. Op de eerste of tweede zondag in maart wordt de grootste individuele tijdrit voor wielrenners ter wereld gereden. De route is ruim 100 km lang en er zijn ongeveer 35.000 deelnemers. Iedereen kan meedoen. Tijdens deze tocht staat de stad op zijn kop, het parcours is afgezet en de overige straten zijn overvol met supporters en toeschouwers. Last minute een auto huren of hotelkamer boeken voor dit weekend is een zware klus. www.cycletour.org.za

Cape Town International Jazz Festival. Het voormalige North Sea Cape Town vindt plaats in het laatste weekend van maart of het eerste weekend van april. Het is de moeite waard je vakantie om dit festival heen te plannen, als je van muziek houdt en het beste van Afrikaanse jazz wilt zien en horen. Wereldberoemde artiesten komen hier om met elkaar te spelen. Fantastische sfeer. In veel opzichten is de opzet hetzelfde als in Nederland bij North Sea Jazz. Locatie is het CTICC. Er is ook een gratis concert op Greenmarket Square. www.capetownjazzfest.com

April

Out in Africa Gay & Lesbian Film Festival. Films uit de hele wereld speciaal geselecteerd op het thema 'gay'. Twee weken gedurende eind maart, begin april of eerste helft april. Locatie: Cinema Nouveau, V&A Waterfront. www.oia.co.za

Two Oceans Marathon. Samen met de Cape Argus Pick 'n Pay Cycle Tour is de Two Oceans Marathon hét grote sportevenement. Deze ultramarathon is 56 km lang. Jaarlijks in de tweede helft van april. www.twooceansmarathon.org.za

Mei

Cape Gourmet Festival. Restaurants hebben speciale menu's, er zijn markten met producten van de boerderij en andere evenementen waar het om eten draait. www.gourmetsa.com

Juli

Bastille Festival. In het weekend het dichtst bij 14 juli viert Franschhoek haar Franse erfgoed met een festival dat bol staat van wijn en lekker eten. Jeu de boules-wedstrijden en alpinopetjes maken de sfeer. Inwoners van Franschhoek vragen zich ieder jaar weer af of er nog leven bestaat na hun Bastillefeesten. www.franschhoek.co.za

September

Flowershows. Het voorjaar is de beste tijd om het bloeiende fynbos te bewonderen. Op verschillende plaatsen worden flowershows (aangelegd en natuurlijk) gehouden. www.capetownevents.co.za

Smirnoff International Comedy Festival. Populair festival met stand-upcomedians vanuit de hele wereld. Locatie: voornamelijk Baxter Theatre. www.tourismcapetown.co.za

Hermanus Whale Festival. Het derde weekend van september staat Hermanus in het teken van de walvis-

sen. Veel arts en crafts, muziek en gezelligheid.
www.whalefestival.co.za

Oktober
Stellenbosch Festival. Begin oktober zijn er drie festivals in Stellenbosch: muziek en kunst, eten en wijn, cultuur en lokale historie.
www.stellenboschfestival.co.za

November
Cape Town World Cinema Festival. Interessant festival waarin gedurende een week films uit de hele wereld worden vertoond, maar de nadruk ligt op films uit Afrika en Zuid-Afrika. Locaties zijn verspreid over de stad.
www.sithengi.co.za

December
Mother City Queer Project. Groots georganiseerd gayfeest in de eerste week van december waar ieder jaar de stad voor op zijn kop staat, vanwege de verkleedthema's zoals The Shopping Trolley en It's a circus. Voor dat laatste thema werd in 2005 het pretpark Ratanga Junction afgehuurd. Het feest begint 's middags en is over de hele wereld bekend, niet alleen in de gayscene. www.mcqp.co.za
Carols by Candlelight at Kirstenbosch. In de week voor Kerstmis worden in de botanische tuinen meezingavonden georganiseerd. Er zijn ook levende kerststallen. Goed om in de kerststemming te komen en voor veel mensen het officiële startsein van kerst. Een bo grip in Kaapstad. Tel. 021 7998783

UITGAAN
Als je uit eten wilt gaan, is het aan te raden om te reserveren. Zeker in de kerstvakantie (van half december tot half januari) kun je bij veel restaurants niet zomaar op de bonnefooi terecht. De 'eat out'-cultuur leidt in die periode tot afgeladen restaurants.

Websites
- www.eatout.co.za Online restaurantgids.
- www.capetownevents.co.za Evenementen, festivals, agenda voor het hele jaar.
- www.capetowntoday.co.za Dagelijkse agenda (ook per datum opvraagbaar) met film, theater, galeries, muziek en clubs.

Geprinte media
- *Time Out* De Cape Town versie van *Time Out magazine* is te koop bij de tijdschriftenhandelaar. Lange lijsten met adressen, een must voor toeristen. Het is een jaaruitgave, dus niet voor up-to-date lijsten.
- *48 hours* Iedere donderdagmiddag komt dit gratis krantje uit, met daarin de uitgaansagenda voor het komende weekend. Erg up-to-date. Af te halen bij Cape Town Tourism en op plaatsen waar veel toeristen komen.
- *Mail&Guardian* Iedere vrijdag komt de kwaliteitskrant van Zuid-Afrika uit met de bijlage *Friday*, waarin de meest uitgebreide agenda staat.
- *Cape Etc.* Tweemaandelijks tijdschrift met als hoofdonderwerp Kaapstad en alles wat er gebeurt. Interviews en artikelen, achter in het blad uitgebreide lijsten met datum en adressen.

Tickets
Bij Computicket kun je kaartjes kopen voor alles wat er te doen is in de stad (of in de rest van het land). Grote concerten, sportwedstrijden, festivals, theater, film: kijk op de site van Computicket en bestel je tickets online, of koop ze bij een van hun kantoren. Deze vind je in de meeste winkelcentra. Kantoren o.a. in Golden Acre Centre, Waterfront, Gardens Centre. Tel. 083 9158000. www.computicket.co.za

GELDZAKEN

Munteenheid
De Zuid-Afrikaanse munt is de rand, verdeeld in 100 cent. Biljetten zijn er van R10, R20, R50, R100 en R200, munten van 1, 2, 5, 10, 20 en 50 cent en van R1, R2 en R5. De koers kan nogal fluctueren.

Pinnen
Pinnen is de handigste manier om cash te hebben. Een pinautomaat is een ATM (automatic teller machine). Let op het Cirruslogo, maar in principe kun je met een Nederlandse pas bij alle automaten terecht. Het maximumbedrag per dag is R3000. De automaat vraagt van welke rekening je wilt pinnen: cheque, savings, transmission of creditcard. Cheque betekent zoveel als 'betaalrekening' en werkt altijd. Voor de veiligheid: pin

overdag en doe het ergens waar je naar binnen kunt. Bij de meeste pinautomaten bij banken staat een bewaker. Pinautomaten zijn wijdverspreid, op bijna elke straathoek vind je er een. Ook op het vliegveld.

Creditcard

Een creditcard is noodzakelijk als je een auto wilt huren. Creditcards worden bijna overal geaccepteerd (ook bij supermarkten, apotheken en dergelijke). Als je een hotel of bijvoorbeeld de trip naar Robbeneiland telefonisch wilt reserveren, heb je ook een creditcard nodig. Visa en Mastercard zijn het meest bekend.

Fooi

In een werkgeverseconomie waar lonen ongelofelijk laag liggen, is fooi de belangrijkste inkomensbron voor werknemers. In de horeca worden soms geen lonen betaald en zijn obers afhankelijk van de fooi. Hoewel dit ruikt naar uitbuiting, is het hier geaccepteerd. Tankstations zijn ook plaatsen waar de mensen blij zijn met een paar rand fooi. De regel is dat 10 procent standaard is, meer als de service heel goed was. Geef je minder, dan was er iets niet in orde. Sommige restaurants rekenen een verplichte 10 procent bij groepen van zes personen of meer. Deze gang van zaken heeft tot gevolg dat obers zich vaak (maar zeker niet altijd) de benen uit hun lijf rennen om het je naar de zin te maken.

Prijspeil

Kaapstad is de duurste plaats van Zuid-Afrika. Zodra je de stad uit bent (in Stellenbosch bijvoorbeeld) liggen de prijzen al veel lager. Over het algemeen is het leven ongeveer 30 procent goedkoper dan in Nederland. Uit eten gaan is goedkoop, boodschappen doen naar verhouding duur. Wijn, uitgaan, musea zijn goedkoop. Prijsvoorbeelden:

Toerisme

Museum R15
Toegang Cape Point Nationaal Park R40
Kabelbaan Tafelberg R180
Toegang Kirstenbosch R20
Viersterren guesthouse R800 per kamer per nacht
Townshiptour R400

Vervoer

1 liter loodvrije benzine R6
Auto (middenklasse met airco) R400 per dag
Een rit van 10 minuten met de taxi R50

Horeca

Koffie op een terras R10
Fris R8
Bier R12
Pizza R40
Lunchgerecht R30
Hoofdgerecht in goed restaurant R90
Cocktail R20
Glas huiswijn R15

Algemeen

1,5 liter mineraalwater R8
Brood R5
Cd R100
Bioscoop R38
1 uur internetten R15
Cape Times, lokale krant R3,50
Strandstoel of parasol op Camps Bay R20
Toegang club (bijv. Opium) R50

POST

Om kaarten naar huis te kunnen sturen moet je naar het postkantoor voor postzegels; deze worden alleen daar verkocht. Een brief of kaart naar Nederland komt na een week aan. Let wel op dat je AIRMAIL vermeldt, anders duurt het een week of zes. Post versturen binnen Zuid-Afrika kan veel langer duren dan naar Europa. Er zijn verschillende postkantoren in de stad, die in de Waterfront is centraal gelegen en handig voor toeristen. De meeste postkantoren zijn geopend van ma.–vr. 8.30–16.30 uur en op za. van 8–12 uur.

TELEFONEREN

Telefooncellen

Een telefoonkaart kan handig zijn om goedkoop lokale telefoontjes te plegen. Kaarten zijn te koop voor R10, R20, R50, R100 en R200 bij supermarkten, Cape Town Tourism, buurtwinkels etc. Er zijn veel openbare telefoons op straat.

Mobiel

Mobiel bellen is goedkoop in Zuid-Afrika, waar de dekking meestal prima is. De providers zijn Vodacom, MTN, Virgin Mobile en Cell C. Roaming is meestal geen probleem. Je kunt ook een lokale simkaart kopen (let op of je toestel geen simlock heeft) en daar beltegoed op storten. De lokale simkaarten zijn goed verkrijgbaar in supermarkten, CNA (kantoorboekhandelketen), Clicks (drogist). Als je een simkaart koopt bij een Vodacom- of MTN-winkel, word je goed geholpen.

Beltegoed is overal verkrijgbaar. Er is sprake van dat de wet binnen afzienbare tijd eist dat je een Zuid-Afrikaanse identiteitskaart laat zien bij aankoop van een simkaart. Dit zou betekenen dat toeristen niet meer van deze goedkope optie gebruik kunnen maken. Vraag het ter plekke na bij een telefoonwinkel. Een mobiele telefoon huren kan ook bij de winkels van de providers in de winkelcentra of op het vliegveld.

www.vodacom.co.za, www.mtn.co.za
www.virginmobile.co.za, www.cellc.co.za

VEILIGHEID

Wie denkt dat Kaapstad een onveilige wildweststad is, is niet de enige. Als je na afloop van de vakantie beseft dat je je geen moment onveilig hebt gevoeld, ben je daarin gelukkig ook niet de enige. In de stad moet je dezelfde veiligheidsregels in acht nemen als in iedere andere grote wereldstad. Paranoia hoef je niet te zijn, een beetje opletten is genoeg. Kaapstad is uiteindelijk een van de veiligste steden in Afrika.

Dat betekent voornamelijk dat je rijkdom niet moet etaleren, juist niet als toerist. Er zijn genoeg met juwelen behangen Zuid-Afrikaanse vrouwen, maar die verplaatsen zich nooit lopend, laat staan tegen de schemer of in het donker. Gedraag je zoals de locals, is een regel die vaak werkt als je op reis bent. Veel mensen bezitten een wapen, dit is de belangrijkste reden om je in geval van bedreiging niet te verweren en mee te werken.

Gedragsregels voor je eigen veiligheid, die heel snel een tweede natuur worden:

- Wees je bewust van je omgeving, loop niet als een kip zonder kop maar check wie er om je heen zijn.
- Neem 's avonds altijd een taxi (hoe dichtbij je ook bent). Dit geldt voor Kaapstad, in veel dorpen kun je 's avonds veilig wandelen.
- Laat je waardevolle spullen niet zien als het niet nodig is (sieraden, camera/video, portefeuille).
- Neem niet onnodig veel contant geld mee. Verdeel het onder elkaar en stop eventueel wat in verschillende zakken. Laat je paspoort en ticket in een kluisje in je hotel (maak er kopieën van).
- Loop liever een blokje om dan dat je een lege straat in loopt (dit geldt in de Bo-Kaap en het centrum).
- Laat niets zichtbaar in de auto liggen. Ook geen afval of wegenkaart.
- In de auto: let op als je een kruispunt nadert – wie staat er? Draai de autoramen niet wagenwijd open, of draai ze dicht bij een kruispunt.

KLEDING

Kaapstad is een hippe, modieuze stad maar het is zeker geen must om daaraan mee te doen. Rondom de stranden van Camps Bay en Clifton en in de hippe tentjes in Kloof Street is het zien en gezien worden. Het belangrijkste accessoire is een designer zonnebril, gevolgd door hondjes en cabrio's. Een model aan je arm doet het ook goed. In de zomermaanden kan het erg warm zijn, ook 's avonds blijft het warm. Neem toch altijd een vest of trui mee, voor als het kil wordt. Boven op de Tafelberg en bij Cape Point kan het hard waaien en koud zijn, een windjack of fleece is dan een must. In de winter is het zelden zo koud dat je dikke wollen truien zou willen dragen, maar het kan kil zijn en laagjes over elkaar houden je warm. Je kunt ook een week 25 graden treffen in de winter. Kies schoenen waarop je lang en veel kunt lopen, maar neem ook slippers mee voor het strand. Zuid-Afrikanen hebben overigens de gewoonte om in het weekend en in de vakantie overal en altijd op blote voeten te lopen.

In de winkelcentra is alles te koop wat je mogelijk vergeten bent: merkkleding is iets duurder dan in Europa, kleding van lokale merken en winkels is soms erg goedkoop.

INTERNET

Internetten is snel en goedkoop en er zijn veel internetcafés. Wireless hotspots komen er iedere dag meer. Veel guesthouses bieden ADSL of wireless internet. Bij de winkels van Vodacom en MTN kun je een 3G-card (voor draadloos internet) huren die je in je laptop schuift. Dit kost R20 per dag, met een bedrag per MB.

Er zijn veel internetcafés, o.a. in de winkelcentra (bereid je voor op hoge prijzen in de Waterfront), in alle backpackerlodges en bij Cape Town Tourism. M@in Internet Cafe, Lifestyles Centre, 50 Kloof Street en 37 Roeland Street. Geopend: dag. 8–23 uur. R15 per uur. Een goede plaats als je wat ruimte en privacy kunt gebruiken, professionele aanpak.

MEDIA

Kranten

De *Cape Times* ('s ochtends) en de *Cape Argus* ('s middags) zijn de stadskranten. Het buitenlandse nieuws moet je met een loep zoeken, maar ze zijn beide goed om op de hoogte te raken van lokaal nieuws. De *Cape Times* is beter dan de *Argus*, die iets meer sensatie biedt. Beide kranten hebben een uitgaansbijlage (*Times* op vrijdag, *Argus* op zaterdag), handig om het weekend in te plannen. Een goede landelijke krant met lokale bijlage is de *Mail & Guardian*, deze verschijnt iedere vrijdag. Hun uitgaansbijlage is de allerbeste. Lees deze krant als je een indruk wilt krijgen van hoe intellectueel Zuid-Afrika het land ziet. Internationaal nieuws krijgen ze van *The Guardian* in Londen. Heeft iets weg van *Vrij Nederland*.
In het weekend is de *Weekend Argus* vaste prik voor Capetonians. Wie op zoek is naar een huis, kijkt op zaterdag deze krant door en gaat op zondag kijken bij de showhouses. Op zondag is de (landelijke) *Sunday Times* aan te raden, hun lifestyle bijlages worden geprezen. Er is ook een samenvatting van de beste stukken uit de *New York Times* van die week. Deze kranten zijn Engelstalig. *Die Burger* is de Afrikaanse krant, die zonder al te veel problemen te lezen is voor Nederlanders. Hardop lezen helpt.

Televisie

SABC (South African Broadcasting Corporation) beheerst de televisie met haar drie zenders. Interessant is hoe deze staatsorganisatie moet jongleren met de elf officiële talen die ze behoort te vertegenwoordigen. De nieuwsuitzendingen worden tegelijk uitgezonden in verschillende talen, andere programma's worden in twee talen ondertiteld. Het merendeel is Engels en be-

staat uit een mix van lokale soaps, spelshows, praatprogramma's, sport en dramaseries. Veelbekeken programma's zijn geïmporteerd: Big Brother en Idols zijn hier ook doorgedrongen.
E-TV is een commerciële zender die iedereen kan ontvangen. M-Net is een betaalkanaal waar voornamelijk films op te zien zijn. DSTV gaat via de satelliet en is het statussymbool bij uitstek omdat het zo duur is. In veel hotels is DSTV. Op kanaal 91 zit de Nederlands/Belgische zender van de Wereldomroep, gericht op Nederlanders in het buitenland die het NOS journaal, Paul de Leeuw en Koninginnedag niet willen missen.

Radio

Ook op de radio is de SABC de leidende partij. Lokale zenders zijn Good Hope FM (tussen 94 en 97 FM), KFM (94.5 FM), P4 (109.4 FM) en Cape Talk (567 AM).

Tijdschriften

Tijdschriften over Kaapstad en alles wat er te doen is, zijn *Time Out magazine* en *Cape Etc. The Other Guide* is een gratis magazine gericht op toeristen, dat onder andere op het vliegveld ligt. Zoals de naam al aangeeft, is hun invalshoek net iets anders maar dat maakt het des te interessanter. Landelijke bladen die de moeite zijn om naar uit te kijken, zijn *Getaway Magazine*, gericht op de natuur, kamperen en vol met vakantieideeën in Zuid-Afrika. De lokale versie van onze roddelbladen zijn *Huisgenoot* (Afrikaans) en *You* (Engels). Deze bladen zijn een afspiegeling van een deel van de Zuid-Afrikaanse samenleving, waarin de meest bizarre familiedrama's en tips over het verzorgen van planten en huisdieren elkaar afwisselen. In de grote boekwinkels zijn veel mooi vormgegeven en kwalitatief goede tijdschriften te vinden over kunst, interieur en reizen.

Kranten en tijdschriften op internet

- www.capetimes.co.za Ochtendkrant van Kaapstad.
- www.capeargus.co.za Middagkrant van Kaapstad.
- www.noseweek.co.za Het bijtertje van de lokale media, journalistiek graafwerk van hoge kwaliteit.
- www.getawaytoafrica.co.za Hoort bij het tijdschrift *Getaway*, sportieve vakantietips in Zuid-Afrika.

Register

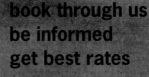

De koning te rijk
in Zuid-Afrika...

Bent u op zoek naar één van de spannendste reisbestemmingen op aarde? Bent u toe aan het ontmoeten van een wereld in één land, een land vol contrasten, een ongerepte natuur en een verscheidenheid aan beschavingen? Dan bent u toe aan het zuidelijkst gelegen land van het Afrikaanse continent: **Zuid-Afrika!**

Kamunyak Travel is een jonge, dynamische en boven alles enthousiaste onderneming die u laat kennismaken met het échte Zuid-Afrika. Wij organiseren volledig verzorgde kleinschalige groepsreizen en individuele reizen op maat. Tijdens uw reis verblijft u in sfeervolle, kleinschalige en uniek gelegen lodges en guesthouses.

Kamunyak Travel zorgt ervoor dat u na thuiskomst met een gevoel van heimwee aan dit prachtige land terug zult denken. U krijgt namelijk geen tweede kans voor een eerste indruk!

Voor meer informatie:
www.kamunyaktravel.nl, info@kamunyaktravel.nl, tel. +31 (0)43-3580043

Cape Town is made for MINI

Snel, mooi, hip en fun - MINI en Kaapstad zijn voor elkaar gemaakt. De MINI COOPER S CABRIO is perfect om de Kaap te ontdekken. Voel de wind door je haren en de zon op je schouders. Dit is het echte cruisen: langs de zee en door de wijnlanden. MINI's perfecte wegligging en krachtige motor zorgen voor een extra dimensie bij het rijden.

Add some pleasure - Drive MINI

Vanaf R700 per dag (excl. BTW)

Reserveren noodzakelijk.

Mobiel: +27(0)84 425 5603
e-mail: info@shortshift.nl
web: www.shortshift.nl